D0714532

THE WALKING DEAD

L'Ascension du Gouverneur

ROBERT KIRKMAN et JAY BONANSINGA

THE WALKING DEAD

L'Ascension du Gouverneur

TRADUIT DE L'ANGLAIS (ÉTATS-UNIS) PAR PASCAL LOUBET

LE LIVRE DE POCHE

Titre original :

THE WALKING DEAD – RISE OF THE GOVERNOR
Publié par Thomas Dunne Books, an imprint of St. Martin's Press, en 2011.

Couverture : © Getty Images.

ISBN : 978-2-253-13482-4

Pour Jeanie B, Joey et Bill... les amours de ma vie.

Jay.

Pour Sonia, Peter et Collette...
Je promets que je travaillerai moins
dès que leurs études universitaires seront payées.

Robert.

REMERCIEMENTS

Je remercie tout particulièrement Robert Kirkman, Brendan Deneen, Andy Cohen, David Alpert, Stephen Emery et tout le monde chez Circle of Confusion.

Jay.

Un hourra pour Jay Bonansinga, Alpert et tous les gens de Circle of Confusion, les artistes d'Image Comics, ainsi que pour Charlie Adlard pour avoir tenu la barre. Tout mon respect pour Rosenman, Rosenbaum, Simonian et Lerner. Et, bien sûr pour… Brendan Deneen.

Robert.

PREMIÈRE PARTIE

Les Hommes creux

Il n'y a rien de glorieux à mourir.
N'importe qui peut le faire.

Johnny Rotten.

1

C'est ce qui vient à l'esprit de Brian Blake alors qu'il est tapi dans les ténèbres humides, la poitrine broyée dans l'étau de la terreur et la douleur qui palpite dans ses genoux : si seulement il avait une deuxième paire de mains, il pourrait se boucher les oreilles et peut-être oublier le bruit de ces têtes humaines qu'on est en train de broyer. Malheureusement, les seules mains que Brian possède sont très occupées à couvrir les minuscules oreilles d'une fillette de sept ans blottie contre lui dans le placard.

La petite ne cesse de frissonner entre ses bras et de sursauter à chaque fois que résonne un fracas de l'autre côté de la porte. Puis le silence retombe, seulement rompu par le bruit visqueux des pas sur les dalles gluantes de sang et les chuchotements furieux dans le vestibule.

Brian recommence à tousser. Il n'y peut rien. Cela fait des jours qu'il lutte contre ce fichu coup de froid, cette infection qui s'entête dans ses articulations et ses sinus. Cela lui tombe dessus à chaque automne, quand le froid humide qui imprègne les journées en Géorgie le perce jusqu'aux os, sape ses forces et lui coupe le souffle. Et maintenant, à chaque quinte de toux, il sent les coups de poignard de la fièvre.

Plié en deux, la respiration sifflante, il garde les mains plaquées sur les oreilles de la petite Penny. Il sait que ce souffle déchirant attire l'attention de toutes sortes de créatures de l'autre côté de la porte, dans les recoins de la maison, mais il ne peut rien y faire. À chaque fois qu'il tousse, des étoiles lumineuses passent devant ses pupilles aveugles comme un feu d'artifice qui retombe.

Large d'à peine plus d'un mètre et profond d'un peu moins, le placard noir comme un four empeste la naphtaline, les crottes de souris et le vieux cèdre. Les housses à vêtements en plastique lui frôlent le visage. Philip, le petit frère de Brian, lui a dit qu'il pouvait tousser dans le placard. En fait, Brian avait le droit de tousser autant qu'il voulait – cela attirerait les monstres – mais il avait intérêt à ne pas refiler son satané rhume à la petite fille de Philip, sinon, il lui démolirait la tête.

La quinte de toux passe.

Quelques instants plus tard, d'autres pas traînants troublent le silence de l'autre côté de la porte – une nouvelle créature morte qui entre dans la zone de massacre. Brian appuie de plus belle sur les oreilles de Penny et la petite frémit en entendant une énième interprétation d'*Explosion de crâne* en *ré* mineur.

Si on lui demandait de décrire le vacarme dehors, Brian Blake se rappellerait probablement l'époque où il tenait un magasin de musique et vous dirait que ces bruits à vous déchirer la cervelle ressemblent à une symphonie de percussions qu'on jouerait en enfer – un extrait déjanté d'Edgard Varèse ou un solo de batterie défoncé de John Bonham – avec couplets et refrains répétitifs : le souffle rauque d'êtres humains… les pas chancelants d'un autre cadavre ambulant… le sifflement d'une hache… le bruit sourd de l'acier qui s'enfonce dans la chair…

… et au bout, le grand finale, l'éclaboussure humide d'un corps inerte sur le parquet gluant.

Une nouvelle pause dans le tumulte fait frissonner Brian. Le silence retombe. Ses yeux s'étant désormais habitués à l'obscurité, Brian voit couler le premier filet de sang rouge et épais sous la porte. On dirait de l'huile de moteur. Il écarte doucement sa nièce de la flaque luisante et la pousse vers les chaussures et les parapluies posés contre la paroi du fond.

L'ourlet de la petite robe en jean de Penny Blake frôle le sang. Elle soulève vivement l'étoffe et frotte frénétiquement la tache, comme si le contact du sang pouvait l'infecter.

Une autre quinte de toux plie Brian en deux. Il résiste. Déglutir, c'est comme avaler une poignée d'éclats de verre. Il serre contre lui la petite fille. Il ne sait que dire ni faire. Il veut aider sa nièce. Il veut lui chuchoter des paroles rassurantes, mais il n'arrive pas à trouver quoi.

Le père de la fillette saurait quoi dire. Philip saurait, lui. Il sait toujours ce qu'il faut dire. Philip Blake, c'est le type qui dit les trucs que tout le monde *aurait voulu* dire. Il dit ce qu'il faut dire et il fait ce qu'il faut faire. En ce moment, par exemple. Il est dehors avec Bobby et Nick et fait ce qui doit être fait… pendant que Brian est recroquevillé dans le noir comme un lapin terrorisé en regrettant de ne pas savoir quoi dire à sa nièce.

Si l'on considère que Brian Blake est l'aîné des deux frères, il est curieux que ce soit lui qui ait toujours été l'avorton. Haut d'à peine un mètre soixante-dix avec ses talons, Brian Blake est un épouvantail efflanqué qui remplit à peine son jean slim noir et son t-shirt déchiré. Une barbichette couleur de rien, des bracelets en macramé et une tignasse noire à la Ichabod Crane, voilà qui complète le portrait d'un enfant de trente-cinq ans perdu dans les limbes de Peter Pan et pour l'heure agenouillé dans une obscurité parfumée à la naphtaline.

Brian inspire péniblement et baisse les yeux vers le visage horrifié et muet de la petite Penny qu'il distingue à peine dans le noir. Un teint diaphane de poupée de porcelaine, la petite a toujours été une silencieuse. Mais depuis la mort de sa mère, elle est de plus en plus repliée sur elle-même, de plus en plus pâle et muette, au point de paraître presque transparente, avec ses boucles noires qui voilent ses yeux immenses.

Ces trois derniers jours, elle n'a pratiquement pas dit un mot. Évidemment, les trois jours derniers ont été *extraordinaires* – sans compter que le traumatisme a des effets différents sur les enfants et les adultes – mais Brian se demande si Penny n'est pas en train de sombrer dans une sorte de stupeur.

— Tout va bien se passer, ma chérie, lui chuchote-t-il en ponctuant cela d'une petite toux miséreuse.

Elle répond quelque chose sans le regarder. Elle marmonne, les yeux fixés vers le sol, une larme perlant sur sa joue sale.

— Qu'est-ce que tu dis, Pen ? demande Brian en la serrant contre lui et en lui essuyant sa larme.

Elle répète, encore et encore, mais ce n'est pas vraiment à Brian qu'elle parle. Elle dit cela plutôt comme un mantra, ou une incantation : *Ça-ne-va-jamais-bien-se-passer-jamais-jamais-jamais-jamais.*

— Chut.

D'une main, il pose doucement sa tête contre les plis de son t-shirt. Il sent la chaleur humide de son visage sur ses côtes. Il lui couvre de nouveau les oreilles quand retentit devant le placard un autre coup de hache qui fend un cuir chevelu, fracasse les os, s'enfonce dans la dure-mère, puis dans la gélatine grise et visqueuse d'un lobe occipital.

Cela fait un bruit mat, comme une batte de baseball qui frappe une balle en mousse mouillée – le sang qui gicle comme une serpillière qui gifle le sol –, suivi d'un horrible choc sourd. Bizarrement, pour Brian, c'est le pire : le son creux et humide d'un corps qui atterrit sur les dalles hors de prix, fabriquées sur mesure pour la maison, avec de subtiles incrustations et des motifs aztèques. C'est une charmante maison… en tout cas, elle l'a été.

De nouveau, les bruits cessent.

De nouveau, l'horrible silence ruisselant. Brian réprime sa toux, la retient en lui comme un pétard qui menace d'exploser, afin de guetter d'infimes modifications de respiration de l'autre côté de la porte, des pas poisseux qui glissent dans les flaques de sang. Mais la pièce est silencieuse, désormais.

Brian sent l'enfant qui se colle contre lui – la petite Penny se prépare à une autre salve de coups de hache – mais le silence s'éternise.

À quelques centimètres, le déclic d'un verrou, puis la poignée de la porte du placard qui tourne. Brian sent tous ses poils se hérisser. La porte s'ouvre.

— OK, tout va bien.

La voix grave, à force de whisky et de tabac, est celle d'un homme qui scrute le fond du placard. Clignant des yeux dans la pénombre, le visage rouge et luisant de sueur, après avoir massacré du zombie, Philip Blake tient dans sa grosse main d'ouvrier une hache ruisselante de sang.

— Tu es sûr ? souffle Brian.

Sans répondre, Philip baisse les yeux vers sa fille.

— Tout va bien, ma puce, Papa n'a rien.

— Tu es *sûr* ? répète Brian en toussant.

Philip regarde son frère.

— Ça t'embêterait de mettre ta main devant ta bouche, vieux ?

— Tu es sûr que la voie est libre ? siffle Brian.

— Ma puce ? demande tendrement Philip Blake à sa fille avec son accent nonchalant du Sud qui contraste avec les derniers flamboiements féroces dans son regard. Il va falloir que tu restes ici une minute. D'accord ? Tu attends gentiment que Papa dise que tu peux sortir. Tu comprends ? (Toute pâle, la petite fille acquiesce d'un hochement de tête.) Allez, vieux, dit Philip à son frère aîné. Va falloir que tu m'aides à nettoyer.

Brian se relève péniblement et cligne des paupières dans la lumière crue du vestibule. Il écarquille les yeux, tousse, les écarquille encore. L'espace d'un instant, on dirait que l'élégant hall de la maison de deux étages de style colonial, brillamment éclairé par de splendides lustres en cuivre, a subi les travaux de rénovation d'une équipe de paralytiques. De grandes traînées rouge foncé éclaboussent les murs vert foncé. Des taches noires et écarlates maculent les lambris et les moulures. Puis il prend conscience des corps.

Ils sont six, chacun réduit à un tas sanglant sur le sol. Les âges et les sexes sont indiscernables dans ce carnage, cette peau violacée et ces crânes déformés. Le plus gros gît dans une flaque de bile au pied du grand escalier circulaire. Un autre corps, peut-être la maîtresse de maison, peut-être naguère une hôtesse accueillante proposant crumble aux pêches et hospitalité du Sud, est étalé sur le splendide parquet blanc, convulsé, un filet de cervelle s'échappant de son crâne éclaté.

Brian sent une nausée remonter dans sa gorge.

— OK, messieurs, le boulot est prêt, dit Philip à ses deux compagnons, Nick et Bobby, ainsi qu'à son frère, qui ne l'entend pas, assourdi par les battements accélérés de son cœur.

Il aperçoit les autres restes – ces deux derniers jours, Philip a commencé à qualifier ceux qu'ils anéantissent de « porc sauté » – étalés le long des plinthes en bois sombre à l'entrée du salon. Que ce soient les adolescents qui habitaient là, ou des visiteurs qui ont subi une morsure infectée en guise d'hospitalité du Sud, ils gisent dans des gerbes d'éclaboussures sanguinolentes. L'un – ou l'une – d'eux, la tête enfoncée comme une soupière renversée, laisse encore échapper d'abondants jets de sang. Deux autres ont des hachettes encastrées dans le crâne jusqu'au manche, comme les drapeaux que les explorateurs plantent sur des sommets restés jusque-là hors d'atteinte.

Brian porte vivement la main à sa bouche, essayant de retenir la marée qui remonte dans sa gorge. Il sent de petits coups sur le sommet de son crâne, comme un papillon de nuit qui se cognerait dessus. Il lève les yeux.

Des gouttes de sang dégoulinent du lustre ; une goutte lui tombe sur le nez.

— Nick, va chercher quelques-unes des bâches qu'on a vues tout à l'heure dans le…

Brian tombe à genoux, se plie en deux et vomit sur le parquet. La bile verdâtre ruisselle sur le sol et se mélange aux traces de pas des victimes.

Des larmes brûlent les yeux de Brian qui se vide de ces quatre journées de mort dans l'âme.

Encore sous le coup de la décharge d'adrénaline, Philip Blake laisse échapper un soupir crispé. Il reste un instant sans bouger, sans faire l'effort de rejoindre son frère, pose la hache sanglante et lève les yeux au ciel. C'est un miracle qu'il n'ait pas de crampes, à force. Mais que peut-il faire d'autre ? Le pauvre crétin fait partie de la famille, et la famille, c'est la famille… surtout dans des moments qui dépassent tout ce qu'on peut imaginer, comme celui-ci.

Certes, il y a une ressemblance – Philip ne peut rien de ce côté-là. Grand et mince, avec des muscles noueux d'ouvrier, Philip Blake a le teint mat et les mêmes traits que son frère, les mêmes yeux bruns en amande et les cheveux noir corbeau de leur mère d'origine mexicaine. Le nom de jeune fille de Maman Rose était Garcia, et son physique a pris le dessus sur celui du père, un grand costaud alcoolique d'origine mi-irlandaise, mi-écossaise nommé Ed Blake. Mais c'est Philip, de trois ans plus jeune que Brian, qui a hérité de tous les muscles.

Il fait un mètre quatre-vingt-deux, avec son jean délavé, ses chaussures de chantier et sa chemise en chambray, sa moustache de Fu Manchu et ses tatouages de motard et taulard ; et il s'apprête à approcher sa grande carcasse de son frère nauséeux, et peut-être lui dire une vacherie, quand il s'immobilise. Il entend quelque chose qui ne lui plaît pas de l'autre côté du vestibule.

Près du bas de l'escalier, Bobby Marsh, un vieux copain de lycée de Philip, essuie la lame d'une hache sur son jean XXL. Trente-deux ans, études abandonnées en route, des longs cheveux bruns tirés en queue-de-cheval, Bobby n'est pas obèse, mais incontestablement en surpoids, exactement le genre de type que ses copains du lycée du comté de Burke traitaient de boule de graisse. Là, il ricane nerveusement en voyant Brian et ces gloussements qui font tressauter son ventre sonnent creux – une sorte de tic que Bobby paraît incapable de maîtriser.

Tout a commencé il y a trois jours quand l'un des premiers morts-vivants a surgi de derrière les pompes d'une station-service près de l'aéroport d'Augusta, vêtu d'une salopette ensanglantée, traînant un ruban de papier toilette derrière lui, et a essayé de manger le gros cou de Bobby en guise de goûter avant que Philip intervienne et assomme la créature avec un pied-de-biche.

En découvrant ce jour-là qu'un bon coup sur le crâne règle gentiment la question, Bobby s'est mis à ricaner de plus belle – clairement un mécanisme de défense – et à répéter que c'était « quelque chose dans l'eau, les mecs, comme cette saloperie de peste noire ». Mais Philip n'a pas voulu discuter des raisons de cette catastrophe sur le moment, et il n'en a pas plus envie maintenant.

— Hé, lui crie-t-il. Tu trouves toujours ça *drôle* ?

Bobby cesse aussitôt de rire.

De l'autre côté de la pièce, près d'une fenêtre donnant sur le vaste jardin plongé dans la nuit, une quatrième silhouette assiste au spectacle avec gêne. Nick Parsons, un autre ami d'enfance de Philip, est un trentenaire râblé, aux allures d'étudiant propret et à la coupe en brosse de l'éternel champion de l'école. Étant le croyant de la bande, c'est lui qui a mis le plus de temps à s'habituer à l'idée d'anéantir des choses qui ont été humaines. À présent, son pantalon en toile et ses baskets sont souillés de sang, et c'est avec inquiétude qu'il regarde Philip s'approcher de Bobby.

— Désolé, mec, murmure celui-ci.

— Ma fille est là-bas, dit Philip, nez à nez avec Marsh.

La fureur, la panique et le chagrin donnent un mélange détonant en lui, quelque chose qui peut exploser à tout instant.

— Désolé, désolé, répète Bobby en fixant le sol luisant de sang.

— Va chercher les bâches, Bobby.

À deux mètres de là, Brian Blake, toujours à quatre pattes, continue de vomir même s'il a l'estomac vide.

Philip va rejoindre son frère et s'agenouille à côté de lui.

— Soulage-toi.

— Je… euh… répond Brian d'une voix rauque en reniflant, incapable de former une pensée complète.

Philip pose doucement sa grosse main calleuse sur l'épaule de son frère.

— C'est bon, frangin… vide-toi.

— Je… excuse-moi.

— C'est bon.

Brian se ressaisit et s'essuie la bouche d'un revers de manche.

— Tu… tu crois que tu les as tous eus ?

— Oui.

— Tu es sûr ?

— Ouaip.

— Tu as fouillé… partout ? Dans la cave, tout ça ?

— Oui, monsieur, partout. Toutes les chambres… même le grenier. Le dernier est sorti de sa planque en entendant cette foutue toux à réveiller un mort. Une ado, elle a essayé de bouffer le menton de Bobby.

Brian déglutit péniblement.

— Ces gens… Ils… *vivaient* ici.

— Plus maintenant, soupire Philip.

Brian parvient à jeter un regard circulaire dans la pièce, puis il lève les yeux vers son frère. Son visage ruisselle de larmes.

— Mais c'était comme… de la famille.

Philip acquiesce sans répondre. Il a envie de hausser les épaules – *putain, et alors ?* – mais il se contente de hocher la tête. Il ne pense pas à la famille zombifiée qu'il vient de liquider, ou à ce qu'implique la boucherie abrutissante à laquelle il se livre depuis trois jours – massacrant des gens qui jusqu'à peu étaient des mères de famille, des facteurs et des pompistes. Hier, Brian s'est lancé dans un discours d'intellectuel alambiqué sur la différence entre morale et éthique dans cette situation : moralement, on ne doit jamais tuer, en aucun cas, mais d'un point de vue éthique, ce qui est subtilement différent, on doit adopter comme politique de tuer uniquement en cas de légitime défense. Pourtant pour Philip, ce qu'ils font, ce n'est pas tuer. On ne peut pas tuer quelque chose qui l'a déjà été. En fait, on l'écrase comme un moustique et on passe à la suite, et on arrête de réfléchir comme ça.

Le fait est que, en ce moment, Philip ne pense même pas à ce que sa petite bande désorganisée va faire ensuite – ce qu'il va probablement devoir décider entièrement seul (il en est devenu *de facto* le chef, autant se rendre à l'évidence). Pour le moment, Philip Blake se concentre sur un seul et unique objectif : depuis que le cauchemar a commencé, il y a moins de soixante-douze heures, et que les gens se sont mis à se transformer – pour des raisons que personne n'a encore pu élucider –, tout ce que Philip a eu en tête, c'est de protéger Penny. C'est pour cela qu'il a fichu le camp de sa ville natale, Waynesboro, il y a deux jours.

Cette petite communauté agricole sur la bordure est du centre de la Géorgie a brusquement été en proie à la folie quand des gens ont commencé à mourir et à ressusciter. Mais c'est la sécurité de Penny qui a finalement convaincu Philip de filer. C'est à cause de Penny qu'il a enrôlé pour l'aider ses anciens copains de lycée, et qu'ils sont partis pour Atlanta où, selon les informations, des centres d'accueil sont mis en place pour les réfugiés. Tout est à cause de Penny. Elle est tout ce qui reste à Philip. Elle est la seule chose qui le pousse à continuer – le seul baume qui peut calmer son cœur.

Longtemps avant que cette inexplicable épidémie se déclare, le vide qui l'habitait lui serrait le cœur durant ses nuits blanches. 3 heures du matin. L'heure précise à laquelle il avait perdu sa femme – difficile de croire que cela fait quatre ans, à présent – sur une autoroute rendue glissante par la pluie au sud d'Athens. Sarah était allée rendre visite à une amie à l'université de Géorgie, elle avait bu, et elle avait perdu le contrôle de sa voiture dans un virage du comté de Wilkes.

Dès l'instant où il avait identifié le corps, Philip avait su que rien ne serait plus pareil. Il n'eut aucun scrupule à faire ce qu'il fallait – prendre deux boulots pour que Penny ait de quoi manger et s'habiller – mais rien ne serait plus pareil. Peut-être était-ce pour cela que tous ces trucs arrivaient. Une petite blague du bon Dieu. Quand les sauterelles déferlent et que les rivières charrient du sang, c'est le type qui a le plus à perdre qui prend la tête de la meute.

— Peu importe qui ils étaient, dit enfin Philip à son frère. Ou ce qu'ils étaient.

— Oui… Tu as sûrement raison.

Brian a réussi à se redresser, assis en tailleur, la respiration sifflante. Il regarde Bobby et Nick qui déplient de l'autre côté de la pièce des sacs poubelle et de grandes bâches, et commencent à y enrouler les cadavres encore ruisselants.

— La seule chose qui compte, c'est de nettoyer cette maison, dit Philip. On peut y rester ce soir et si on peut trouver de l'essence demain matin, on pourra rejoindre Atlanta dans la journée.

— Ça ne tient pas debout, tout de même, murmure Brian en contemplant les cadavres.

— Qu'est-ce que tu racontes ?

— Regarde-les.

— Quoi ? demande Philip en regardant les restes répugnants de la maîtresse de maison disparaître dans une bâche. Qu'est-ce qu'ils ont ?

— C'est juste la famille.

— Et ?

Brian tousse et s'essuie les lèvres sur sa manche.

— Ce que je veux dire, c'est que… tu as le père, la mère, les quatre gosses ados… et c'est comme une famille.

— Oui, bon, et alors ?

— Alors comment tu veux qu'un truc pareil soit arrivé ? demande Brian en levant les yeux vers son frère. Ils se sont… *transformés ensemble* ? Ou bien il y en a un qui a été mordu et qui a ramené ça chez eux ?

Philip réfléchit un instant. Après tout, il essaie de comprendre ce qui se passe, lui aussi, comment cette folie fonctionne, mais il finit par s'en lasser et déclare :

— Allez, bouge tes fesses et donne-nous un coup de main.

Il leur faut une heure pour tout nettoyer. Penny reste dans le placard pendant tout ce temps. Philip lui apporte une peluche trouvée dans une des chambres et lui dit qu'elle va bientôt pouvoir sortir. Brian, secoué de quintes de toux, passe la serpillière, pendant que les trois autres sortent les cadavres enveloppés dans les bâches – deux gros et quatre plus petits – par les portes-fenêtres sur la vaste terrasse en cèdre.

Le ciel nocturne de la fin septembre est aussi clair et glacé qu'un océan noir où scintillent des étoiles moqueuses. Leur haleine se condense dans l'obscurité tandis qu'ils traînent leurs fardeaux sur les planches couvertes de givre. Ils portent des pics à la ceinture et Philip a un pistolet glissé à l'arrière de son jean. C'est un vieux Ruger calibre .22 qu'il a acheté dans une brocante il y a des années, mais personne ne veut alerter les morts avec une détonation pour le moment. Le vent leur apporte le bruit monocorde et caractéristique des morts-vivants – des geignements étouffés et des pas traînants – depuis quelque part dans l'obscurité des jardins voisins.

L'automne a été inhabituellement frisquet pour la Géorgie, et ce soir, le mercure doit descendre sous les quatre degrés, peut-être même jusqu'à zéro. En tout cas, c'est ce que la station de radio ondes courtes locale annonçait avant de se figer dans des grésillements. Jusqu'à cette étape de leur voyage, Philip et sa bande suivent télé, radio et Internet sur le Blackberry de Brian.

Dans le chaos général, les informations ont assuré que tout allait parfaitement bien – votre fidèle gouvernement maîtrise la situation – et que ce petit incident allait être réglé d'ici à quelques heures. Régulièrement, des alertes résonnent sur les fréquences de la défense civile, exhortant les gens à rester chez eux, éviter les zones faiblement peuplées, se laver fréquemment les mains, boire de l'eau en bouteilles et blablabla.

Bien sûr, personne n'a la moindre réponse. Et le signe le plus inquiétant dans tout cela est peut-être le nombre croissant de radios qui cessent d'émettre. Heureusement, les stations-service ont encore de l'essence, les rayons des magasins sont encore pleins et le réseau électrique, les feux de circulation, les postes de police et les diverses infrastructures de la civilisation semblent tenir le coup.

Mais Philip redoute qu'une panne électrique change la donne d'une manière inimaginable.

— Flanquez-les dans les bennes à ordures derrière le garage, dit-il à mi-voix, chuchotant presque, en traînant deux cadavres jusqu'à la palissade à côté du garage trois places.

Il veut que ce soit fait rapidement et sans bruit. Il ne souhaite pas attirer des zombies. Autant que possible, pas de feux, ni de bruits, ni de détonations.

Une étroite allée de graviers longe la palissade de cèdre de deux mètres de haut et dessert la succession de vastes garages des propriétés. Nick tire sa charge jusqu'au portail en épaisses planches de cèdre muni d'une poignée en fer forgé et la lâche pour l'ouvrir.

Un mort-vivant l'attend de l'autre côté.

— Attention, tout le monde ! s'écrie Bobby Marsh.

— Fermez vos gueules ! siffle Philip, qui est déjà presque au portail, son pic à la main.

Nick recule. Le zombie se précipite sur lui en ouvrant la bouche toute grande et manque sa poitrine d'un cheveu. Les dents jaunâtres se referment sur le vide, impuissantes, en claquant comme des castagnettes, et dans le clair de lune, Nick distingue que c'est un homme âgé, vêtu d'un élégant pull en lambeaux, d'un pantalon et de coûteuses chaussures de golf, aux yeux voilés d'une taie laiteuse : *un grand-père.*

Nick a le temps de bien regarder la créature avant de trébucher et de tomber à la renverse sur l'épaisse pelouse. Le golfeur mort passe en titubant par l'ouverture et arrive dans l'herbe au moment où jaillit un éclair d'acier.

La pointe du pic de Philip s'abat sur la tête du monstre, fracassant le crâne comme une noix de coco et faisant jaillir une giclée noirâtre dans un bruit de tiges de céleri qu'on casse. L'expression avide s'éteint sur le visage desséché du vieillard, comme un dessin animé bloqué sur une image.

Le zombie s'affaisse tel un sac à linge vide. Le pic enfoncé dans son crâne entraîne Philip. La pointe est coincée.

— Ferme cette saloperie de portail tout de suite, et sans un bruit, bon sang, dit-il toujours à mi-voix, en appuyant sa grosse chaussure coquée sur le crâne fendu du cadavre.

Ses deux compagnons obéissent de concert : Bobby lâche aussitôt son fardeau et se précipite vers le portail ; Nick se remet debout et recule, frappé de stupeur et d'horreur. Bobby tourne prestement la poignée dont le raclement métallique résonne bruyamment dans l'obscurité.

Philip parvient enfin à dégager son pic, qui s'arrache du crâne avec un bruit gélatineux, et se tourne vers le reste de la famille, submergé de panique, quand il entend un bruit étrange et inattendu provenant de la maison. Il lève les yeux vers les portes-fenêtres brillamment éclairées où se découpe la silhouette de Brian, qui frappe la vitre et leur fait signe de rentrer au plus vite. Il a l'air aux abois. Cela n'a rien à voir avec le cadavre du golfeur : Philip en est certain, quelque chose ne va pas.

Mon Dieu, pourvu que cela n'ait rien *à voir avec Penny.*

Il lâche son pic et le rejoint en courant.

— Et les macchabées ? lui crie Bobby Marsh.

— Laisse-les ! répond Philip en sautant les marches de la terrasse et en arrivant à la baie vitrée entrouverte.

— Il faut que je te montre quelque chose, vieux, lui dit Brian.

— Quoi ? C'est Penny ? Elle n'a rien ? demande Philip, hors d'haleine, en entrant dans la maison.

Bobby et Nick arrivent à leur tour et retrouvent la chaleur de la maison.

— Penny va bien, répond Brian, qui tient une photo encadrée. Elle n'a rien. Elle dit que ça ne l'ennuie pas de rester encore un peu dans le placard.

— Bon Dieu, Brian, c'est quoi, alors, merde ? interroge Philip en serrant les poings.

— Il faut que je te montre un truc. Tu veux qu'on passe la nuit ici ? (Il se tourne vers la baie vitrée.) Regarde. Toute la famille est morte ici, d'accord ? Tous les six, c'est bien six ?

— Crache, vieux, dit Philip en s'essuyant le visage.

— Regarde. Je ne sais pas comment, mais ils se sont transformés *ensemble*. Toute la famille, OK ? (Brian tousse en désignant les six cadavres enveloppés dans leur bâche près du garage.) Il y en a six là-bas dans l'herbe. Regarde. Maman, Papa et les quatre gosses.

— Putain, et alors ?

Brian brandit la photo d'une famille à une époque heureuse, tous endimanchés, avec un sourire gauche.

— J'ai trouvé ça sur le piano.

— Et ?

Il désigne le plus jeune enfant, un garçon de onze ou douze ans, en costume bleu marine, cheveux blonds et sourire figé. Puis il lève un visage grave vers son frère.

— Sur cette photo, ils sont sept.

2

La gracieuse demeure coloniale à deux étages que Philip a choisie pour leur étape prolongée se trouve dans une petite rue impeccablement entretenue au fond du labyrinthe d'une enclave, les Wiltshire Estates.

Située en retrait de l'autoroute 278, à une trentaine de kilomètres à l'est d'Atlanta, cette zone résidentielle privée de deux mille quatre cents hectares a été aménagée dans une réserve forestière de pins et de vieux et imposants chênes de Virginie. La limite sud donne sur les vastes étendues d'un parcours de golf de trente-six trous dessiné par Fuzzy Zoeller.

Dans l'argumentaire fleuri de la brochure, que Brian Blake a trouvée en début de soirée par terre dans la guérite déserte d'un garde, l'endroit est un véritable rêve de décoratrice saoule : *Les Wiltshire Estates offrent un cadre de vie exceptionnel, avec des installations du dernier cri... Distingué comme le « Meilleur du Meilleur » par* Golf Magazine Living... *Site du spa cinq étoiles Shady Oaks... patrouilles de sécurité vingt-quatre heures sur vingt-quatre... Résidences à partir de 475 000 dollars et jusqu'à plus d'un million de dollars.*

En route pour le centre d'accueil d'Atlanta, la bande des Blake, tous entassés dans le 4 × 4 Chevrolet piqué de rouille de Philip, est arrivée sur les lieux le soir même. Le faisceau des phares a illuminé les grilles ouvragées surmontées de flèches en fer forgé et la grande arche annonçant Wiltshire en lettres de métal – et ils ont cessé leurs recherches.

Au départ, Philip pensait que ce serait une étape rapide, le temps de se reposer et de se réapprovisionner avant de faire la dernière partie du voyage jusqu'en ville. Peut-être trouveraient-ils d'autres survivants comme eux, voire de bons Samaritains disposés à les aider. Mais lorsque les cinq voyageurs épuisés, affamés et sonnés eurent fait un premier tour en serpentant dans les rues de Wiltshire à la tombée de la nuit, ils comprirent que pratiquement tout dans la résidence était *mort*.

Pas de lumières aux fenêtres. Seulement de rares voitures garées dans les allées ou le long des trottoirs. À un carrefour, une gerbe d'eau jaillie d'une borne d'incendie aspergeait une pelouse. Plus loin, une BMW était emplafonnée dans un poteau, la portière tordue et béante. Les gens s'étaient apparemment enfuis précipitamment.

Ils aperçurent les raisons de leur départ au loin, dans l'ombre du golf, dans les fossés derrière la résidence et même çà et là dans les rues éclairées. Des zombies erraient, vestiges fantomatiques des habitants, leurs bouches ouvertes dans un gémissement rauque que Philip entendait très bien, malgré les vitres fermées de la voiture, alors qu'il roulait dans le dédale de rues récemment goudronnées.

La pandémie – la malédiction divine ou Dieu sait quoi – avait dû s'abattre sur Wiltshire avec une rapidité foudroyante. La plupart des morts-vivants semblaient être sur le parcours de golf et à proximité. Il avait dû se produire quelque chose qui avait accéléré le processus. Peut-être que les golfeurs sont majoritairement âgés et lents. Peut-être les zombies les trouvent-ils savoureux. Qui peut le dire ? Mais il est évident, même à des centaines de mètres de distance, à travers les arbres ou par-dessus les palissades, que des centaines de morts-vivants sont rassemblés dans ce vaste ensemble de club-houses, allées, passerelles et bunkers. Dans la nuit, on dirait des insectes grouillants qui forment lentement un essaim.

C'est déroutant à voir, cependant pour une raison inconnue, le phénomène a laissé relativement déserte la partie résidentielle avec son dédale de rues circulaires en cul-de-sac. Et plus Philip et ses passagers ahuris parcourent les environs, plus ils ont envie de goûter un peu à ce cadre de vie primé, juste un peu, juste le temps de se reposer et se recharger.

Ils se sont dit qu'ils pourraient passer la nuit ici et repartir d'un bon pied le lendemain matin. Ils ont choisi la grande maison de style colonial en bas de Green Briar Lane parce qu'elle leur paraissait assez éloignée du golf pour éviter d'attirer l'attention de l'essaim. Elle avait un grand jardin avec une perspective dégagée et une haute et solide palissade. Et elle semblait vide. Mais quand ils ont prudemment reculé la Chevrolet sur la pelouse jusqu'à la porte de côté et que, laissant la voiture ouverte, clés sur le contact, ils sont entrés l'un après l'autre par une fenêtre, la maison s'est immédiatement animée. Les premiers grincements ont retenti à l'étage, et c'est alors que Philip a envoyé Nick à la voiture chercher les pics rangés dans le coffre.

— Je te dis qu'on les a tous, dit Philip en essayant de calmer son frère, assis dans le coin petit déjeuner de la cuisine.

Sans répondre, Brian fixe le bol de céréales imbibées de lait. À côté est posé un flacon de sirop pour la toux dont il a déjà englouti un quart.

Penny est assise avec lui, elle aussi devant un bol de céréales. Un petit pingouin en peluche de la taille d'une poire trône à côté de son bol, et de temps en temps, Penny fait mine de lui donner la becquée.

— On a regardé dans tous les coins, continue Philip en ouvrant les placards les uns après les autres.

La cuisine est une véritable corne d'abondance et regorge de provisions et denrées de luxe : crus de café gourmet, mixeurs, verres en cristal, cave à vins, pâtes fraîches, confitures exotiques, condiments de toutes sortes, liqueurs hors de prix et gadgets divers. Le piano de cuisson est impeccable et l'énorme réfrigérateur est rempli de quantités de viandes, fruits, produits laitiers et plats chinois.

— Il se peut qu'il soit parti voir de la famille, ajoute Philip tout en remarquant un scotch single malt de qualité sur une étagère. Chez les grands-parents ou chez des amis, j'en sais rien.

— Nom de Dieu, regarde-moi ça ! s'exclame Bobby Marsh à l'autre bout de la pièce, devant un placard dont il inspecte minutieusement le contenu. On se croirait à la chocolaterie de Willy Wonka, là... Gâteaux, biscuits... Et le pain est encore frais.

— L'endroit est sûr, Brian, conclut Philip en prenant la bouteille de scotch.

— Sûr ?

Brian fixe la table et est saisi d'une quinte de toux.

— Je viens de te le dire. Et d'ailleurs, je pensais...

— On vient d'en perdre une de plus ! s'écrie une voix.

C'est Nick. Depuis dix minutes, il zappe avec inquiétude sur les chaînes d'un petit écran plasma monté sous un placard près de l'évier. Il cherche les infos sur les chaînes locales et là, à minuit moins le quart, l'antenne Fox 5 News d'Atlanta vient de cesser d'émettre. Tout ce qui reste sur le câble – en dehors des chaînes nationales qui passent des rediffusions de documentaires animaliers et de vieux films –, c'est le pilier d'Atlanta, CNN, et tout ce qu'elle diffuse en ce moment, ce sont des flashs d'alerte automatiques, avec les mêmes consignes depuis des jours. Même le Blackberry de Brian flanche, la couverture réseau étant très mauvaise dans les environs. Et quand il fonctionne, il est rempli d'e-mails, de statuts Facebook et de messages obscurs du genre :

... ET LE ROYAUME SERA PLONGÉ DANS LES TÉNÈBRES...

... LES OISEAUX SONT TOMBÉS DU CIEL, C'EST COMME ÇA QUE ÇA A COMMENCÉ...

... FAITES TOUT CRAMER, FAITES TOUT CRAMER...

... BLASPHÈMES, BLASPHÈMES...

... TU SUCES, TU MEURS...

... LA DEMEURE DU SEIGNEUR EST DEVENUE LE SÉJOUR DES DÉMONS...

... NE ME LE REPROCHEZ PAS, JE SUIS UN LIBERTAIRE...

... MANGEZ-MOI...

— Éteins-la, Nick, dit Philip d'un ton lugubre en se laissant tomber avec sa bouteille sur une chaise du coin petit déjeuner.

Il fronce les sourcils et passe une main à l'arrière de sa ceinture, pour enlever son pistolet qui le gêne. Il pose le Ruger sur la table, dévisse le bouchon du whisky et en prend une bonne lampée.

Brian et Penny contemplent l'arme.

Philip rebouche la bouteille et la jette à Nick, qui l'attrape au vol avec l'adresse d'un joueur de baseball (qu'il a été naguère).

— Branche-toi sur la chaîne picole… Il faut que tu dormes un peu, que tu arrêtes de regarder des écrans.

Nick goûte le whisky. Puis il en boit une deuxième gorgée, le rebouche et le lance à Bobby.

Celui-ci le rattrape de justesse. Toujours devant les placards, il est très occupé à engloutir tout un paquet d'Oreos et il a déjà du chocolat plein les babines. Il fait passer les biscuits avec une longue gorgée de single malt et lâche un rot de gratitude.

Boire, c'est quelque chose que Philip et ses deux amis ont l'habitude de faire ensemble, et ils en ont besoin ce soir plus que jamais. Ils ont commencé en première année de lycée dans le comté de Burke, avec de la crème de menthe et de la liqueur de pastèque, sous les canadiennes plantées dans leurs jardins. Plus tard, ils sont passés au bourbon et bière après les matchs de football. Personne ne tient l'alcool comme Philip Blake, mais les deux autres le suivent de près.

Au début de sa vie conjugale, Philip sortait régulièrement faire la fête avec ses deux copains de lycée, surtout pour se rappeler ce que c'était qu'être jeune, célibataire et irresponsable. Après la mort de Sarah, les trois hommes s'étaient moins vus. Les difficultés d'élever seul une enfant, les journées de travail au garage et les nuits passées à conduire un camion avec Penny dans la couchette, tout cela l'avait épuisé. Les soirées entre hommes étaient devenues moins fréquentes. De temps en temps, cependant – en fait, jusqu'au mois dernier –, Philip trouve encore le temps de se rencarder avec Bobby et Nick au Tally Ho, au Wagon Wheel ou dans un autre rade de Waynesboro pour une soirée de beuverie, pendant que Maman Rose s'occupe de Penny.

Ces dernières années, Philip a commencé à se demander s'il continuait cette routine avec Bobby et Nick simplement pour se convaincre qu'il était en vie. Peut-être est-ce pour cela que ce dimanche dernier – quand tout s'est mis à déraper à Waynesboro et qu'il a décidé de prendre Penny et de filer dans un endroit plus sûr –, il a demandé à Bobby et Nick de faire le voyage avec lui. Ils sont comme un morceau de son passé, et cela le soutient, en quelque sorte.

Mais jamais il n'avait eu l'intention d'emmener Brian. Il est tombé sur lui par hasard. Le premier jour sur la route, à une soixantaine de kilomètres à l'ouest de Waynesboro, Philip a fait un rapide détour par Deering pour voir ses parents. Le couple était dans une résidence de retraités près de la base militaire de Fort Gordon. En arrivant à la petite maison de ses parents, Philip a découvert que toute la population de Deering avait été déménagée dans la base par sécurité.

C'était une bonne nouvelle. La mauvaise, c'est que Brian était là-bas. Terré dans la maison désertée, blotti dans le sous-sol, pétrifié par le nombre croissant de morts-vivants dans les parages. Philip avait presque oublié la situation actuelle de son frère : Brian était revenu chez leurs parents quand son mariage avec cette folle de Jamaïcaine de Gainesville avait capoté. La fille avait pris ses cliques et ses claques pour retourner en Jamaïque. Ajoutée à toutes les entreprises idiotes dans lesquelles son frère s'était lancé – la plupart financées par leurs parents (comme sa brillante idée d'ouvrir un magasin de musique à Athens, où il y en a déjà à tous les coins de rue) –, l'idée de devoir s'occuper de Brian avait énervé Philip. Mais ce qui était fait était fait.

— Hé, Philly, appelle Bobby de l'autre bout de la cuisine après avoir englouti les derniers biscuits, tu crois que leurs centres d'accueil fonctionnent toujours ?

— Comment tu veux savoir ? dit Philip en regardant sa fille. Ça va, ma puce ?

— Ça va, répond-elle d'une toute petite voix, comme une clochette emportée par le vent. Je crois, ajoute-t-elle en contemplant le pingouin.

— Qu'est-ce que tu penses de cette maison ? Elle te plaît ?

— Je ne sais pas.

— Qu'est-ce que tu dirais qu'on y reste un petit peu ?

Tout le monde dresse l'oreille. Comme les autres, Brian lève les yeux vers son frère.

— Comment ça, un petit peu ? demande finalement Nick.

— File-moi la gnôle, répond Philip en faisant signe à Bobby. (La bouteille atterrit dans ses mains et il en boit une longue gorgée qui le brûle agréablement.) Regardez comme c'est, ici, dit-il en s'essuyant les lèvres.

— Tu disais juste pour la nuit, non ? demande Brian, décontenancé.

— Ouais, mais j'ai un peu changé d'avis, là.

— Oui, mais… commence Bobby.

— Écoute. Je dis ça, c'est tout. Ça serait peut-être mieux pour nous de rester discrets pendant un certain temps.

— Oui, mais Philly, concernant…

— On peut rester là, Bobby, en attendant de voir comment ça évolue.

Nick a écouté l'échange avec attention.

— Philip, écoute, mec, ils disent sur toutes les chaînes que c'est dans les grandes villes que c'est le plus sûr…

— Aux infos ? Bon Dieu, Nick, secoue-toi. Les médias sont aux fraises avec le reste de la population. Regarde cette baraque. Tu crois qu'un centre du gouvernement aura ce genre d'avantages, un lit pour chacun, à manger pour des semaines, du scotch vingt ans d'âge ? Des douches, de l'eau chaude et des machines à laver ?

— On est tout près, quand même, insiste Bobby après réflexion.

— Oui, bon, « près », c'est tout relatif, soupire Philip.

— Trente bornes au maximum.

— Ça pourrait aussi bien être trente *mille*, avec toutes les épaves abandonnées sur la route et la 278 grouillant de créatures…

— C'est pas ce qui va nous arrêter, dit Bobby. (Son regard s'allume et il claque des doigts.) On va ajouter un – comment on appelle ça ? Sur le devant de la Chevrolet ? – une lame de chasse-neige, comme ces enfoirés de *Mad Max 2*…

— Attention à ce que tu dis, fait Philip en désignant la petite.

— Mec, intervient Nick, si on reste là, en un rien de temps, ces trucs dehors vont nous…

Il se tait en regardant l'enfant. Tout le monde sait de quoi il parle. Penny reste les yeux fixés sur ses céréales comme si elle n'écoutait pas.

— Ces maisons sont solides, Nicky, rétorque Philip en reposant la bouteille et en croisant ses bras musclés. (Il a beaucoup réfléchi au problème de ces bandes qui errent sur le golf. La clé, c'est de ne pas faire de bruit, masquer les lumières la nuit, ne les alerter en aucune manière.) Du moment qu'on a de l'électricité et qu'on fait attention, on est peinards.

— Avec un seul flingue ? demande Nick. Déjà qu'on ne peut pas s'en servir sans attirer leur attention.

— On va aller voir dans les autres maisons s'il y a des armes. Ces salauds de riches sont branchés chasse au cerf, on trouvera peut-être aussi un silencieux pour le Ruger... Oh, et puis on peut en fabriquer un. Tu as vu l'atelier au sous-sol ?

— Arrête, Philip. On est quoi, armuriers, maintenant ? Enfin, tout ce qu'on a pour se défendre en ce moment, c'est quelques...

— Philip a raison. (La voix de Brian fait sursauter tout le monde – sifflante et enrouée, mais sans hésitation. Il repousse son bol et regarde son frère.) Tu as raison. (Philip est probablement celui qui est le plus abasourdi par la conviction de son frère. Brian se lève, fait le tour de la table et se poste sur le seuil du vaste salon. Les lumières sont éteintes et les rideaux tirés. Il désigne le mur.) En gros, c'est la façade qui pose problème. Les côtés et l'arrière sont relativement bien protégés par la palissade. Les morts n'ont pas l'air de pouvoir, disons, passer les obstacles et tout ça... Et toutes les maisons de ce coin ont des jardins clôturés. (L'espace d'un instant, il a l'air de vouloir tousser, mais il se retient, une main tremblante sur la bouche.) Si on peut, disons, prendre des matériaux dans d'autres maisons, on peut peut-être se fabriquer un mur devant la maison et éventuellement celles des voisins.

Bobby et Nick échangent un regard. Personne ne réagit, puis Philip déclare avec un petit sourire.

— Il faut reconnaître ça à l'intello.

Voilà un moment que les frères Blake ne se sont pas souri, mais là, Philip constate que, au moins, son bon à rien de frère veut se rendre utile, faire quelque chose pour la cause, se montrer à la hauteur. Et Brian semble prendre encore davantage confiance devant l'approbation de son frère. Nick n'est pas convaincu.

— Mais pour combien de temps ? J'ai l'impression d'être une cible facile, ici.

— On ne sait pas ce qui va se passer, s'anime Brian. On ne sait pas ce qui a causé ce truc, combien de temps ça va durer… Il se peut que le gouvernement comprenne ce que c'est, trouve un antidote ou je ne sais quoi… Déverser des produits chimiques par avion, le Centre de contrôle des maladies pourrait contenir l'épidémie… on ne sait jamais. Je crois que Philip a complètement raison. On devrait se reposer un peu ici.

— Il a carrément raison, sourit Philip Blake, les bras toujours croisés, un clin d'œil complice à son frère.

Brian l'imite avec un petit hochement de tête satisfait et balaie une mèche qui lui tombe dans les yeux. Il respire un bon coup, puis il s'approche triomphalement de la bouteille de whisky restée sur la table à côté de Philip. Et avec un entrain qu'il n'a pas montré depuis des années, il l'empoigne et la porte à ses lèvres pour boire une longue gorgée, tel un Viking qui fête une chasse fructueuse.

Immédiatement, il frémit et se plie en deux dans une quinte de toux. Il recrache la moitié de l'alcool, suffoque et tousse de plus belle, essoufflé, et les autres se contentent de le regarder. La petite Penny, frappée de stupeur, les yeux écarquillés, essuie les gouttelettes de whisky sur ses joues.

Le regard de Philip passe de son pitoyable frère à ses copains. Bobby Marsh peine à retenir un fou rire. Nick réprime un sourire. Philip tente de dire quelque chose, mais il ne peut s'empêcher d'éclater de rire, et c'est contagieux. Les autres se mettent à glousser.

Bientôt, tout le monde rit aux larmes, même Brian, et pour la première fois depuis le début de tout ce cauchemar, c'est sincère : le rire libère les tensions accumulées en eux.

Cette nuit-là, ils essaient de prendre des tours de quart. Chacun choisit une chambre à l'étage. Les vestiges des anciens habitants ont l'air d'objets irréels exposés dans un musée : un demi-verre d'eau posé sur une table de chevet, un roman de John Grisham ouvert à la page que son propriétaire ne finira jamais, une paire de pompons accrochés au pied du lit d'une adolescente.

Pendant la majeure partie de la nuit, Philip fait le guet au bas des escaliers, dans le salon, son arme posée sur la table basse à côté de lui et Penny enveloppée dans une couverture sur le canapé. Elle essaie vainement de s'endormir, et vers 3 heures du matin, alors que Philip se surprend à ressasser ses douloureux souvenirs de l'accident de Sarah, il remarque du coin de l'œil que l'enfant s'agite et se retourne sans cesse.

— Tu ne peux pas dormir ? lui demande-t-il en se penchant sur elle pour caresser ses cheveux noirs. (Les couvertures jusqu'au menton, elle lève les yeux vers lui et secoue la tête. Son visage blême est presque angélique dans la lumière orangée du radiateur que Philip a branché à côté d'elle. Dehors, dans le vent, à peine audible par-dessus le bourdonnement du chauffage, la cacophonie des gémissements résonne, incessante, comme des vagues qui lèchent un rivage.) Papa est là, ma puce, ne t'inquiète pas, dit-il doucement en lui caressant la joue. Je ne te quitte pas. (Elle hoche la tête. Philip lui sourit tendrement, puis il se baisse et lui dépose un baiser sur le front.) Jamais il ne pourra rien t'arriver.

Elle hoche de nouveau la tête. Le petit pingouin est blotti contre son cou. Elle regarde la peluche et fronce les sourcils. Elle l'approche de son oreille, fait mine de l'écouter lui chuchoter un secret. Puis elle lève les yeux vers son père.

— Papa ?

— Oui, ma puce ?

— Le pingouin, il veut savoir quelque chose.

— Quoi donc ?

— Il veut savoir si ces gens-là ils sont malades.

— Dis-lui… Oui, ils sont malades. Plus que malades, même. C'est pour ça qu'on les… qu'on met fin à leurs souffrances.

— Papa ?

— Oui ?

— Il demande si on va aussi être malades.

— Non, mademoiselle. Dis à ton pingouin qu'on va rester en parfaite santé.

La réponse paraît suffisamment satisfaire la petite pour qu'elle se détourne et contemple à nouveau le vide.

À 4 heures du matin, ailleurs dans la maison, une pauvre âme en peine se pose aussi de hasardeuses questions. Allongé dans un amas de couvertures, sa maigre silhouette vêtue d'un t-shirt et d'un caleçon, ruisselant de fièvre, Brian Blake fixe les moulures du plafond d'une adolescente défunte et se demande si c'est ainsi que finit le monde. Était-ce Rudyard Kipling qui disait qu'il ne finit

« pas sur un boum, sur un murmure » ? Non, une seconde… C'était *Eliot*. T.S. Eliot. Brian se rappelle avoir étudié le poème – était-ce « Les Hommes creux » ? – dans son cours de littérature comparée à l'université de Géorgie. Ah, il lui avait servi, ce diplôme.

Il continue de ruminer ses échecs – comme toutes les nuits – mais ce soir, ils s'intercalent avec des visions de carnage, des extraits d'un film d'épouvante qui s'insinuent dans le cours de ses pensées.

Les vieux démons s'éveillent, se mêlent aux terreurs récentes et l'obsèdent : aurait-il pu faire quelque chose pour empêcher son ex-femme, Jocelyn, de le quitter, de lui dire toutes ces horreurs avant de repartir à Montego Bay ? Et peut-on tuer ces monstres d'un simple coup sur le crâne, ou bien faut-il détruire le cerveau ? Brian aurait-il pu faire ou demander quelque chose ou emprunter pour garder ouverte sa boutique à Athens – la seule en son genre dans le Sud, cette foutue bonne idée qu'il avait eue de viser la clientèle hip-hop avec des tourne-disques bricolés, de vieux caissons de basse et des micros clinquants, le tout décoré avec du bling-bling façon Snoop Dogg ? À quelle vitesse les malheureuses victimes se multiplient-elles, dehors ? Est-ce une maladie qui se communique par l'air, ou bien par l'eau, comme l'Ébola ?

Ces pensées obsessionnelles reviennent constamment vers les questions les plus immédiates : la sensation déplaisante que le septième membre de la famille qui vivait ici est toujours dans la maison.

Maintenant que Brian a convaincu ses compagnons qu'ils devaient s'installer ici indéfiniment, il ne peut plus s'empêcher d'y penser. Il entend chaque grincement, chaque craquement, chaque déclic de la chaudière. Pour une raison inexplicable, il est absolument certain que le gamin blond est toujours ici, dans la maison, et qu'il attend son heure pour… quoi ? Peut-être que c'est le seul de la famille qui n'est pas devenu un zombie. Peut-être qu'il est terrifié et qu'il se cache.

Avant de se coucher, Brian a tenu à inspecter les moindres recoins de la maison une dernière fois. Philip l'a accompagné avec un pic et une torche. Ils ont vérifié chaque endroit du sous-sol, tous les placards et penderies. Ils sont allés voir dans le congélateur de la cave, et même des cachettes improbables comme l'intérieur du lave-linge et du sèche-linge. Nick et Bobby sont allés regarder dans le grenier derrière les malles, les cartons, les armoires. Philip a regardé sous les lits et derrière les commodes. Revenus bredouilles, ils ont cependant fait d'intéressantes découvertes en route.

Ils ont trouvé le plat d'un chien dans le sous-sol, mais pas trace de l'animal. Ainsi qu'un assortiment d'outils très utiles dans l'atelier : scies, perceuses, ponceuses – et même un pistolet à clous. Il sera particulièrement pratique pour élever des barricades, puisque c'est un peu moins bruyant que des coups de marteau.

En fait, Brian pense à d'autres usages pour cet appareil quand, soudain, il entend un bruit qui lui donne la chair de poule sur tout le corps.

Le bruit vient d'au-dessus de lui, de l'autre côté du plafond.

Il provient du grenier.

3

En entendant le bruit, qu'il identifie inconsciemment comme autre chose qu'un grincement de la maison, le vent dans les volets ou le déclic du chauffage –, Brian se redresse et s'assoit sur le bord du lit.

La tête penchée, il tend l'oreille. On dirait quelqu'un qui gratte, ou le bruit d'un tissu qu'on déchire à petits coups. D'abord, Brian se sent obligé d'aller chercher son frère. C'est Philip le mieux à même de s'en occuper. C'est peut-être le gosse, bon Dieu… ou quelque chose de pire.

Puis il se ravise. Va-t-il se défiler une fois de plus… comme d'habitude ? Va-t-il courir comme toujours voir son frère – son *petit* frère, bon sang –, celui-là même dont il tenait la main pour traverser la rue tous les matins quand ils étaient à l'école primaire du comté de Burke ? Non, sûrement pas. Pas cette fois. Là, Brian va en avoir dans le ventre.

Il respire un bon coup, se retourne, prend la torche qu'il a laissée sur la table de chevet et l'allume. L'étroit faisceau troue l'obscurité de la chambre en dessinant une flaque de lumière argentée sur le mur opposé. *Rien que toi et moi*, songe Brian en se levant. Il a l'esprit clair, tous les sens en éveil.

La vérité, c'est que Brian s'est senti incroyablement bien ce soir quand il a soutenu le plan de son frère, quand il a vu son regard qui voulait peut-être dire que Brian n'était finalement pas un raté. Il peut se charger du problème aussi bien que Philip.

Il s'approche silencieusement de la porte. Et avant de sortir de la chambre, il empoigne la batte de baseball en aluminium qu'il a trouvée dans la chambre de l'un des garçons.

Le froissement s'entend mieux dans le couloir. Brian s'arrête sous la trappe du grenier, encastrée dans le plafond au-dessus du palier. Les autres chambres de ce couloir – d'où s'échappent les ronflements sonores de Bobby Marsh et Nick Parsons – sont situées de l'autre côté du palier, sur la façade est de la maison, trop loin. C'est pour cela que Brian est le seul à entendre le bruit en cet instant.

Une courroie de cuir pend de la trappe, assez bas pour que Brian puisse l'attraper en sautant. Il tire dessus et la trappe s'ouvre en libérant une échelle pliante. Brian braque la torche dans la sombre ouverture. Des poussières flottent dans le faisceau. L'obscurité est opaque et impénétrable. Le cœur de Brian bat la chamade.

Espèce de trouillard, se dit-il. *Allez, grimpe là-dessus.*

Il gravit les marches, la batte sous un bras, la torche dans sa main libre, et s'arrête en arrivant en haut de l'échelle. Il braque sa lampe sur une énorme malle de voyage ornée d'étiquettes du Magnolia Springs State Park.

À présent, il sent l'odeur âcre de moisi et de naphtaline. La fraîcheur de l'automne a déjà pénétré le grenier par les fentes du toit. Un air froid lui caresse le visage. Au bout d'un moment, il entend de nouveau le bruit.

Cela vient du fond du grenier. La gorge sèche, Brian se hisse à l'intérieur. Le plafond assez bas l'oblige à se baisser. Frissonnant dans ses sous-vêtements, il a envie de tousser, mais il n'ose pas.

Le grattement cesse, puis reprend, énergique et furieux. Brian lève la batte et s'immobilise. Il apprend de nouveau toute la mécanique de la peur : quand vous êtes vraiment très effrayé, vous ne tremblez pas comme dans les films. Vous vous figez, comme un animal qui se hérisse. C'est seulement après que vous commencez à trembler.

Le faisceau de la torche balaie lentement les recoins sombres du grenier où s'amassent les vestiges de bonnes intentions : un vélo d'appartement couvert de toiles d'araignées, un rameur, d'autres valises, des haltères, des tricycles, des housses de vêtements, des skis nautiques, un flipper recouvert d'une épaisse couche de poussière. Les grattements cessent.

La lumière révèle un cercueil. Brian se pétrifie littéralement. Un *cercueil* ?

Philip, en chaussettes, est déjà à mi-chemin dans l'escalier quand il remarque l'échelle du grenier qui pend, dépliée.

Il monte jusqu'au palier, une hache dans une main et une torche dans l'autre, son pistolet coincé dans la ceinture. Il est torse nu et sa musculature nerveuse luit dans le clair de lune qui filtre par une verrière.

Il ne lui faut que quelques secondes pour gravir l'échelle et, quand il émerge dans l'obscurité du grenier, il voit une silhouette se découper non loin.

Avant qu'il ait eu le temps de braquer sa torche sur son frère, tout devient clair.

— C'est un caisson de bronzage.

La voix fait sursauter Brian, qui était paralysé de terreur depuis quelques secondes, à trois mètres de l'objet oblong posé contre le mur du grenier. Le couvercle est fermé comme une palourde géante et quelque chose gratte à l'intérieur pour chercher à en sortir.

Brian fait volte-face et découvre dans le faisceau de sa torche le visage émacié et maussade de son frère, debout devant l'ouverture, sa hache à la main.

— Écarte-toi de ce truc, Brian.

— Tu crois que c'est…

— Le gosse disparu ? chuchote Philip en avançant prudemment vers le caisson. On va bien voir.

Comme stimulés par le bruit de leurs voix, les grattements redoublent de vigueur.

Brian se tourne vers le caisson, tendu, et lève sa batte.

— Peut-être qu'il s'est caché là quand il s'est transformé.

— Laisse-moi passer, insiste Philip en s'approchant avec la hache.

— Je vais m'en occuper, répond aigrement Brian en s'approchant du caisson, batte levée.

Philip s'interpose.

— Tu n'as rien à me prouver, vieux. Laisse-moi passer.

— Non, bon sang, je m'en occupe, répète Brian en tendant la main vers le loquet.

Philip le scrute.

— OK, comme tu voudras. Vas-y, mais fais vite. Quoi que ce soit, ne réfléchis pas trop.

Philip est à quelques centimètres derrière son frère. Brian lève le loquet. Les grattements cessent. Philip prépare sa hache tandis que Brian soulève le couvercle.

Dans l'obscurité, Philip distingue à peine deux rapides mouvements simultanés et flous : de la fourrure qui jaillit et la batte de Brian qui décrit un arc de cercle. Il lui faut à peine deux secondes pour saisir qu'il s'agit d'une souris qui fuit la lumière aveuglante de la torche et détale sur la fibre de verre pour disparaître dans un trou rongé au coin du caisson.

La batte s'abat violemment, mais manque largement la bestiole. Des fragments du tableau de commandes du caisson et de vieux jouets volent en éclats sous le choc. Brian étouffe un cri et se recroqueville à la vue de la souris qui s'engouffre dans les entrailles de l'appareil.

Philip laisse échapper un soupir de soulagement et baisse sa hache. Il s'apprête à dire quelque chose quand il entend de petites notes tinter dans l'ombre à côté de lui. Brian baisse les yeux, haletant. Un diable en boîte, délogé par le coup de batte, gît sur le sol. La chute l'a déclenché et il joue quelques notes d'une musique de cirque. Puis un clown jaillit – sur le côté – de la boîte métallique.

— Bouh, fait Philip avec lassitude, tellement il n'a pas envie de rire.

Ils sont de meilleure humeur le lendemain matin après un copieux petit déjeuner : œufs brouillés, bacon, porridge, jambon, pancakes, pêches fraîches et thé. Le mélange parfumé remplit la maison d'une agréable odeur de viande grillée, café et cannelle. Nick prépare même sa sauce spéciale, qui met Bobby en extase.

Brian trouve des médicaments contre le rhume dans l'armoire à pharmacie de la chambre des parents et commence à se sentir mieux après avoir avalé quelques cachets.

Après le petit déjeuner, ils explorent leur voisinage immédiat – le pâté de maisons unique de Green Briar Lane – et les bonnes nouvelles continuent d'arriver. Ils découvrent une véritable caverne d'Ali Baba : matériaux de construction, poutres, planches, vivres dans les réfrigérateurs des voisins, jerrycans d'essence dans les garages, bottes et manteaux d'hiver, clous, alcools, lampes à souder, eau minérale, une radio à ondes courtes, un ordinateur portable, un générateur, une collection de DVD et, dans une cave, un placard contenant plusieurs fusils de chasse et des boîtes de cartouches. Pas de silencieux, mais ils ne peuvent se permettre de faire les difficiles.

Ils ont aussi de la chance du côté des morts-vivants. Les maisons des deux côtés de la leur sont vides : leurs habitants ont manifestement fui les lieux avant que la situation devienne trop dangereuse. Deux maisons plus loin, côté ouest, Philip et Nick tombent sur un couple de personnes âgées qui se sont transformées, mais ils sont facilement, rapidement et surtout *discrètement* éliminés avec quelques coups de hache bien placés.

Dans l'après-midi, Philip et sa bande commencent prudemment la construction de la barricade devant l'allée de la maison et de ses deux voisines – soit quarante-cinq mètres de long pour les trois propriétés, plus dix-huit sur chaque côté. Nick et Bobby trouvent que cela fait beaucoup, mais avec les sections préfabriquées de trois mètres qu'ils trouvent sous la terrasse d'un voisin, et la palissade récupérée dans une autre maison, l'ouvrage avance étonnamment vite.

Au crépuscule, Philip et Nick fixent les dernières portions sur le côté nord.

— J'ai gardé l'œil sur eux toute la journée, dit Philip en appliquant le bout du pistolet à clous sur une section d'angle.

Il parle des groupes qui déambulent de l'autre côté du golf. Nick acquiesce en maintenant ensemble les deux étais. Philip appuie sur la détente et, avec un claquement étouffé comme celui d'un fouet, le pistolet enfonce un clous de quinze centimètres dans les planches. Ils l'ont enveloppé d'un petit morceau de couverture enroulé dans du Gaffer, afin d'atténuer le bruit.

— J'en ai pas vu un seul s'approcher, continue Philip en s'essuyant le front et en passant à la section suivante.

Nick maintient les planches et Philip appuie le pistolet dessus. Clac.

— Je sais pas, répond Nick, sceptique, en passant à la section suivante, son blouson de roadie en satin collé à son dos par la sueur. Je continue à dire qu'il faut pas penser à *si*, mais à *quand*.

Clac.

— Tu t'inquiètes trop, vieux, dit Philip en continuant sa tâche.

Il tire sur l'alimentation du pistolet qui serpente jusqu'à une prise au coin de la maison du voisin. Il a dû brancher ensemble six rallonges de neuf mètres pour arriver au bout. Il s'interrompt pour jeter un coup d'œil par-dessus son épaule.

À une cinquantaine de mètres, dans le jardin derrière la maison coloniale, Brian pousse Penny sur une balançoire. Philip a mis du temps à s'habituer à confier sa précieuse petite à son incapable de frère, mais pour l'heure, c'est ce qu'il a de mieux sous la main comme baby-sitter.

Les jeux – sans doute ceux du gamin disparu – sont évidemment haut de gamme. Les riches adorent gâter leurs gosses avec des saloperies de ce genre. En l'occurrence, il y a tout ce qu'il faut : toboggan, cabane, quatre balançoires, un mur d'escalade, une cage à écureuils et un bac à sable.

— On est bien installés, continue Philip en reprenant sa tâche. Du moment qu'on perd pas la tête, tout ira bien.

Les planches qui grincent tandis qu'ils positionnent la section suivante les empêchent d'entendre le bruit caractéristique de pas traînants. Ils proviennent de l'autre côté de la rue. Philip ne les entend que lorsque le zombie errant est assez près pour qu'ils remarquent son odeur.

Nick est le premier à sentir ce mélange noir et gras de moisissure et de pourriture – comme des restes humains qu'on cuirait dans du gras de bacon. Il se raidit aussitôt.

— Attends une seconde, dit-il, une planche à la main. Tu as senti… ?

— Oui, on dirait du…

Un bras livide surgit soudain entre deux planches et saisit la chemise en jean de Philip.

Leur agresseur a été une femme d'âge mûr en survêtement couture, devenue une chose émaciée, manches déchirées, dents noircies, des yeux de poisson préhistorique, qui serre le pan de la chemise de Philip dans l'étau de ses doigts glacés. Elle laisse échapper un geignement sourd, comme un tuyau d'orgue cassé, alors que Philip se tourne pour prendre sa hache posée contre une brouette à six mètres de là.

Sacrément trop loin.

La zombie cherche à mordre Philip à la gorge avec l'avidité d'une tortue géante affamée, et de l'autre côté, Nick cherche une arme, mais tout va trop vite. Philip recule avec un grognement et se rend seulement compte qu'il a encore le pistolet à clous à la main. Il évite les dents qui claquent dans le vide, puis il pose le canon du pistolet sur le front de la créature. Clac. La zombie se raidit. Les doigts glacés relâchent leur emprise. Philip se dégage en haletant et regarde la chose, bouche bée.

Toujours debout, le cadavre oscille un instant, titubant comme une ivrogne en frémissant dans son survêtement en velours Pierre Cardin, mais refuse de tomber. La tête du clou de quinze centimètres est visible au-dessus de l'arête de son nez, comme une minuscule pièce.

Elle reste debout pendant ce qui semble une éternité, ses yeux de requin levés au ciel, puis elle commence à reculer d'un pas incertain sur l'allée, son visage en lambeaux arborant une curieuse expression rêveuse. Pendant un moment, on dirait qu'elle se rappelle quelque chose ou qu'elle entend un sifflement suraigu. Puis elle s'écroule dans l'herbe.

— Je crois que les clous font suffisamment de dégâts pour les rétamer, déclare Philip après le dîner.

Il fait les cent pas devant les baies vitrées de la luxueuse salle à manger, le pistolet à clous à la main comme pour illustrer son propos. Les autres sont assis à la longue table en chêne luisant, devant les restes du repas. Brian a fait la cuisine pour tout le monde ce soir, en décongelant un rôti dans le micro-ondes et en préparant une sauce avec un grand cru de cabernet et de la crème. Penny est dans le salon voisin, en train de regarder un DVD de Dora l'exploratrice.

— Oui, mais tu as vu comment elle est morte ? fait remarquer Nick en repoussant un morceau de viande dans son assiette. Quand tu l'as flinguée… pendant une seconde, on aurait dit que cette saloperie était complètement défoncée.

— D'accord, mais elle est quand même morte, répond Philip en continuant d'arpenter la pièce et en tripotant la détente.

— Ça fait moins de bruit qu'un flingue, c'est sûr.

— Et c'est carrément plus facile que de leur fendre le crâne avec une hache.

Bobby vient de se resservir du rôti et de la sauce.

— Dommage qu'on n'ait pas une rallonge de douze kilomètres, dit-il, la bouche pleine.

Philip continue de tripoter la détente.

— Peut-être qu'on pourrait le brancher sur une batterie ?

— Genre une batterie de bagnole ? propose Nick.

— Non, un truc qu'on pourrait transporter plus facilement, comme les batteries des grosses lanternes de jardin ou un truc qu'on prendrait sur une tondeuse électrique.

Nick hausse les épaules. Bobby continue de manger. Philip réfléchit en continuant de jouer les lions en cage.

— Ça a un rapport avec leur cerveau, marmonne Brian en fixant le mur.

— Quoi ? demande Philip. Tu disais quoi, frangin ?

— Ces trucs… répond évasivement Brian. Leur maladie… C'est dans leur cerveau, on est d'accord ? C'est forcé. (Il marque une pause en fixant son assiette.) Je persiste à dire qu'on n'est même pas sûrs qu'ils sont morts.

— Tu veux dire, une fois qu'on les a liquidés ? demande Nick. Qu'on les a… détruits ?

— Non, je parle d'*avant*, répond Brian. Je veux dire, l'état dans lequel ils sont.

— Merde, mon pote, s'exclame Philip en s'arrêtant. Lundi, j'en ai vu un se faire rentrer dedans par un semi-remorque, et dix minutes plus tard, il se baladait dans la rue les tripes à l'air. Ils en ont parlé dans tous les bulletins d'info. Ils sont morts, vieux. *Carrément* morts.

— Je dis simplement que le système nerveux central, c'est super compliqué. Toutes les saloperies qu'il y a dans l'environnement, maintenant, les nouvelles souches…

— Hé, si tu as envie d'en emmener un chez le médecin pour faire un check-up, te gêne pas pour moi.

— Je dis simplement qu'on n'en sait pas encore assez, soupire Brian. On sait que dalle.

— On n'a pas besoin d'en savoir plus, répond Philip avec un regard mauvais à son frère. On sait qu'il y a de plus en plus de ces merdes tous les jours et que la seule chose qui a l'air de les intéresser, c'est de nous bouffer. Et c'est pour ça qu'on va rester ici un peu pour voir comment ça évolue.

Brian pousse un long soupir las. Les autres se taisent.

Dans le silence, ils perçoivent les vagues bruits qu'ils entendent toute la nuit, dehors : les coups sourds de ces créatures inconscientes qui se cognent contre la barricade improvisée.

Malgré les efforts de Philip pour édifier le rempart rapidement et sans bruit, l'agitation du chantier a attiré d'autres morts-vivants.

— Combien de temps on devrait pouvoir rester ici, d'après toi ? demande Brian à mi-voix.

Philip s'assoit, pose le pistolet à clous sur la table et boit une gorgée de bourbon. Il désigne du menton le salon, d'où leur parviennent les voix incongrues de l'émission pour enfants.

— Elle a besoin de repos, dit-il. Elle est épuisée. (Tout le monde le regarde. Silencieusement, tous réfléchissent à ce qu'il vient de dire.) Je lève mon verre à tous les riches enfoirés du monde, ajoute-t-il en joignant le geste à la parole.

Les autres en font autant, sans vraiment savoir précisément ce qu'ils fêtent… ni combien de temps cela va durer.

4

Le lendemain, dans le limpide soleil d'automne, Penny joue dans le jardin sous le regard attentif de Brian. Elle y reste toute la matinée pendant que les autres trient ce qu'ils ont à leur disposition. Dans l'après-midi, Philip et Nick barricadent les vasistas du sous-sol avec des planches et essaient vainement de brancher le pistolet à clous sur une batterie, pendant que Bobby, Brian et Penny jouent aux cartes dans le salon.

Ils ne peuvent jamais oublier la présence toute proche des morts-vivants, qui rôde comme un requin sous la surface de toutes les décisions et activités. Mais pour le moment, seuls quelques égarés viennent se cogner de temps à autre contre la palissade et repartent. En règle générale, l'activité qui règne derrière les murailles de cèdre de trois mètres de Green Briar Lane passe inaperçue des zombies.

Cette nuit, après le dîner, rideaux tirés, ils regardent tous un film de Jim Carrey dans le salon et ont presque l'impression de vivre normalement. Ils commencent à prendre leurs marques dans la maison et remarquent à peine les coups étouffés qui résonnent parfois à l'extérieur. Brian a pratiquement oublié le gamin de douze ans introuvable et une fois que Penny est couchée, les quatre hommes dressent des plans.

Ils discutent de ce qu'implique un séjour prolongé dans la maison. Ils ont assez de provisions pour deux semaines. Nick se demande s'il ne faudrait pas envoyer un éclaireur évaluer la situation sur les routes menant à Atlanta, mais Philip tient à rester ici.

— Laissons-les se bagarrer entre eux dehors, estime-t-il.

Nick continue de surveiller radios, télévisions et Internet... Et comme les fonctions vitales d'un malade en phase terminale, les médias semblent s'éteindre, un organe après l'autre. Désormais, la plupart des radios diffusent des émissions enregistrées ou des alertes sans intérêt. Les chaînes – les principales du câble fonctionnent toujours – se résument soit à des annonces automatiques de la défense civile qui tournent en boucle, soit à des rediffusions aussi inexplicables qu'incongrues d'émissions de télé-achat.

Au troisième jour, Nick se rend compte qu'il ne capte pratiquement plus que des grésillements à la radio, qu'il n'y a plus que de la neige sur toutes les chaînes de télévision et que le WiFi de la maison ne fonctionne plus. La connexion ADSL ne marche plus et les numéros d'urgence qu'il appelait régulièrement – et qui jusqu'ici étaient sur répondeur – aboutissent tous au classique message : *Le numéro que vous avez demandé n'est pas disponible. Veuillez renouveler votre appel ultérieurement.*

À la fin de la matinée, le ciel se couvre.

Dans l'après-midi, un brouillard lugubre et glacial tombe sur les environs et tout le monde se blottit à l'intérieur en essayant d'oublier que la frontière est mince entre être à l'abri et être prisonnier. En dehors de Nick, tous sont fatigués de parler d'Atlanta. La ville semble *encore plus loin* à présent, comme si, plus ils songeaient à la trentaine de kilomètres qui la sépare de Wiltshire, plus la distance leur semblait infranchissable.

Cette nuit-là, une fois que tout le monde s'est couché, Philip prend son tour de garde solitaire dans le salon à côté de Penny endormie.

Le brouillard a laissé la place à un déchaînement de tonnerre et d'éclairs.

Philip passe le doigt entre les lames d'un store et jette un coup d'œil dans l'obscurité. Il aperçoit, par-dessus la barricade, les rues qui serpentent et les ombres immenses des chênes dont les branches ploient sous le vent. Un éclair zèbre le ciel.

Dans la brève lumière, à deux cents mètres, une dizaine de créatures vaguement humaines errent sous la pluie.

C'est difficile à déterminer depuis l'endroit où il se trouve, mais on dirait que – de leur démarche pesante et hagarde – ces machins se dirigent *par ici*. Sentent-ils la viande fraîche ? Le bruit de l'activité humaine les a-t-il attirés ? Ou bien errent-ils simplement au petit bonheur comme des poissons dans un bocal ?

En cet instant, pour la première fois depuis leur arrivée à Wiltshire Estates, Philip Blake commence à se demander si leurs jours dans ce cocon de moquette et de canapés douillets ne sont pas comptés.

Le quatrième jour se lève sur un temps froid et un ciel bas, couleur de plomb, qui pèse sur les pelouses trempées et les maisons abandonnées. Bien que personne ne le relève, cette nouvelle journée est une sorte d'étape : le début de la deuxième semaine de l'épidémie.

Dans le salon, une tasse de café à la main, Philip scrute par les volets la barricade de fortune. Dans la pâle lumière du matin, il voit le coin nord-est qui tremble.

— Putain, murmure-t-il.

— Qu'est-ce qu'il y a ? demande Brian.

— Il y cn a d'autres.

— Merde. Combien ?

— Aucune idée.

— Qu'est-ce qu'on fait ?

— Bobby ! (Le gros accourt dans le salon, en jogging et pieds nus, en mangeant une banane.) Habille-toi.

— Qu'est-ce qui se passe ? demande Bobby, la bouche pleine.

Philip ne relève pas.

— Garde Penny dans le salon, ordonne-t-il à Brian.

— J'y vais, dit son frère en s'élançant.

Philip s'approche des escaliers en criant :

— Prends le pistolet à clous et toutes les rallonges que tu trouveras… Et des hachettes, aussi !

Clac. Le numéro cinq s'effondre avec son survêtement en loques comme une poupée de chiffon géante, en roulant ses yeux laiteux et vides. Il glisse le long de la palissade et son corps en putréfaction s'affale sur l'allée. Philip recule, encore haletant sous l'effort, blouson et jean trempés de sueur.

Il a été simple comme bonjour de liquider les numéros un à quatre, une femme et trois hommes qui cognaient et griffaient un coin mal fixé de la palissade. Philip s'est glissé discrètement avec son pistolet à clous en grimpant sur un étai pour se retrouver au-dessus d'eux et leur viser le sommet du crâne. Et il les a descendus l'un après l'autre. Clac. Clac. Clac. Clac.

Le cinq a été moins facile. Un de ses soubresauts inconscients l'a brusquement écarté de la ligne de mire, puis il a titubé et levé la tête vers Philip en claquant des mâchoires. Philip a été obligé de gâcher deux clous – qui ont ricoché sur le trottoir – avant d'en enfoncer finalement un dans le cortex cérébral de cette saloperie en survêtement.

Philip reprend son souffle, plié en deux, sans lâcher le pistolet qui est toujours branché dans la maison avec quatre rallonges de huit mètres. Il se redresse et tend l'oreille. L'allée est silencieuse et la palissade ne bouge pas.

D'un regard par-dessus son épaule, Philip aperçoit Bobby Marsh dans le jardin à une trentaine de mètres. Le gros reprend son souffle, assis contre une petite niche abandonnée, surmontée d'un petit toit en bardeaux, le nom du chien inscrit au-dessus de l'ouverture.

Ces riches et leurs foutus clebs, songe Philip, encore énervé. *Le leur devait mieux manger que pas mal de gosses.*

À six mètres de Bobby, les restes inertes d'une femme pendent par-dessus la palissade du fond, une hachette encore enfoncée dans le crâne. Philip fait signe à Bobby et l'interroge du regard : *Tout va bien ?* Bobby lui répond en levant le pouce.

Puis… presque sans crier gare… la situation se met à dégénérer très vite.

Le premier indice que tout ne va pas si bien que cela apparaît une fraction de seconde après le geste de Bobby à son ami, chef et mentor. Ruisselant de sueur, le cœur encore battant de l'effort fourni pour asseoir sa grosse carcasse contre la niche, Bobby parvient à accompagner son pouce levé d'un sourire… sans prêter attention au bruit étouffé qui s'élève dans la niche.

Depuis des années, Bobby Marsh essaie secrètement de faire plaisir à Philip Blake, et pouvoir triompher après avoir correctement exécuté un sale boulot le remplit d'une étrange satisfaction. Fils unique, ayant tout juste pu terminer le lycée, Bobby s'est accroché à Philip pendant des années, avant la mort de Sarah, puis – lorsque Philip s'est un peu détaché de ses copains de virée – Bobby a désespérément tenté de reprendre contact. Il appelait trop souvent Philip ; il parlait beaucoup trop quand ils étaient ensemble ; et il se ridiculisait souvent quand il essayait de suivre le chef de meute. Et là, étrangement, Bobby a l'impression que cette bizarre épidémie lui offre une occasion de renouer à nouveau avec Philip.

Et c'est probablement pour cela que Bobby n'entend pas immédiatement le bruit dans la niche.

Quand le coup résonne contre la paroi – comme un cœur géant qui bat à l'intérieur de la cabane miniature –, le sourire de Bobby se fige et il laisse retomber sa main. Et le temps qu'il comprenne qu'il y a quelque chose dans la niche – quelque chose qui bouge – et qu'il prenne conscience qu'il faut réagir, il est déjà trop tard.

Une petite chose rampante surgit brusquement par l'ouverture.

Philip a déjà traversé la moitié du jardin à toutes jambes quand il devient clair que la créature qui a jailli de la niche est un petit être humain – ou du moins, un *semblant* d'être humain, putride et bleuâtre, avec des feuilles et des crottes de chien dans ses cheveux blonds bouclés et crasseux, et des chaînes qui le retiennent à la taille et aux pieds.

— Putain ! glapit Bobby en s'écartant vivement de la créature qui a naguère été un gamin de douze ans et qui se précipite sur sa cuisse appétissante comme un jambon.

Bobby bascule d'un coup sur le côté et lui échappe de justesse. Le petit visage grimaçant et fripé aux orbites vides referme ses mâchoires sur une touffe d'herbe, manquant la jambe d'un cheveu.

Philip n'est plus qu'à quelques mètres et lève le pistolet à clous pour viser le monstre. Bobby rampe dans l'herbe mouillée, le pantalon pitoyablement descendu sur la raie des fesses, en poussant des cris suraigus comme une petite fille.

La créature s'avance vers Bobby avec la vivacité et la grâce d'une tarentule. Le gros essaie de se remettre debout pour s'enfuir, mais il glisse et tombe à la renverse.

Bobby pousse un hurlement. L'enfant zombie a refermé sa main comme des griffes sur la cheville de Bobby, et avant que celui-ci ait pu se dégager, le monstre enfonce ses dents pourries dans sa jambe.

— Bon Dieu ! tonne Philip qui arrive au même instant.

À trente mètres derrière lui, la rallonge s'est débranchée. Philip abat le canon du pistolet à clous sur l'arrière du crâne de la chose qui se jette sur le corps dodu et tout tremblant de Bobby. Il appuie sur la détente. Un déclic. Rien ne se passe. Le zombie se jette comme un piranha sur la cuisse charnue de Bobby et lui arrache l'artère fémorale et la moitié du scrotum avec. Alors que le cri de terreur de Bobby laisse place à un hurlement de douleur, Philip lâche instinctivement le pistolet et fonce sur le monstre. Il l'arrache de son ami comme on enlève une sangsue et le balance de l'autre côté de la pelouse avant qu'il puisse mordre à nouveau.

Le petit mort-vivant retombe et roule sur l'herbe boueuse à six mètres de là.

Nick et Brian sortent en courant de la maison et, pendant que le premier traverse en rugissant la pelouse avec un pic, le second ramasse la rallonge. Philip empoigne Bobby et essaie de l'empêcher de se tortiller en poussant des cris, car s'agiter aggrave l'hémorragie, alors que la plaie déchiquetée laisse déjà échapper des jets de sang. Philip essaie de comprimer la blessure, mais le sang ruisselle entre ses doigts. Du coin de l'œil, il voit la créature qui revient vers eux et Nick se précipiter sans l'ombre d'une hésitation, les yeux écarquillés de panique et de fureur. Il lève et abat son pic qui s'enfonce de dix bons centimètres dans l'arrière du crâne du zombie. Le monstre s'affale. Philip crie à Nick de lui donner une *ceinture*, une *CEINTURE*, et Nick se hâte d'enlever la sienne. Philip n'a aucune formation de secouriste, mais il en sait assez pour essayer d'arrêter l'hémorragie avec un garrot de fortune. Il serre la ceinture autour de la cuisse de son compagnon tout transi. Bobby essaie de parler, mais on dirait qu'il est frigorifié : ses lèvres bougent et tremblotent sans qu'il prononce un mot. Pendant ce temps, Brian rebranche la rallonge, sans doute parce que rien d'autre ne lui vient à l'esprit. Le pistolet à clous gît dans l'herbe à cinq mètres derrière Philip. Celui-ci crie à Nick d'aller chercher *des putains de pansements, de l'alcool, ce que tu trouves !* Nick repart en courant, remportant le pic, pendant que Brian arrive. Voyant le cadavre gisant face contre terre, le crâne fendu, il fait un large détour. Il ramasse le pistolet à clous – on ne sait jamais – et scrute les collines au-delà de la palissade. Philip serre Bobby dans ses bras comme un gros bébé qui sanglote, le souffle court. Philip le réconforte en murmurant que tout va s'arranger… mais il est évident pour Brian, qui approche prudemment, que la situation ne va manifestement pas s'améliorer.

Quelques instants plus tard, Nick revient avec quantité de pansements et de coton stérile ainsi qu'un flacon d'alcool et une bande. Mais la situation a changé. L'urgence est devenue quelque chose de plus sombre : une agonie.

— Il faut qu'on le ramène à l'intérieur, annonce Philip, ruisselant de sang.

Mais il n'essaie pas de soulever le gros. Bobby Marsh va mourir. Ils s'en rendent tous clairement compte.

Surtout Bobby Marsh, qui est maintenant en état de choc, visage levé vers le ciel couleur de plomb, et essaie de parler.

À côté, le pistolet à clous à la main, Brian le regarde. Nick lâche son chargement de pansements et pousse un douloureux soupir. On dirait qu'il va pleurer, mais il se laisse simplement tomber à genoux à côté de Bobby et lui soutient la tête.

— Jeee… nnn…

Bobby essaie désespérément de faire comprendre quelque chose à Philip.

— Chut, répond celui-ci en lui tapotant l'épaule.

Philip ne sait plus où il en est. Il se retourne, s'empare d'un rouleau de coton et commence à panser la blessure.

— Nnoonn ! crie Bobby en arrachant le pansement.

— Bobby, merde !

— Nnoonn !

Philip s'arrête, déglutit et regarde droit dans les yeux larmoyants de son compagnon.

— Ça va aller, lui dit-il.

— Non, ça va pas aller, parvient à articuler Bobby. (Dans le ciel, un corbeau croasse. Bobby sait ce qui va arriver. Ils ont vu dans un fossé à Covington un homme se transformer en moins de dix minutes.) Arrête de… dire ça, Philly.

— Bobby…

— C'est foutu, parvient-il à murmurer.

Ses yeux roulent dans leurs orbites. Puis il voit le pistolet à clous dans la main de Brian. Il tend ses doigts boudinés et ensanglantés vers l'engin. Brian le lâche vivement.

— Bon sang, faut le ramener à l'intérieur ! s'écrie Philip sans y croire.

Pendant ce temps, Bobby cherche à tâtons le pistolet. Ses gros doigts se referment sur la poignée et il essaie de le porter à sa tempe.

— Bon Dieu, murmure Nick.

— Arrache-lui ça ! crie Philip à Brian.

Des larmes coulent sur les joues ensanglantées de Bobby.

— S'il te plaît, murmure-t-il. Fais… le…

— Nick ! Rapplique ! crie Philip qui se relève et fait quelques pas vers la maison.

Nick se lève à son tour et le rejoint. Les deux hommes sont à quelques mètres de Bobby, hors de portée de voix, le dos tourné.

— Il faut couper, dit rapidement Philip à voix basse.

— Faire quoi ?

— L'amputer de la jambe.

— Quoi !

— Avant que la maladie se propage.

— Mais comment tu…

— On ne sait pas à quelle vitesse elle se répand, il faut qu'on essaie, on lui doit bien *ça*.

— Mais…

— Il faut que tu ailles chercher la scie à métaux dans la cabane à outils et que tu apportes aussi…

— Les mecs ? les interrompt une voix derrière eux.

C'est Brian, et d'après son ton lugubre, les nouvelles sont très probablement mauvaises. Les deux hommes se retournent. Bobby Marsh est immobile.

— C'est trop tard, annonce Brian, les yeux remplis de larmes, en s'agenouillant auprès du gros.

Philip et Nick viennent le rejoindre. Bobby a les yeux fermés. Sa poitrine ne se soulève plus. Sa bouche entrouverte est inerte.

— Oh, non, bon Dieu, non ! s'exclame Nick en regardant leur compagnon mort.

Philip reste silencieux un long moment. Tout le monde se tait.

L'énorme cadavre gît immobile sur la pelouse mouillée pendant d'interminables minutes... puis un tressaillement agite ses extrémités, les tendons de ses jambes massives et le bout de ses doigts boudinés. D'abord, cela paraît être un phénomène naturel, le réflexe nerveux que les légistes constatent parfois, le dernier soubresaut du système nerveux central d'un cadavre. Mais alors que Nick et Brian ouvrent de grands yeux abasourdis, puis se relèvent et reculent lentement, Philip s'approche, s'agenouille, l'air grave.

Les yeux de Bobby Marsh s'ouvrent.

Les pupilles sont devenues blanches comme du pus.

Philip s'empare du pistolet à clous et pose le canon sur le front de son copain d'enfance, juste au-dessus du sourcil.

Clac.

Des heures après. À l'intérieur de la maison. Après la tombée de la nuit. Penny dort. Nick, dans la cuisine, noie son chagrin dans le whisky... Brian est introuvable... Le corps refroidi de Bobby est dans le jardin, couvert d'une bâche à côté des autres cadavres… et Philip, à la fenêtre du salon, regarde entre les fentes des volets le nombre de silhouettes qui grandit dans les rues. Elles marchent comme des somnambules, font des allers-retours derrière la barricade. Les créatures sont plus nombreuses, à présent. Une trentaine. Une quarantaine, peut-être.

L'éclairage public qui scintille entre les planches de la barricade clignote irrégulièrement au passage de chaque ombre, mettant Philip sur les nerfs. Il entend la voix muette dans sa tête – cette voix qu'il a entendue après la mort de Sarah : *Fous le feu à cette baraque, fous le feu au monde entier.*

Pendant un moment, un peu plus tôt dans la journée, après la mort de Bobby, la voix a voulu mutiler le cadavre du gamin de douze ans. Le réduire en pièces. Mais Philip l'a fait taire et il lutte à nouveau contre elle : *la mèche est allumée, frangin, le compte à rebours a commencé…*

Philip se détourne de la fenêtre et se frotte les yeux.

— Tu as le droit de te lâcher, dit une autre voix dans la pénombre.

Philip fait volte-face et aperçoit la silhouette de son frère de l'autre côté de la pièce, sur le seuil de la cuisine. Il se retourne vers la fenêtre sans répondre. Brian vient le rejoindre, un flacon de sirop pour la toux dans sa main tremblante. Dans la pénombre, ses yeux brillent de larmes. Il reste immobile un moment. Puis, à mi-voix, calmement, pour ne pas réveiller Penny qui dort sur le canapé à côté d'eux :

— Il n'y a pas de honte à tout laisser sortir.

— Laisser sortir *quoi* ?

— Écoute, je sais que tu souffres. (Il renifle, s'essuie la bouche sur sa manche et reprend d'une voix rauque et enrhumée :) Je voulais juste te dire que j'ai vraiment de la peine pour Bobby. Je sais que vous étiez…

— C'est foutu.

— Philip, enfin…

— Cet endroit est foutu, c'est cuit.

— Qu'est-ce que tu veux dire ?

— On va ficher le camp d'ici.

— Mais je croyais…

— Regarde toi-même, dit Philip en désignant la rue. On les attire, ils arrivent comme des mouches sur la merde.

— Oui, mais la barricade est encore…

— Plus on reste ici, Brian, plus ça va devenir une prison. Il faut qu'on reprenne la route.

— Quand ?

— Bientôt.

— Genre demain ?

— On va commencer à faire nos valises le matin et charger le maximum de provisions dans le 4 × 4.

Silence.

— Ça va ? demande Brian en regardant son frère.

— Ouais, dit Philip, les yeux toujours fixés sur la rue. Va dormir.

Au petit déjeuner, Philip décide de dire à sa fille que Bobby a dû retourner chez lui – « pour s'occuper de sa famille » – et la petite semble se contenter de cette explication.

Un peu plus tard dans la matinée, Nick et Philip creusent une tombe au fond du jardin, dans un coin de terre meuble, pendant que Brian garde Penny occupée dans la maison. Il estime qu'ils devraient lui expliquer un peu ce qui s'est passé, mais Philip lui a dit de ne pas s'en mêler et de la fermer.

Devant un rosier grimpant, Philip et Nick hissent la grande carcasse enveloppée dans la bâche et la descendent dans la fosse. Il leur faut un moment pour reboucher le trou, en jetant sur leur ami pelletée après pelletée de la riche terre noire de Géorgie. Pendant ce temps, les gémissements monocordes des morts-vivants dérivent dans le vent.

Le ciel est encore couvert et traversé de bourrasques, et les geignements de la troupe de zombies résonnent dans tout le quartier. Cela rend fou Philip qui transpire et s'échine devant la tombe. L'odeur de viande pourrie est plus forte que jamais. Elle lui retourne l'estomac alors qu'il déverse les dernières pelletées de terre.

Philip et Nick s'arrêtent, chacun d'un côté de la tombe, appuyés sur leurs pelles, la nuque ruisselante de sueur. Ils restent sans rien dire un long moment, chacun perdu dans ses pensées. Puis Nick relève finalement la tête et, à voix basse, d'un ton las, et avec beaucoup de déférence, demande :

— Tu voudrais dire quelques mots ?

Philip regarde son copain. Les gémissements retentissent de toutes parts comme le grondement d'un vol de sauterelles, tellement fort que Philip a du mal à garder l'esprit clair.

Mais en cet instant, pour une étrange raison, Philip Blake se rappelle la nuit où tous les trois se sont saoulés et se sont faufilés dans la cabine de projection du cinéma drive-in de Waverly Road. En agitant ses gros doigts devant le projecteur, Bobby avait fait des ombres chinoises sur l'écran. Philip avait tellement ri cette nuit-là qu'il avait cru qu'il allait gerber en voyant défiler des lapins et des canards sur Chuck Norris qui dégommait des nazis.

— Certains pensaient que Bobby Marsh était un simplet, dit Philip, la tête baissée. Mais ils ne le connaissaient pas. Il était fidèle et marrant et c'était un sacré bon pote… Et il est mort comme un homme.

Nick baisse les yeux, ses épaules frémissent un peu et sa voix qui se brise s'entend à peine dans la clameur qui s'élève autour d'eux.

— Dieu Tout-Puissant, dans ta miséricorde, transforme les ténèbres de la mort en aube d'une nouvelle vie et la douleur du départ en joie au plus haut des cieux. (Sentant les larmes lui monter aux yeux, Philip serre les dents si fort que sa mâchoire tremble.) À travers notre Seigneur Jésus-Christ, continue Nick d'une voix mal assurée, mort et ressuscité pour l'éternité, amen.

— Amen, parvient à répéter Philip d'une voix étranglée qu'il reconnaît à peine lui-même.

Le vacarme incessant des morts-vivants enfle de plus en plus et semble monter de partout.

— Fermez vos gueules ! beugle Philip aux zombies en se détournant de la tombe. Espèces de saloperies de morts ! Je vais vous défoncer le crâne à tous, espèce d'enfoirés de cannibales ! Je vais vous arracher vos putains de têtes et vous chier dessus !

À ces mots, Nick se met à sangloter et Philip, à bout, tombe à genoux en fixant la terre comme si elle recelait une réponse.

Cela n'a jamais été remis en question, mais s'il y avait eu un doute, il est désormais parfaitement clair que c'est bien Philip qui commande. Ils passent le reste de la journée à faire leurs bagages, Philip lançant des ordres laconiques, d'une voix rendue sourde et rauque par le stress.

— Prenez la caisse à outils, grogne-t-il. Des piles pour les torches. Et puis la boîte de cartouches. Et des couvertures supplémentaires.

Nick se dit qu'ils devraient peut-être prendre deux voitures. Bien que la plupart des véhicules abandonnés dans les rues – pour la plupart des modèles de luxe dernier cri – leur soient quasiment offerts sur un plateau (les clés sont encore sur le tableau de bord), Brian n'est pas très chaud pour séparer leur petit groupe. Ou bien peut-être qu'il s'accroche à son frère, maintenant. Peut-être qu'il a besoin de rester au plus près du centre de gravité. Ils décident de s'en tenir au 4 × 4. C'est un véritable tank. Et c'est exactement ce qu'il leur faut pour parvenir à Atlanta.

Son coup de froid est descendu sur les poumons et lui donne une respiration sifflante – peut-être un début de pneumonie, qui sait ? Mais Brian Blake se concentre sur sa tâche. Il remplit deux grosses glacières d'aliments portant la date d'expiration la plus lointaine possible : viande fumée, fromages à pâte cuite, jus de fruits concentrés, yaourts, sodas, mayonnaise. Puis un carton de pain, bœuf séché, café instantané, barres protéinées, eau minérale, vitamines, assiettes en carton et couverts en plastique. Il décide d'ajouter un ensemble de couteaux de cuisine assortis – on ne sait jamais sur quoi ils peuvent tomber.

Il en remplit une autre de papier toilette, savon, serviettes et torchons. Il fouille les armoires à pharmacie et y prend médicaments contre le rhume, somnifères et analgésiques, et ce faisant, une idée lui vient : il faut qu'il fasse quelque chose avant de partir.

Il déniche dans la cave une petite boîte de peinture rouge vif et deux gros pinceaux, ainsi qu'un carré de contreplaqué de un mètre de côté. Rapidement, mais soigneusement, il y inscrit un message, cinq mots en capitales, assez grosses pour être lues depuis un véhicule qui passerait, et il y cloue deux pieds. Puis il remonte montrer cela à son frère.

— Je crois qu'on devrait poser ça devant le portail, lui dit-il.

Philip hausse les épaules et lui répond qu'il n'a qu'à le faire, s'il y tient.

Ils attendent la tombée de la nuit pour partir. À 19 heures, alors qu'un soleil métallique et glacial descend derrière les toits, ils remplissent à la hâte le 4 × 4. Comme les ombres s'allongent et que les monstres s'agglutinent autour de la barricade, ils font la chaîne pour se passer rapidement valises et cartons par la porte de côté jusqu'au coffre ouvert de la voiture.

Outre les haches avec lesquelles ils sont arrivés, ils emportent des pics, pelles, hachettes, scies et autres outils tranchants récupérés dans la cabane à outils, ainsi que de la corde, du fil de fer, des fusées de détresse, des vêtements chauds, des bottes et des allume-feu. Enfin, un tuyau et autant de jerrycans d'essence qu'ils peuvent en entasser.

Le réservoir du 4 × 4 est plein – dans la matinée, Philip a réussi à siphonner soixante litres sur une berline abandonnée dans le garage voisin – car ils ignorent dans quel état sont les stations-service de la région.

Durant ces quatre jours, Philip a déniché plusieurs armes de chasse dans les maisons alentour. Les riches aiment la saison du canard, par ici. Ils adorent lever du gibier depuis leurs luxueux abris camouflés bien chauffés avec leurs fusils ultramodernes et leurs chiens de race.

Le père de Philip chassait à la dure, avec des cuissardes en caoutchouc, de la gnôle et de l'acharnement.

Philip choisit trois fusils qu'il range dans un étui en vinyle dans le coffre : une carabine .22 long rifle et deux fusils calibre .55 Marlin Model. Ceux-là sont particulièrement utiles. Surnommés « fusils pour la chasse à l'oie », ils sont rapides, précis et puissants, conçus pour tirer le gibier à plumes durant les vols migratoires à haute altitude… ou en l'occurrence faire mouche sur un crâne à plus de cent mètres.

Il est presque 20 heures quand ils en ont terminé et qu'ils ont installé Penny sur la banquette arrière. Enveloppée dans une veste matelassée, son pingouin en peluche à côté d'elle, elle paraît étrangement confiante, son pâle visage fatigué et calme, comme si on l'emmenait chez le pédiatre.

Les portières sont refermées discrètement. Philip s'installe au volant. Nick s'assoit à côté de lui et Brian prend place avec Penny à l'arrière. La pancarte est posée par terre, contre les genoux de Brian.

Ils démarrent. Le rugissement du moteur résonne dans l'obscurité et agite les zombies de l'autre côté de la barricade.

— On va faire vite, dit Philip à mi-voix en enclenchant la marche arrière. Cramponnez-vous, tout le monde.

Il écrase l'accélérateur et le 4 × 4 s'élance. Tous sont projetés en avant par la force de l'élan lorsque la voiture recule. Dans le rétroviseur, la partie mal fixée de la barricade se rapproche de plus en plus, puis c'est le choc. Les planches volent en éclats et le 4 × 4 débouche sous les lampadaires de Green Briar Lane.

Emportée, la portion gauche heurte un zombie pendant que Philip freine et passe la marche avant. Le zombie est projeté à six mètres en l'air, tournoie mollement dans une gerbe de sang, tandis que son bras arraché vole dans l'autre direction.

Le 4 × 4 fonce vers l'artère principale en envoyant valser au passage trois autres morts-vivants. À chaque choc sourd qui se propage dans toute la carrosserie, accompagné d'une gerbe jaunâtre sur le pare-brise, Penny tressaille et ferme les yeux.

Au bout de la rue, Philip tourne sur les chapeaux de roues et remonte au nord vers l'entrée. Quelques minutes plus tard, Philip aboie un dernier ordre :

— OK, fais vite, et quand je dis vite, ça veut dire *vite* !

Il pile brusquement et tout le monde pique du nez à nouveau. Ils viennent d'arriver au portail principal qui se détache dans un cône de lumière devant un rond-point gravillonné et bordé de buissons.

— Ça ne prendra qu'une seconde, assure Brian en prenant la pancarte et en ouvrant la portière. Ne coupe pas le moteur.

— Vas-y, t'occupe.

Brian descend de la voiture en portant son panneau. Dans l'air frais de la nuit, il traverse le rond-point, l'oreille aux aguets. Au loin s'élèvent des gémissements : les zombies viennent par ici.

Brian choisit un emplacement juste à droite du portail, devant une portion de mur dégagée et plante sa pancarte en enfonçant les deux pieds dans le sol, puis il regagne précipitamment la voiture, content d'avoir fait quelque chose pour l'humanité ou ce qu'il en reste.

Alors qu'ils s'éloignent, tous se retournent, même Penny, pour jeter un coup d'œil par la lunette arrière au petit panneau qui rapetisse au loin :

TOUS MORTS
N'ENTREZ PAS

5

Ils continuent vers l'ouest, à travers la campagne obscure, sans dépasser les cinquante kilomètres à l'heure. Les quatre voies de l'autoroute 20 encombrées de voitures abandonnées s'enfoncent vers un horizon d'un rose écœurant, où la ville attend comme une blessure lumineuse dans le ciel nocturne. Ils sont forcés de zigzaguer dans une course d'obstacles jonchée d'épaves à une lenteur exaspérante, mais ils parviennent à rouler une dizaine de kilomètres avant que les choses commencent à se gâter.

Durant presque tout ce trajet, Philip ne cesse de penser à Bobby et à ce qu'ils auraient pu tenter pour le sauver. Le chagrin et le regret lui nouent l'estomac, c'est comme un cancer qui se répand en lui et l'empoisonne. Pour maîtriser son émotion, il se remet dans l'état d'esprit du chauffeur routier, le volant bien en main, vigilant, sans quitter la route des yeux. Durant ces dix kilomètres, seuls quelques zombies apparaissent dans le faisceau spectral des phares.

Aux abords de Conyers, ils passent devant quelques retardataires qui se traînent sur le bord de la route comme des soldats déserteurs sanguinolents. Devant le centre commercial de Stonecrest, ils aperçoivent un groupe de silhouettes sombres massées au bord d'un fossé, apparemment en train de festoyer sur une charogne, animale ou humaine, impossible de le distinguer. Mais c'est à peu près tout – du moins jusqu'ici – et Philip maintient prudemment l'allure à cinquante. Au-dessous, ils pourraient accrocher un monstre égaré, et au-dessus, ils risquent d'emboutir une des épaves de plus en plus nombreuses qui encombrent la chaussée. La radio est silencieuse et tout le monde fixe le paysage sans dire un mot.

Les premiers abords d'Atlanta défilent au ralenti : une succession de forêts de sapins interrompues çà et là par une cité-dortoir ou un centre commercial. Ils passent devant des concessionnaires plongés dans le noir comme des morgues où les rangées de voitures neuves, tels des cercueils, reflètent une lune laiteuse. Devant des fast-foods dont les vitrines sont défoncées comme des plaies béantes, devant des parcs d'activité et des campings déserts comme des zones de guerre. Tous sont plus désolés et dévastés les uns que les autres. De petits incendies brûlent par endroits. Les parkings ressemblent à des salles de jeux d'enfants déments, avec les voitures éparpillées au hasard comme des jouets cassés et jetés avec colère. Partout scintillent des débris de verre.

En moins d'une dizaine de jours, la peste a apparemment saccagé la grande banlieue d'Atlanta. Ici, dans ces résidences au décor campagnard et ces zones de bureaux, où des familles de la classe moyenne ont émigré au fil du temps pour éviter les pénibles trajets domicile-bureau, les crédits immobiliers exorbitants et le stress de la vie urbaine, l'épidémie a anéanti l'ordre social en quelques jours. Et pour une raison inconnue, c'est le spectacle de toutes ces églises dévastées qui met le plus mal à l'aise Philip.

Chacune est dans un état pire que la précédente : sur les restes encore fumants du centre missionnaire baptiste d'Harmon se dresse contre le ciel le squelette calciné d'une croix. Deux kilomètres plus loin, ils aperçoivent sur les murs du séminaire Luther Rice des messages griffonnés à la hâte annonçant que la fin est proche, que l'apocalypse est là et que tous les pécheurs peuvent se préparer à mourir. La cathédrale de l'Unité de la foi chrétienne a l'air d'avoir été entièrement pillée et profanée. Le parking de l'église de St. John ressemble à un champ de bataille jonché de cadavres où errent des silhouettes à la démarche de somnambule caractéristique des morts-vivants. *Quel Dieu laisserait arriver pareille chose ? Et puisque nous en sommes à ce sujet : quel Dieu laisserait un gentil garçon simple et innocent comme Bobby Marsh connaître une telle mort ? Quel…*

— Oh, merde !

La voix qui s'élève de la banquette arrière tire Philip de ses sombres pensées.

— Quoi ?

— Regarde, dit Brian d'une voix affaiblie par son rhume ou par la peur – peut-être les deux à la fois.

Philip jette un coup d'œil dans le rétroviseur et voit l'expression angoissée de son frère dans la lueur verdâtre du tableau de bord. Brian tend le bras vers l'ouest. Philip regarde à travers le pare-brise en s'apprêtant instinctivement à freiner.

— Quoi ? Je vois rien du tout.

— Putain de merde, dit Nick, qui fixe sur leur droite une brèche dans la forêt de sapins par laquelle filtrent des lumières.

À environ cinq cents mètres devant eux, l'autoroute oblique vers le nord-ouest en traversant les sapins. Au-delà, entre les branches, des flammes sont visibles. L'autoroute est en feu.

— Nom de Dieu, s'exclame Philip en ralentissant de plus en plus à l'approche du virage.

Quelques instants plus tard, un camion-citerne renversé apparaît, enveloppé dans un cocon de flammes comme un dinosaure retourné sur le dos. La carcasse du véhicule barre les deux voies en direction de l'ouest, et la cabine, détachée et réduite en morceaux, est enchevêtrée avec trois autres voitures sur le terre-plein central et sur les deux files en direction de l'est. Les épaves d'autres voitures retournées jonchent les alentours. Au-delà du lieu de l'accident, la chaussée ressemble à un parking, rempli de voitures, certaines en feu, d'autres encastrées dans le carambolage.

Philip gare le 4 × 4 sur le bas-côté à une cinquantaine de mètres de l'incendie.

— C'est hallucinant, dit-il pour lui-même, se retenant de déverser un torrent de grossièretés de peur que Penny l'entende.

À cette distance, même dans le clignotement des flammes, plusieurs choses sont claires. D'abord et surtout, il est évident qu'ils vont devoir soit trouver une équipe de pompiers et des engins de chantier pour pouvoir continuer leur route, soit découvrir le moyen de contourner l'accident. Ensuite, il semble que les choses se soient produites il y a peu, peut-être en début de journée, voire quelques heures plus tôt seulement. La chaussée est noircie et fendillée, comme si elle avait été frappée par une météorite, et certains arbres en bordure de route ont été grillés par la vague de chaleur. Malgré les vitres fermées, Philip peut sentir l'odeur âcre d'essence et de caoutchouc brûlé.

— On fait quoi, maintenant ? demande finalement Brian.

— Faut faire demi-tour, propose Nick en se retournant.

— Laissez-moi juste réfléchir une seconde, dit Philip.

Il contemple la cabine retournée dont le toit s'est ouvert et tordu comme le couvercle d'une boîte de conserve. Dans l'obscurité, des corps calcinés gisent dans la boue du terre-plein central. Certains se convulsent lentement comme des serpents qui se réveillent.

— Allez, Philip, on peut pas passer, insiste Nick.

— Peut-être qu'on peut couper pour rejoindre la 278, propose Brian.

— Putain, mais fermez-la et laissez-moi réfléchir ! (Ce brusque flamboiement de colère fend le crâne de Philip comme une migraine. Il serre les dents et les poings en étouffant la voix qui murmure en lui.) Désolé, ma puce, ajoute-t-il en s'essuyant les lèvres et en se retournant vers la petite fille blottie sur la banquette arrière. Papa s'est énervé.

La petite fixe le sol.

— Qu'est-ce que tu veux faire ? demande Brian, d'une voix éperdue, comme s'il était prêt à suivre son frère dans les flammes de l'enfer si celui-ci décidait que c'est la meilleure solution.

— La dernière sortie était… à combien ? Deux kilomètres avant ? dit Philip en regardant par-dessus son épaule. Je suis en train de me dire qu'on pourrait…

Le claquement surgit de nulle part et le coupe au milieu de sa réflexion. Penny pousse un cri suraigu.

— Merde !

Nick s'écarte vivement de sa vitre, où un cadavre calciné vient de surgir de l'obscurité.

— Baisse-toi, Nick. Vite ! ordonne Philip d'une voix blanche. (Il se penche pour ouvrir la boîte à gants et tâtonner à l'intérieur. Dehors, la créature se plaque contre la vitre, à peine humaine, avec sa chair couverte de croûtes et de cloques.) Brian, couvre les yeux de Penny.

— Merde ! Merde !

Nick se baisse en se protégeant la tête comme lors d'un bombardement. Philip trouve le Ruger tel qu'il l'avait rangé, déjà chargé. Dans un seul mouvement, il braque le pistolet d'une main, tout en appuyant de l'autre sur la commande électrique de la vitre. Le zombie passe une main maigre et brûlée par l'ouverture en laissant échapper un gémissement rauque, mais avant qu'il ait pu s'emparer de la chemise de Nick, Philip appuie sur la détente. Un seul coup, à bout portant, en plein crâne.

La détonation résonne dans la voiture et tous sursautent alors que le cadavre est projeté en arrière et qu'un jet de cervelle éclabousse l'intérieur du pare-brise. La créature glisse le long de la portière et s'affaisse sur la chaussée.

Les semi-automatiques calibre .22 comme le Ruger ont un son caractéristique, comme la claque sourde d'une poutre qui frappe une plaque de béton, et à chaque fois, l'arme saute dans la main du tireur.

Cette nuit, bien qu'étouffée par l'habitacle, l'unique détonation résonne dans tous les environs, renvoyant un écho porté par le vent par-dessus les arbres et les bâtiments industriels. Elle a dû s'entendre à un kilomètre, perçant le silence de la forêt, pénétrant les oreilles des monstres et ébranlant ce qui reste de leur système nerveux.

— Tout le monde est entier ? demande Philip à la cantonade en posant l'arme encore chaude sur le tapis de sol.

Nick se redresse, les yeux écarquillés en voyant le résidu de cervelle qui a souillé l'intérieur du pare-brise. Penny, blottie dans les bras de Brian, garde les siens fermés, tandis que Brian jette des regards affolés de tous côtés, cherchant dans l'obscurité d'autres créatures.

Philip passe la marche arrière et accélère tout en remontant la vitre. La voiture recule et s'éloigne rapidement du camion-citerne en feu. Trente, quarante… cinquante mètres. Puis elle s'arrête en dérapant et tous restent silencieux un moment. Rien ne bouge dehors. Personne ne parle, mais Philip est convaincu qu'il n'est pas le seul à se demander si ces trente-quatre kilomètres pour gagner la ville ne vont pas être plus difficiles à parcourir qu'ils ne l'avaient pensé.

Ils restent dans le 4 × 4 au point mort pendant un certain temps à débattre de la marche à suivre, et cela rend Philip particulièrement nerveux. Il n'aime pas demeurer très longtemps au même endroit, surtout avec le moteur en marche, à gâcher du temps et de l'essence, avec ces ombres qui bougent derrière les arbres en flammes, mais ils n'arrivent pas à se mettre d'accord et Philip s'efforce d'être un dictateur bienveillant dans cette petite république.

— Écoutez, moi je pense quand même qu'on devrait essayer de contourner, dit-il en désignant le sud.

Le côté opposé des voies venant de la ville est encombré de véhicules fumants, mais il y a un étroit couloir, à peine plus de la largeur du 4 × 4, entre le bas-côté et les sapins qui bordent la route. Les pluies récentes et l'essence répandue par le camion renversé ont recouvert les alentours d'une boue visqueuse, mais le 4 × 4 est un engin solide avec des pneus à jantes larges, et Philip l'a déjà conduit dans des conditions bien pires.

— La pente est trop raide, Philly, proteste Nick en essuyant les restes de cervelle avec un chiffon.

— Oui, je suis d'accord, déclare Brian qui serre contre lui Penny. Je suis partisan de retourner jusqu'à la dernière sortie.

— Sauf qu'on ne sait pas ce qu'on va trouver sur la 278 et que ça pourrait être pire.

— On n'en sait rien, dit Nick.

— Il faut qu'on continue de l'avant.

— Mais si c'est pire en ville ? On dirait que plus on s'approche, plus c'est grave.

— On est encore à vingt-cinq ou trente kilomètres d'Atlanta. On peut pas savoir ce qu'il en est là-bas.

— Je sais pas trop, Philly.

— Je vais vous dire un truc, déclare Philip. Je vais aller jeter un œil.

— Quoi ?

Il ramasse son arme.

— Je vais juste aller jeter un coup d'œil.

— Attends ! l'arrête Brian. Philip, écoute, il ne faut pas qu'on se sépare.

— Je vais juste aller voir comment est le terrain et vérifier s'il est praticable.

— Papa… commence Penny.

— Ne t'inquiète pas, ma puce, je reviens tout de suite.

Brian regarde dehors, sceptique.

— On avait dit qu'on resterait ensemble. Quoi qu'il arrive. Arrête.

— Ça va prendre deux minutes, dit Philip en ouvrant la portière et en glissant le Ruger dans sa ceinture. (L'air frais de la nuit, chargé des craquements des flammes et d'une odeur d'ozone et de caoutchouc brûlé envahit l'intérieur de la voiture.) Bougez pas, je reviens tout de suite.

Il descend et claque la portière. Brian reste sans rien dire dans le 4 × 4 silencieux, le cœur battant à se rompre. Nick se retourne de tous côtés, scrutant l'obscurité où s'agitent des ombres. Penny ne bouge pas. Brian regarde la petite. On dirait qu'elle se recroqueville en elle-même, comme une fleur qui referme ses pétales à l'approche du soir.

— Il va revenir très vite, ma chérie, lui assure Brian. (Il a de la peine pour elle. Ce n'est pas bien de faire subir cela à une gosse, et il sait ce qu'elle éprouve.) C'est un dur à cuire, ton papa. Il peut démolir tous les monstres qu'il croise, tu peux me croire.

— Écoute ton oncle, ma chérie, renchérit Nick. Il a raison. Ton papa est capable de se débrouiller tout seul, et même plus.

— Je l'ai vu attraper un chien enragé un jour, continue Brian. Il devait avoir dix-neuf ans, et il y avait un berger allemand qui terrorisait tous les gosses du quartier.

— Je m'en souviens, dit Nick.

— Ton papa l'a poursuivi – elle avait la bave à la gueule, la bestiole – jusqu'au lit d'un torrent asséché et il l'a fourré de force dans une poubelle.

— Je me rappelle carrément, approuve Nick. Il l'a attrapé à mains nues et l'a balancé dedans avant de flanquer le couvercle dessus comme s'il attrapait une mouche.

— Il ne va rien lui arriver, ma chérie, ajoute Brian en repoussant une mèche de cheveux sur le visage de la petite. Tu peux me faire confiance. C'est un sacré *muchacho*.

Dehors, un morceau d'une épave s'écroule dans un fracas qui les fait tous sursauter. Nick se retourne vers Brian.

— Hé, bonhomme, tu veux bien me passer l'étui qui est dans le coffre ?

— Tu veux quoi ?

— Un des fusils.

Brian le fixe un moment, puis il se retourne et se penche par-dessus le dossier. Il finit par trouver le long étui logé entre une glacière et un sac à dos, fait glisser la fermeture éclair et en sort l'un des Marlin .55.

— Il te faut des cartouches aussi ? demande-t-il en le passant à Nick.

— Je crois qu'il est déjà chargé, répond Nick en vérifiant. (Visiblement, il est familier de ce genre d'arme et a déjà dû chasser, même si Brian ne l'a jamais vu faire. Brian n'a jamais été du genre à participer aux activités viriles de son jeune frère et de ses copains, même s'il en mourait d'envie.) Deux cartouches dans le chargeur, annonce Nick en refermant le fusil d'un geste sec.

— Fais attention avec ça, quand même, dit Brian.

— J'ai chassé des sangliers avec ce genre de truc, répond l'autre en armant le fusil.

— Des sangliers ?

— Ouaip. Et féroces. Dans la réserve de Chattahoochee. On y montait la nuit avec mon père et mon oncle Verne.

— C'est comme des cochons, en fait.

— Oui, à peu près. Un sanglier, c'est juste un bon vieux gros cochon. Et peut-être que…

Un grand bruit métallique retentit du côté de la portière de Nick. Celui-ci braque le canon de son arme vers le bruit, le doigt sur la détente, les dents serrées. Rien ne bouge à l'extérieur. Tout le monde se détend dans la voiture et Nick pousse un long soupir.

— Il faut qu'on se barre d'ici avant que… commence Brian.

Un autre bruit. Cette fois, c'est côté conducteur. Des pas traînants… Et avant que Nick ait eu le temps de voir qui approche, il retourne le Marlin vers la vitre, vise et s'apprête à l'accueillir avec deux cartouches quand une voix familière s'élève à l'extérieur.

— Nom de Dieu !

Ils aperçoivent Philip juste un instant avant qu'il se baisse pour se protéger.

— Oh, bon sang, désolé, désolé, dit Nick, reconnaissant aussitôt sa méprise.

— Tu peux braquer ton truc dans une autre direction ? répond Philip en baissant la voix, mais d'un ton agacé.

— Excuse-moi, Philly, c'est ma faute, dit Nick en obéissant.

La portière s'ouvre avec un déclic et Philip se laisse tomber sur le siège, haletant, le visage ruisselant de sueur. Il referme la portière et souffle.

— Nick…

— Philly, excuse-moi… Je suis un peu sur les nerfs.

Brièvement, Philip donne l'impression de vouloir lui arracher la tête, puis il se calme.

— On est tous un peu sur les nerfs. Ça, je le sais.

— Je suis vraiment désolé.

— Fais juste gaffe, quoi.

— Promis, promis.

— Qu'est-ce que tu as trouvé ? demande Brian.

— La manière de contourner cette saloperie, répond Philip en passant en position quatre roues motrices. Accrochez-vous bien, tous.

Il tourne le volant, puis lentement, roule sur des débris de verre qui s'écrasent en craquant sous les énormes roues.

Personne ne dit un mot, mais Brian s'inquiète intérieurement du risque de crevaison.

Philip fait passer le véhicule sur le terre-plein central creusé d'une rigole peu profonde envahie d'herbes folles, et les roues arrière s'enfoncent dans la terre. Alors qu'ils atteignent l'autre côté, il accélère un peu : le 4 × 4 tressaute et traverse les voies opposées. Philip a les mains crispées sur le volant tandis qu'ils avancent vers le bas-côté.

— Tenez-vous bien ! annonce-t-il alors qu'ils plongent brusquement le long d'un talus couvert d'herbe humide. Le 4 × 4 tangue comme un navire en perdition. Brian agrippe Penny et Nick se cramponne à l'accoudoir central. Philip donne un coup de volant et accélère. Le 4 × 4 se faufile vers une étroite ouverture entre les carcasses de voitures. Des branches raclent la carrosserie. Les roues arrière dérapent un peu, puis mordent dans la boue. Philip se débat avec le volant pendant que tous retiennent leur souffle et que le 4 × 4 passe difficilement.

Quand il émerge de l'autre côté, tout le monde l'acclame. Nick donne une grande claque dans le dos de Philip et Brian pousse un cri de victoire. Même Penny semble se dérider un peu : l'ombre d'un sourire passe sur ses petites lèvres. Devant eux, ils aperçoivent les véhicules enchevêtrés et défoncés – au moins une vingtaine, entre 4 × 4, camionnettes et voitures. Tous sont abandonnés, une grande partie ne sont plus que des carcasses noircies. Il y en a comme cela sur une centaine de mètres. Philip écrase l'accélérateur pour pouvoir regagner la chaussée, puis tourne brusquement le volant. L'arrière du 4 × 4 tressaute et patine. Quelque chose ne va pas. Brian sent la perte de puissance dans les roues arrière tandis que le moteur s'emballe brusquement. L'ambiance retombe. La voiture est coincée.

Pendant un moment, Philip demeure pied au plancher, crispé, comme si la seule force de sa volonté et de sa fureur aveugle pouvait faire avancer la voiture. Mais le 4 × 4 continue de déraper et bientôt, les quatre roues projettent des gerbes de boue dans l'obscurité derrière eux.

— Putain de putain ! s'exclame Philip en assenant un coup de poing sur le volant et en écrasant de plus belle l'accélérateur.

— Insiste pas, mon pote ! s'écrie Nick par-dessus le rugissement du moteur. On fait que s'enfoncer encore plus !

— Putain !

Philip lève le pied. Le moteur se calme et le 4 × 4 s'immobilise, penché sur le côté, comme un bateau naufragé dans un marécage.

— Il faut qu'on pousse, dit Brian après un moment de silence tendu.

— Prends le volant, demande Philip à Nick tout en ouvrant sa portière et en se glissant dehors. Mets les gaz quand je te dirai. Ramène-toi, Brian.

Brian obéit et va rejoindre son frère dans la lueur des feux arrière.

Les roues arrière se sont enfoncées de quinze bons centimètres dans la boue grasse. À l'avant, ce n'est pas mieux. Philip pose ses grosses mains noueuses sur le hayon et Brian se place de l'autre côté, afin d'assurer une meilleure prise dans la boue. Ni l'un ni l'autre ne remarquent les silhouettes sombres qui sortent en titubant du couvert des arbres de l'autre côté de la route.

— OK, Nick, vas-y ! crie Philip en poussant de toutes ses forces.

Le moteur rugit. Les roues tournent en crachant des gerbes de boue pendant que les frères Blake s'acharnent à pousser. Mais ils ont beau donner tout ce qu'ils ont, c'est en vain, et les silhouettes obscures continuent d'avancer.

— Encore ! crie Philip en pesant sur le 4 × 4 de tout son poids.

La roue arrière tourne dans le vide et s'enfonce plus encore dans la gadoue en aspergeant Brian. Derrière eux, dans un brouillard de fumée et d'ombre, les silhouettes ne sont plus qu'à une cinquantaine de mètres, faisant crisser sous leurs pas les débris de verre, et continuent avec leur démarche incertaine et saccadée.

— Remonte dans la voiture, Brian, dit Philip en baissant la voix. Dépêche.

— Qu'est-ce qu'il y a ?

— Fais ce que je te dis, dit Philip en soulevant le hayon qui grince tandis qu'il plonge la main à l'intérieur. Pose pas de question.

— Mais, et…

Sa voix s'étrangle dans sa gorge alors qu'il aperçoit du coin de l'œil une dizaine de silhouettes, peut-être davantage, qui se rapprochent et les encerclent.

6

Les zombies viennent de toutes les directions – depuis le terre-plein, des bois voisins, de derrière les épaves en flammes. Il y en a de toutes sortes et de toutes formes, le visage couleur de mastic, les yeux brillant dans le feu comme des billes. Certains sont brûlés. Certains sont en loques. D'autres sont tellement bien habillés et soignés qu'on croirait qu'ils sortent à peine de l'église. Tous retroussent les lèvres et découvrent leurs dents avec une expression affamée et insatiable.

— Merde, crie Brian à son frère. Qu'est-ce que tu vas faire ?

— Fous le camp dans la bagnole, Brian.

— Merde, merde ! (Brian se précipite et saute sur la banquette à côté de Penny, qui jette autour d'elle des regards effarés. Brian claque la portière et la verrouille.) Verrouille tout, Nick !

— Je vais l'aider.

Nick s'empare du fusil et ouvre la portière, mais il s'arrête tout net en entendant la voix glaciale de Philip par le hayon arrière.

— Je m'en occupe. Fais ce qu'il te dit, Nick. Verrouille les portières et bouge pas.

— Il y en a trop !

Nick, qui a armé le Marlin, a déjà posé le pied sur la chaussée.

— Reste dans la voiture, Nick.

Philip sort deux petites haches identiques qu'il a trouvées dans la cabane à outils d'une des maisons de Wiltshire Estates. Deux lames en acier au carbone extrêmement tranchantes et, sur le moment, il s'est demandé ce qu'un gros richard – qui payait sûrement quelqu'un pour fendre ses bûches – pouvait vouloir faire de ce genre d'outil.

Pendant ce temps, Nick remonte dans le 4 × 4, claque la portière et la verrouille, puis il se retourne, le fusil dans les bras, en ouvrant de grands yeux.

— Bon sang, mais qu'est-ce que tu fais, Philly ?

Le hayon claque. Le silence retombe dans la voiture. Brian baisse les yeux vers la petite.

— Je crois que tu devrais t'asseoir par terre, ma chérie. (Sans rien dire, Penny se laisse glisser du siège et se recroqueville sur le tapis de sol. Dans son expression, l'air entendu de ses grands yeux bruns, quelque chose pince le cœur de Brian. Il lui tapote l'épaule.) On va s'en sortir.

Il se tourne et regarde par la lunette arrière au-dessus de la banquette et des bagages. Une hache dans chaque main, Philip avance calmement vers les zombies qui convergent.

— Mon Dieu, murmure Brian.

— Qu'est-ce qu'il fait ? demande Nick d'une voix tendue, tout en tripotant le fusil.

Brian ne parvient pas à répondre tant il est hypnotisé par l'horrible spectacle.

Ce n'est pas beau à voir. Ni élégant, ni cool, ni héroïque, ni même bien exécuté… mais cela fait du bien.

— Tu vas y arriver, se murmure Philip en s'attaquant au plus proche, un gros bonhomme en salopette de fermier.

La hache emporte un morceau du crâne de la grosseur d'un pamplemousse dans une gerbe d'éclaboussures rosâtres. Le zombie s'écroule. Mais Philip n'en reste pas là. Avant que le suivant n'arrive à sa hauteur, des deux mains, il s'acharne à grands coups sur le cadavre.

— « À moi la vengeance, à moi la rétribution, dit le Seigneur », cite-t-il tandis que le sang gicle et que chaque coup de hache sur la chaussée fait jaillir des étincelles. Je vais y arriver, je vais y arriver, continue-t-il de murmurer, laissant la fureur et le chagrin qu'il a contenus jusqu'ici se libérer dans un déluge de coups. Je vais y arriver !

Entre-temps, les autres se sont rapprochés – un jeune maigrichon dont les lèvres suppurent un liquide noir, une grosse dame au visage gonflé, un type en costume ensanglanté – et Philip fait volte-face pour s'en occuper. *Je vais y arriver !* grogne-t-il à chaque coup, fendant des crânes et tranchant dans des carotides. *Je vais y arriver !* La colère guide la lame qui s'enfonce dans les os et les cartilages. Le sang et la cervelle qui giclent lui aspergent le visage alors qu'il se rappelle la gueule écumante de bave qui se précipitait sur lui quand il était gosse, Dieu qui lui a ravi sa femme Sarah et ces monstres qui lui ont pris son meilleur ami Bobby Marsh. *Je vais y arriver !*

Dans le 4 × 4, Brian se détourne de la scène, tousse et sent son cœur se soulever en entendant les bruits immondes qui pénètrent dans la voiture. Réprimant une envie de vomir, il se baisse pour couvrir les oreilles de la petite Penny dans un geste qui est malheureusement devenu une habitude.

Nick ne peut détacher ses yeux du carnage qui se déroule derrière eux. Brian voit sur son visage un étrange mélange de répugnance et d'admiration – heureusement qu'ils ont Philip avec eux – mais cela ne fait que redoubler son envie de vomir. Non, il va se retenir, bon sang, il ne va pas faiblir devant Penny.

Il se laisse glisser sur le sol et attire contre lui la petite fille qui n'oppose aucune résistance. Brian ne sait plus où il en est. Son frère est tout pour lui. C'est la clé de tout. Mais quelque chose d'affreux est en train de s'emparer de lui et cela ronge Brian. Quelles sont les règles ? Ces abominations ambulantes méritent tous les coups que Philip leur assène… mais quelles sont les règles dans ce combat ? Brian essaie de balayer ces pensées quand il se rend compte que la tuerie a cessé. Puis il entend des pas lourds qui se rapprochent et la portière s'ouvre côté conducteur. Philip se glisse sur le siège en laissant tomber les haches ensanglantées aux pieds de Nick.

— Il va y en avoir d'autres, annonce-t-il. Le coup de feu les a réveillés.

Nick jette un coup d'œil à l'arrière sur les cadavres visibles sur le talus à la lueur des flammes.

— Sacré boulot, mec… La totale, dit-il d'une voix morne, entre dégoût et admiration.

— Il faut qu'on fiche le camp d'ici, rétorque Philip en essuyant la sueur sur son front.

D'un regard dans le rétroviseur, il cherche Penny dans la pénombre de la banquette arrière et n'entend même pas Nick.

— C'est quoi, le plan, Philip ? demande Brian.

— Faut qu'on trouve un endroit sûr pour passer la nuit.

— Comment ça ? intervient Nick. Tu veux dire ailleurs que dans le 4 × 4 ?

— C'est trop dangereux ici en pleine nuit.

— Oui, mais…

— On se dégagera de la boue demain matin.

— Oui, mais et… ?

— Prenez ce qu'il vous faut pour la nuit, ordonne Philip en s'emparant du Ruger.

— Attends ! dit Nick en l'arrêtant d'un geste. Tu veux qu'on laisse la bagnole ? Qu'on laisse toutes nos affaires ici ?

— Juste pour la nuit, arrête, répond Philip en descendant de nouveau.

Brian pousse un soupir.

— Ferme-la et aide-moi à prendre les sacs à dos, dit-il à Nick.

Cette nuit-là, ils campent à cinq cents mètres du camion-citerne renversé, dans un bus scolaire abandonné sur le bord de la route, bien éclairé par un lampadaire. Le bus est encore relativement chaud et sec, et suffisamment haut pour qu'ils puissent surveiller les bois de part et d'autre de l'autoroute. Il a deux portes – une à l'avant et l'autre à l'arrière – qui permettent de s'enfuir facilement. En plus, les banquettes rembourrées sont assez longues pour qu'ils puissent s'étendre et prendre un semblant de repos. Les clés sont toujours sur le tableau de bord et la batterie fonctionne encore.

L'intérieur sent la nourriture avariée et les fantômes de gamins tapageurs en sueur avec leurs vêtements humides flottent dans l'air suffocant.

Ils dînent de corned-beef, sardines et biscuits salés de luxe probablement promis à orner les plateaux d'amuse-gueules d'un pique-nique sur le golf. Ils se servent de leurs torches, en prenant bien garde de ne pas les braquer à l'extérieur, puis ils finissent par étaler leurs sacs de couchage sur les banquettes et vaguement dormir.

Ils prennent chacun leur quart de veille à la place du chauffeur, avec un fusil, en surveillant l'arrière grâce aux énormes rétroviseurs extérieurs. Nick prend le premier et essaie vainement pendant une heure de capter une station sur son transistor à piles. Le monde s'est tu, mais au moins, cette portion de l'autoroute 20 est tout aussi calme. Les abords de la forêt ne bougent pas.

Quand c'est au tour de Brian de veiller – jusqu'à maintenant, il a seulement réussi à sommeiller quelques minutes sur une banquette qui grince dans le fond –, il est heureux de prendre sa place sur le fauteuil, devant toutes les manettes, le sapin désodorisant et la photo sous plastique d'un bébé, sans doute celui du chauffeur. Non que Brian soit à l'aise à l'idée d'être le seul réveillé ou de devoir se servir du fusil. Mais il a tout de même besoin de réfléchir au calme.

Peu avant l'aube, il entend s'agiter la respiration de Penny – jusque-là à peine audible dans le sifflement du vent. Elle est endormie à une dizaine de rangées de là, à côté de son père. Elle se redresse brusquement en étouffant un cri.

— Oh… je l'ai eu…, chuchote-t-elle. Je veux dire… Je crois que je l'ai eu.

— Chut, fait Brian en se levant pour retourner auprès d'elle. Ne t'inquiète pas, ma chérie… dit-il à voix basse. Oncle Brian est là.

— Mmm.

— Ce n'est rien… chut… ne réveillons pas ton papa.

Brian jette un coup d'œil à Philip, emmitouflé dans une couverture, le visage tordu par un mauvais rêve. Il a bu une demi-bouteille d'alcool pour s'assommer avant de se coucher.

— Ça va, dit Penny d'une toute petite voix.

Elle baisse les yeux vers le pingouin qu'elle serre comme un talisman dans ses petites mains. La peluche est si sale et usée que cela fend le cœur de Brian.

— Tu as fait un cauchemar ?

Elle hoche la tête. Brian la considère un instant, puis :

— J'ai une idée. Et si tu venais me tenir compagnie un petit peu ?

Elle acquiesce. Il l'aide à se lever, puis, lui enveloppant les épaules d'une couverture, il l'emmène sans un bruit jusqu'à l'avant, baisse le strapontin à côté du siège du conducteur et le tapote.

— Et voilà. Tu pourras faire la copilote. (Elle s'installe sur le petit siège en serrant contre elle la couverture et le pingouin.) Tu as vu ? demande-t-il en lui désignant un petit écran vidéo crasseux en noir et blanc de la taille d'un livre de poche qui montre la chaussée derrière eux, les branches qui se balancent dans le vent et les carrosseries des voitures luisant sous le lampadaire. C'est une caméra pour pouvoir reculer. On est en sécurité ici, ma chérie, dit-il en essayant d'avoir l'air convaincant. (Au début de son quart, il a trouvé comment mettre la clé de contact sur une position qui allume tous les voyants du tableau de bord comme un vieux flipper.) On a la situation bien en main.

Elle hoche la tête.

— Tu veux qu'on en parle ? interroge-t-il doucement quelques instants plus tard.

— De quoi ? demande Penny, décontenancée.

— Du mauvais rêve. Parfois, ça aide, d'en… parler à quelqu'un, tu vois ? Ça aide à le faire disparaître.

— J'ai rêvé que j'étais malade, dit-elle.

— Malade… Comme les gens dehors ?

— Oui.

Brian prend une profonde inspiration.

— Écoute-moi, mon lapin. Ce qu'ils ont, tu ne l'attraperas jamais. Tu comprends ? Ton papa ne laissera jamais cela arriver. Jamais. Et moi non plus. (Elle acquiesce.) Tu es très importante pour ton papa. Et tu comptes aussi beaucoup pour *moi*. (Brian a un pincement de cœur et ses yeux lui piquent. Pour la première fois depuis qu'il a quitté la maison de ses parents il y a dix jours, il prend conscience des sentiments qu'il a pour la petite.) J'ai une idée, dit-il. Tu sais ce que c'est un code ?

— C'est comme un secret ?

— Exactement, dit-il en lui essuyant une trace sur la joue. Toi et moi, on va avoir un code secret entre nous.

— D'accord.

— C'est un code tout à fait spécial. D'accord ? À partir de maintenant, quand je dirai le mot, il faudra que tu fasses quelque chose. Tu en es capable ? Par exemple, tu sauras te rappeler que tu dois faire quelque chose chaque fois que je prononcerai le mot ?

— Oui. Je crois.

— Alors, à chaque fois que je le dirai, il faudra que tu fermes les yeux.

— Fermer les yeux ?

— Oui. Et te couvrir les oreilles, aussi. Jusqu'à ce que je te dise que tu peux regarder. D'accord ? Et ce n'est pas tout.

— D'accord.

— Quand je dirai le code secret… il faudra que tu te rappelles quelque chose.

— Quoi ?

— Je veux que tu te rappelles qu'un jour viendra où tu ne seras plus obligée de fermer les yeux. Un jour où tout ira mieux et où il n'y aura plus de gens malades. D'accord ?

— J'ai compris.

— Alors, quel mot ça va être ?

— C'est à moi de choisir ?

— Bien sûr... C'est ton code secret, alors c'est à toi de décider.

Elle fronce le nez en réfléchissant à un mot qui convienne. La voir aussi concentrée que si elle résolvait une équation fend le cœur de Brian. Finalement, elle lève le nez vers lui, et pour la première fois depuis le début de la peste, une lueur d'espoir brille dans ses grands yeux.

— J'ai trouvé ! (Elle chuchote le mot à sa peluche, puis elle le regarde.) Le pingouin aime bien.

— Super... Allez, arrête le suspense.

— *Loin*, dit-elle. Le mot secret, ce sera *loin*.

L'aube grise se lève par étapes. D'abord, un silence surnaturel s'abat sur l'autoroute, le vent se calme dans les arbres, puis une lueur pâle apparaît aux abords de la forêt et réveille tout le monde.

L'urgence les saisit immédiatement. Ils se sentent à nu sans leur voiture, et ils se concentrent sur la tâche immédiate : prendre leurs affaires, retourner au 4 × 4 et dégager ce foutu engin.

Ils font les cinq cents mètres en un quart d'heure, chargés de leurs sacs de couchage et de leurs sacs à dos. En chemin, ils ne croisent qu'un seul zombie, une adolescente dont Philip règle rapidement le compte en lui assenant un coup de hache dans le crâne, pendant que Brian murmure le code secret à Penny.

Quand ils parviennent au 4 × 4, ils s'attellent à la tâche sans un bruit, guettant la moindre ombre dans les bois voisins. D'abord, Nick et Philip se perchent sur le hayon pour essayer de déplacer le poids sur l'arrière pendant que Brian accélère. Sans résultat. Puis ils cherchent dans les environs immédiats quelque chose qu'ils pourraient glisser sous les roues. Au bout d'une heure, ils dénichent deux palettes cassées dans un fossé d'évacuation, les rapportent et les calent sous les roues. Sans résultat non plus.

La boue est apparemment tellement liquide, imprégnée d'essence et de Dieu sait quoi d'autre, qu'elle aspire littéralement le véhicule, qui glisse et recule de plus en plus sur la pente. Mais ils refusent de renoncer. Poussés par l'angoisse causée par des bruits inexplicables dans la forêt – craquements de brindilles, lointains coups sourds – et par la peur de perdre tout ce qu'ils possèdent s'ils doivent abandonner le 4 × 4, aucun d'eux ne veut accepter que la situation est sans espoir.

En milieu d'après-midi, après des heures d'acharnement interrompues par une brève pause déjeuner, ils n'ont réussi qu'à faire descendre le 4 × 4 de plus de deux mètres sur la pente. Pendant ce temps, Penny, restée à l'intérieur, tantôt joue avec sa peluche, tantôt colle son visage à la vitre.

Philip finit par s'écarter et contempler l'horizon vers l'ouest.

Le ciel plombé commence à s'assombrir et la perspective du crépuscule lui noue le ventre. Couvert de boue et ruisselant de sueur, il sort son bandana et s'essuie la nuque. Il s'apprête à parler quand une autre série de bruits dans les arbres attire son attention vers le sud. Depuis des heures, ces craquements – peut-être des pas, qui sait ? – se rapprochent.

Nick et Brian viennent le rejoindre en s'essuyant les mains avec des chiffons. Pendant un moment, personne ne dit rien. Leurs visages reflètent la dure réalité, et lorsqu'un nouveau craquement se fait entendre, presque aussi clair qu'une détonation, Nick prend la parole.

— Ça sent pas bon, ça, non ?

— La nuit va bientôt tomber, dit Philip en rangeant son bandana.

— Qu'est-ce que tu penses faire ?

— On va passer au plan B.

Brian déglutit péniblement et regarde son frère.

— Je ne savais pas qu'on avait un plan B.

Philip le toise, tiraillé un moment entre impatience et affection. Puis il lève les yeux vers le vieux 4 × 4 avec un pincement mélancolique, comme s'il s'apprêtait à dire adieu à un vieil ami.

— On en a un, maintenant.

Ils siphonnent l'essence du 4 × 4 et remplissent les jerrycans qu'ils ont emportés. Puis ils ont la chance de tomber sur une grosse Buick récente, les clés sur le contact, abandonnée en bord de route à deux cents mètres de là. Ils la réquisitionnent et retournent avec jusqu'à leur 4 × 4 embourbé, font le plein d'essence et entassent le maximum d'affaires dans le vaste coffre.

Puis ils s'en vont vers le soleil couchant après avoir jeté un dernier regard en arrière sur le 4 × 4 qui disparaît au loin comme un navire qui sombre dans l'oubli.

À présent, les indices de l'apocalypse imminente apparaissent plus fréquemment sur les bords de la route. Alors qu'ils approchent de la ville en zigzaguant de plus en plus difficilement entre les voitures abandonnées, que les endroits boisés laissent la place à des ensembles résidentiels, des centres commerciaux et des zones d'activité plus nombreux, c'est de plus en plus visible. Ils passent devant un supermarché désert, aux vitrines défoncées, dont le parking est submergé par une marée de marchandises. Ils remarquent de plus en plus de coupures électriques et traversent des zones habitées plongées dans le noir et le silence, des galeries marchandes ravagées et pillées, des avertissements bibliques gribouillés sur les parois. Ils aperçoivent même un petit avion encore fumant encastré dans un pylône électrique.

Quelque part entre Lithonia et Panthersville, l'arrière de la Buick commence à vibrer bruyamment et Philip se rend compte qu'ils ont deux pneus à plat. Peut-être l'étaient-ils déjà quand ils ont pris la voiture, qui sait ? Mais ils n'ont pas le temps d'essayer de réparer ni d'en discuter.

La nuit tombe rapidement et plus ils approchent des abords d'Atlanta, plus la route est encombrée d'épaves enchevêtrées et de voitures abandonnées. Personne ne le dit, mais ils commencent à se demander s'ils n'iraient pas plus vite à pied. Même les deux voies secondaires sont bloquées par des voitures vides éparpillées comme une rangée de dominos tombés au milieu de la route. À cette allure, il va leur falloir une semaine pour arriver en ville.

C'est pourquoi Philip prend à ce moment la décision d'abandonner la Buick sur place, de prendre tout ce qu'ils peuvent emporter et de continuer à pied. Personne n'est emballé par cette idée, mais tout le monde suit. L'autre solution consistant à chercher dans l'obscurité de cet embouteillage figé des roues de secours ou un autre véhicule ne paraît pas viable pour le moment.

Ils sortent rapidement le nécessaire du coffre, bourrent des sacs avec des vivres, des couvertures, des armes et de l'eau. Ils commencent à maîtriser la communication par gestes et demi-mots, conscients qu'ils sont de la rumeur lointaine des morts-vivants qui s'élève, confuse, entre les arbres et au-delà des murs. Comme c'est le plus robuste, Philip se charge du plus gros sac. Nick et Brian prennent chacun un sac à dos plein à craquer. Même Penny accepte de se charger d'un sac à dos qui contient des couvertures.

Philip prend le Ruger, deux haches qu'il glisse de part et d'autre dans sa ceinture, et une longue machette pour couper dans les taillis, qu'il cale dans son dos entre le sac et sa chemise tachée. Brian et Nick ont pris chacun un Marlin .55 ainsi qu'un pic coincé dans la courroie de leur sac.

Ils partent vers l'ouest et cette fois, personne ne jette un regard en arrière.

Cinq cents mètres plus loin, ils arrivent à une passerelle bloquée par un mobile home cabossé. La cabine est encastrée sur un poteau téléphonique. Tout l'éclairage public est coupé et, dans l'obscurité, ils entendent des coups sourds frappés à l'intérieur du mobile home. Ils s'arrêtent brusquement sur le bas-côté sous la passerelle.

— Bon Dieu, c'est peut-être quelqu'un…

Brian se tait en voyant son frère lever vivement le bras.

— Chut !

— Oui, mais si…

— Silence ! (Philip tend l'oreille, le visage figé.) Par ici, venez !

Il entraîne son groupe sur la petite pente rocailleuse en bordure de l'échangeur et ils la descendent prudemment en faisant attention de ne pas déraper sur le gravier. Brian ferme la marche, s'interrogeant à nouveau sur les règles et se demandant s'ils n'ont pas une fois de plus abandonné à son sort un autre être humain. Mais ses pensées sont vite oubliées quand ils se retrouvent dans le noir d'encre de la campagne environnante.

Ils suivent Miller Road, une deux voies qui s'enfonce vers le nord. Sur près de deux kilomètres, ils ne traversent rien de plus qu'une zone de parcs industriels désolés dont les enseignes se dressent dans la nuit comme des hiéroglyphes sur les parois d'un tombeau. Le bruit de leurs pas épuisés sur le goudron glacial se mêle à leurs respirations haletantes. Le silence commence à leur porter sur les nerfs. Penny fatigue. Ils entendent des froissements dans les bois juste sur leur droite.

Enfin, Philip lève la main et désigne les bâtiments bas d'une usine qui s'étend au loin.

— Là-bas, ça ira, chuchote-t-il.

— Ça ira pour *quoi*? demande Nick en s'arrêtant pour reprendre son souffle à côté de lui.

— Pour la nuit, répond Philip sans la moindre émotion.

Ils passent devant une enseigne éteinte qui annonce : GEORGIA PACIFIC CORPORATION.

Philip entre par la fenêtre d'un bureau. Il a laissé les autres blottis dans la pénombre près de l'entrée pendant qu'il traverse les couloirs déserts et jonchés de débris qui conduisent vers le hangar au centre du bâtiment.

L'endroit est aussi sombre qu'une crypte. Le sang bourdonne dans ses oreilles tandis qu'il avance, une hachette dans chaque main. Il essaie vainement des interrupteurs. Il remarque à peine l'odeur âcre et résineuse de pâte de bois qui imprègne l'air, puis quand il arrive devant les portes de sécurité, il les pousse doucement du bout du pied.

Le hangar est immense, avec des poulies suspendues à des poutrelles, d'énormes lampes éteintes et une forte odeur de papier. Un faible clair de lune filtre par les vastes verrières. Tout le hangar est rempli de gigantesques rouleaux de papier gros comme des troncs de séquoias, si blancs qu'ils paraissent luire dans l'obscurité.

Quelque chose bouge à une faible distance.

Philip glisse ses hachettes dans sa ceinture, empoigne son Ruger, le dégaine et le braque sur une silhouette obscure qui surgit en titubant de derrière une pile de palettes. L'homme s'avance lentement vers lui, avide, le devant de sa salopette souillé de sang et de bile, son long visage sans expression, et ses dents brillent dans la lueur de la lune.

Une seule balle suffit à l'abattre et l'écho de la détonation résonne comme un roulement de tambour sous l'immense voûte.

Philip fait une reconnaissance dans le reste du hangar. Il en trouve deux autres – un gros type âgé, l'ancien veilleur de nuit, d'après son uniforme souillé, et un plus jeune, qui surgissent entre les rayonnages. Philip n'éprouve absolument rien en leur faisant sauter la cervelle à bout portant.

En retournant vers l'entrée principale, il en découvre un quatrième dans l'ombre, coincé entre deux énormes rouleaux. Le bas du corps de cet ancien cariste est pris entre les deux cylindres d'un blanc immaculé, écrabouillé et informe, baignant dans une mare de sang séché. La moitié supérieure s'agite et se débat en ouvrant ses grands yeux laiteux.

— Qu'est-ce que tu as, mon grand ? demande Philip en s'approchant. À chaque jour suffit sa peine, hein ?

Le zombie mord dans le vide.

— Tu as passé l'heure du casse-croûte ? Tiens, bouffe ça.

La détonation se répercute dans le hangar tandis que la balle s'enfonce dans l'orbite du zombie en lui faisant exploser la moitié du crâne. Une gerbe de sang, de chairs et de cervelle gicle sur le papier et ce qui reste du mort-vivant s'effondre comme un ballon qui se dégonfle.

Philip admire son chef-d'œuvre – les délicates dentelles écarlates sur cette toile immaculée – un long moment avant d'aller retrouver les autres.

7

Ils passent la nuit dans le bureau vitré du contremaître, situé en hauteur à l'intérieur du hangar de Georgia Pacific. S'éclairant avec leurs lanternes à batterie, ils écartent chaises et bureaux et étendent leurs sacs de couchage sur le lino.

L'ancien occupant devait pratiquement habiter dans ce petit nid d'aigle d'une vingtaine de mètres carrés : il y a des CD, une chaîne stéréo, un micro-ondes, un petit réfrigérateur (la majeure partie de ce qu'il contient est périmée), des tiroirs remplis de barres chocolatées, de bordereaux de commande et de fournitures de bureau, des bouteilles d'alcool entamées, des chemises propres, des cigarettes, des talons de chèques et des magazines pornos.

Philip desserre à peine les dents de toute la nuit. Il reste simplement assis près de la fenêtre qui surplombe le hangar, prend de temps en temps une gorgée de whisky d'une bouteille qu'il a trouvée dans le tiroir, pendant que Nick, assis par terre dans le coin opposé, lit silencieusement une petite Bible à la lumière d'une lanterne. Nick prétend qu'il a toujours le petit livre écorné et relié de cuir partout où il va, mais les autres l'ont rarement vu le lire… jusqu'à maintenant.

Brian se force à avaler du thon et des biscuits salés et essaie de faire manger quelque chose à Penny, qui refuse. Elle semble se replier de plus en plus sur elle-même, à présent, et elle a un regard perpétuellement vitreux que Brian trouve vaguement catatonique. Plus tard, Brian s'endort à côté d'elle, pendant que Philip sommeille dans le fauteuil pivotant près de la fenêtre grillagée et sale d'où les contremaîtres surveillaient naguère les tire-au-flanc. C'est la première fois que Brian voit son frère trop absorbé dans ses pensées pour dormir à côté de sa fille, et cela ne présage rien de bon.

Le lendemain matin, ils sont réveillés par des aboiements de chiens quelque part dehors.

Une morne et pâle lumière filtre par les verrières tandis qu'ils remballent rapidement leurs affaires. Comme personne n'a envie de prendre un petit déjeuner, ils se lavent, se protègent les pieds contre les ampoules avec des sparadraps et enfilent une deuxième paire de chaussettes. Brian a déjà les chevilles meurtries par les quelques kilomètres qu'ils ont parcourus et rien ne permet de dire jusqu'où ils pourront avancer aujourd'hui. Ils ont tous des vêtements de rechange, mais aucun n'a l'énergie de les mettre.

En sortant, tous sauf Philip évitent soigneusement de regarder les cadavres gisant dans des flaques de sang dans le hangar. Philip, lui, semble galvanisé par le spectacle de ces corps éclairés par le jour levant.

Ils découvrent dehors la cause des aboiements. À une centaine de mètres à l'ouest du hangar, une meute de chiens errants – pour la plupart des bâtards – se battent autour d'une forme rosâtre et déchiquetée. À l'approche de Philip et de son groupe, les chiens l'abandonnent et s'enfuient. Brian, qui a vu ce dont il s'agissait, chuchote à Penny leur code secret : *loin*.

C'est un bras humain, tellement en lambeaux qu'on dirait qu'il appartient à une poupée de chiffons.

— Regarde pas, ma puce, murmure Philip à sa fille.

Brian l'attire contre lui et lui couvre les yeux.

Ils continuent péniblement vers l'ouest dans le soleil matinal, en silence, furtifs et prudents comme des voleurs.

Ils suivent Snapfinger Drive, une route parallèle à l'autoroute. Le ruban d'asphalte noir serpente entre des forêts désertes, des zones résidentielles abandonnées et des centres commerciaux saccagés. À mesure que les endroits qu'ils traversent sont de plus en plus peuplés, les bas-côtés de la route offrent un spectacle qu'aucune petite fille ne devrait être obligée de voir.

Le stade d'un lycée est jonché de torses sans tête. Une morgue a été condamnée avec des planches clouées *de l'extérieur*, mais on entend les ongles qui grattent et les horribles geignements étouffés des défunts récemment ressuscités. Philip cherche fébrilement un véhicule dont ils pourraient s'emparer, mais la plupart sont renversés dans les fossés, calcinés, ou abandonnés au bord de la route avec deux ou trois pneus crevés. Aux intersections encombrées d'épaves, les feux de circulation sont éteints ou clignotent à l'orange.

Visible plus haut sur un remblai à une centaine de mètres sur leur gauche, l'autoroute grouille de morts. De temps à autre, une créature en loques apparaît sous les pâles rayons du soleil levant, et Philip fait signe à tout le monde de se baisser et de ne pas faire un bruit. Bien qu'épuisés à force de devoir se dissimuler derrière des arbres ou des épaves chaque fois qu'ils sentent une présence dans les parages, ils parcourent une bonne distance ce jour-là.

Ils ne croisent aucun autre survivant.

Vers la fin de l'après-midi, le temps s'éclaircit, le soleil brille et la température monte aux alentours de quinze degrés – ironie du sort, ce serait une belle journée d'automne dans un contexte différent. À 17 heures, ils sont en nage et Penny a noué son sweat-shirt autour de sa taille. Philip calcule leur avancée : à raison d'un kilomètre et demi par heure, moins les trente minutes du déjeuner, ils ont parcouru près de treize kilomètres dans ces banlieues.

Cependant, ils ne mesurent la distance qui les sépare de la ville qu'en arrivant sur une petite éminence qui émerge des sapins juste à l'ouest de Glenwood, où, sur une crête, se dresse le clocher encore fumant d'une église baptiste en ruines.

Épuisés et affamés, ils suivent la route qui serpente jusqu'à l'édifice ; arrivés sur le parking, ils s'immobilisent un moment et contemplent le paysage à l'ouest, figés dans une sorte de terreur incertaine.

L'horizon, à cinq kilomètres, semble presque rayonnant dans la lumière du couchant.

Bien qu'ayant grandi à trois cents kilomètres de la grande capitale du Sud, Philip et Brian Blake ont passé très peu de temps à Atlanta. Pendant les deux ans et demi qu'il a été chauffeur routier pour Harlo Electric, Philip y a parfois fait des livraisons. Et Brian est allé y voir pas mal de concerts au Civic Center, au Earl, au Georgia Dome et au Fox. Mais ni l'un ni l'autre ne connaissent bien la ville.

Depuis le parking de l'église, les narines remplies de l'odeur âcre de l'apocalypse, ce qu'ils aperçoivent au loin dans la lumière déclinante est aussi grandiose que hors d'atteinte. Dans cette brume chatoyante, ils aperçoivent le dôme doré du capitole surmonté de sa flèche, les monolithes miroitants du Concourse Complex, les énormes tours de Peachtree Plaza et le sommet pyramidal de l'Atlantic Building, mais tout cela a des airs de mirage, de vision de la Cité Perdue de l'Atlantide.

Brian s'apprête à faire remarquer que c'est à la fois tout près et très loin et qu'ils ignorent dans quel état sont les rues du centre-ville, quand il perçoit un mouvement du coin de l'œil.

— Regardez !

Penny s'est brusquement élancée à toutes jambes en piaillant d'enthousiasme.

— Penny !

Brian se précipite derrière l'enfant qui court vers la bordure ouest du parking.

— Attrape-la ! crie Philip en lui emboîtant le pas.

— Regardez ! Regardez ! s'écrie Penny qui gambade vers une rue voisine descendant le long de la colline. C'est un policier ! crie-t-elle en tendant le bras. Il va nous sauver !

— Penny, arrête-toi !

— Il va nous sauver, répète la fillette sans cesser de courir.

Brian arrive au bout de la clôture et aperçoit à une cinquantaine de mètres une voiture de police garée sous un énorme chêne de Virginie. Penny s'approche de la Crown Victoria bleu roi frappée du logo et du trait rouge de la police d'Atlanta et surmontée d'une barre de gyrophares, où une silhouette est penchée derrière le volant.

— Arrête-toi, ma chérie !

Brian voit Penny s'immobiliser brusquement devant la portière, essoufflée, et contempler l'homme assis à l'intérieur.

Entre-temps, Philip et Nick ont rattrapé Brian. Philip le dépasse et fonce vers la petite, qu'il enlève dans ses bras comme s'il la sauvait d'un incendie.

Brian arrive à son tour à la voiture et jette un coup d'œil par la vitre à moitié baissée. Le policier a été un gros homme blanc avec d'abondants favoris. Personne ne pipe mot.

Dans les bras de son père, Penny regarde le mort en uniforme qui pique du nez, retenu par sa ceinture de sécurité. D'après la tenue et la plaque, ainsi que le mot CIRCULATION frappé sur l'aile avant, c'était un officier subalterne, probablement chargé de signaler à la fourrière les voitures mal garées sur Fayetteville Road.

L'homme se met à s'agiter sur son siège, empêtré par la ceinture de sécurité dont il ne sait pas quoi faire, bouche ouverte, bavant devant la chair fraîche qui s'offre à côté de sa portière. Il a le visage déformé et boursouflé, couleur de moisi, les yeux morts comme des pièces ternies. Il gronde en les voyant et claque avidement des dents dans le vide.

— Alors ça, c'est carrément lamentable, dit Philip.

— Je la prends, intervient Brian en venant chercher Penny.

Le policier mort, sentant l'odeur de la nourriture, claque des dents de plus belle en essayant de se dégager de la ceinture. Brian recule vivement.

— Il peut pas te faire de mal, explique Philip d'un ton si indifférent que c'en est inquiétant. Il est même pas fichu de piger qu'il a mis sa putain de ceinture.

— Sans rigoler, dit Nick en jetant un coup d'œil par-dessus l'épaule de Philip.

— Pauvre charlot.

Le flic grogne.

Penny se hisse dans les bras de Brian, qui recule en la serrant contre lui.

— Viens, Philip, partons.

— Attendez, pas si vite, dit Philip en tirant son calibre .22 de sa ceinture.

— Arrête, mec, intervient Nick. Le bruit va en attirer plein d'autres… Fichons le camp.

Philip pointe son arme vers le flic qui s'immobilise en voyant le canon du pistolet. Mais il n'appuie pas sur la détente. Il se contente de sourire et de faire *pan-pan* comme un gamin.

— Philip, viens, insiste Brian. Ce machin ne sait même…

Il n'achève pas. Le flic mort est hypnotisé à la vue du Ruger devant son visage. Brian se demande si son rudimentaire système nerveux central envoie un quelconque signal à un souvenir enfoui dans ses neurones défunts. L'expression de l'homme change. L'immonde chose qui lui sert de visage s'effondre comme un soufflé avarié et la créature a presque l'air triste. Ou bien effrayée. C'est difficile à dire avec cette bouche toute en dents et ce masque de chairs nécrosées, mais une vague étincelle passe dans ces yeux couleur d'acier terne : une trace de peur ?

Brian est submergé par une vague d'émotion inattendue qui le surprend. Il ne saurait dire ce que c'est – un mélange de répugnance, de pitié, de dégoût, de peine et de colère. Il pose brusquement Penny et la retourne doucement vers l'église.

— C'est le moment de faire *loin*, ma chérie, dit-il avant de se tourner vers son frère.

Philip défie le zombie.

— Détends-toi et fixe le barillet, dit-il à la créature qui bave, en agitant lentement devant lui le canon de son Ruger.

— Je vais le faire, propose Brian.

Philip se fige, puis il se retourne et regarde son frère.

— De quoi ?

— Donne-moi le pistolet, je vais l'achever.

Philip regarde tour à tour Nick et Brian.

— Hé, bonhomme, tu vas pas…

— Donne-moi le flingue !

Le sourire qui tord les lèvres de Philip est indéchiffrable, mais sans joie.

— Te gêne pas pour moi, vieux.

Brian prend l'arme et, sans hésitation, s'avance, pose le canon sur le crâne du flic et s'apprête à appuyer sur la détente… mais son doigt refuse d'obéir. Durant ce moment de gêne, le zombie continue de baver comme s'il attendait quelque chose.

— Rends-moi le flingue, vieux, dit Philip d'une voix qui paraît lointaine à Brian.

— Non… Je m'en occupe.

Brian serre les dents et s'efforce d'appuyer. Son doigt est paralysé. Ses yeux le piquent. Son estomac se noue. Le mort-vivant grogne. Brian se met à trembler et Philip s'avance.

— Rends-moi le flingue.

— Non.

— Allez, bonhomme, rends-le-moi.

— Je m'en occupe ! s'écrie Brian en s'essuyant les yeux d'un revers de manche. Putain, je m'en occupe !

— Arrête. Ça suffit.

— Putain, répète Brian en baissant le pistolet, les yeux embués de larmes.

Il n'en est pas capable. Autant le reconnaître. Il rend le pistolet à son frère et recule, la tête basse. Philip abrège les souffrances du flic d'une seule balle qui éclabousse de sang le pare-brise. La détonation résonne parmi les ruines. Le flic s'effondre sur le volant.

Un long moment passe tandis que Brian essaie de contenir ses larmes et de dissimuler son tremblement. Il regarde les restes du flic. Il a envie de lui dire qu'il est désolé, mais il se ravise. Il continue de fixer le corps inerte retenu par la ceinture de sécurité.

Une petite voix fluette s'élève derrière eux.

— Papa… Oncle Brian… Oncle Nick ? Euh… il se passe quelque chose de pas bien.

Tous trois se retournent comme un seul homme. Ils lèvent les yeux vers le parking et suivent le bras tendu de Penny.

— Putain de merde, dit Philip en voyant le pire scénario se mettre en place sous ses yeux.

— Oh, mon Dieu, murmure Nick.

— Allez, ma puce, viens, dit Philip en allant prendre sa fille pour la ramener vers la voiture. On va emprunter la bagnole du gentil policier.

Il passe la main à l'intérieur, déverrouille la portière, l'ouvre, déboucle la ceinture et arrache le cadavre qui tombe mollement sur le sol avec le bruit d'un potiron trop mûr.

— Tout le monde monte, et vite ! Balancez vos affaires derrière !

Philip passe Penny par-dessus l'accoudoir central et l'installe sur le siège passager avant de se mettre au volant.

Les clés sont sur le tableau de bord. Il met le contact. Les voyants s'allument faiblement et le moteur cliquète. Il ne reste presque plus de batterie.

— Putain de merde ! Bon Dieu ! (Philip jette un coup d'œil à l'église.) OK. Attendez deux secondes. Attendez… (Il jette un bref coup d'œil par le pare-brise et constate que la rue devant eux est en pente raide et conduit à un pont de chemin de fer.) Vous deux, descendez ! dit-il à Nick et Brian.

Les deux hommes échangent un regard ahuri. Ce qu'ils voient sortir de l'église – probablement à cause des éclats de voix et du coup de feu – risque de rester longtemps gravé dans leur mémoire. Malheureusement, dans celle de Penny aussi, et peut-être encore plus longtemps : des morts-vivants apparaissent, par les brèches béantes des murs et les portes entrouvertes, certains encore revêtus d'habits sacerdotaux, d'autres endimanchés, et tous souillés de sang. Ils en voient qui trimballent des restes humains dégoulinants, certains en train d'y mordre à pleines dents. Une cinquantaine au moins arrivent d'une démarche pesante vers la voiture.

L'espace d'un instant, avant d'ouvrir vivement sa portière et de rejoindre Nick, Brian est assailli par une curieuse pensée : *Ils marchent tous ensemble, même dans la mort, c'est encore une congrégation très unie, comme des marionnettes soumises à la volonté d'un seul cerveau.* Mais le cri de son frère la balaie bien vite.

— Poussez cette saloperie de toutes vos forces, et ensuite, remontez dedans en vitesse !

Brian se place avec Nick derrière la voiture et, sans même réfléchir, se met à pousser. Philip a mis la voiture au point mort, portière ouverte, et pousse avec une jambe.

Il leur faut un moment pour l'ébranler, tandis que la horde continue d'approcher en abandonnant ses trophées sanglants devant la promesse de viande fraîche, mais rapidement, la voiture commence à descendre la pente, de plus en plus vite, et Nick et Brian doivent sauter à bord. Nick empoigne l'antenne pour se rattraper. Brian réussit à passer les jambes à l'intérieur, mais ne peut pas continuer sans risquer de tomber et se cramponne solidement à la portière arrière.

La voiture est à mi-pente, creusant la distance avec leurs poursuivants qui continuent d'avancer en titubant. Le véhicule est un peu comme un train en folie qui cahote sur la route vers le carrefour en bas de la colline. Le vent dans les cheveux, Brian continue de se cramponner. Nick crie quelque chose, mais le souffle et les crissements des pneus couvrent sa voix. En bas de la colline se trouve une gare de triage désaffectée, dont les rails sont enfouis dans le sol, entre des hangars délabrés et des bâtiments administratifs noirs de suie. Philip crie quelque chose que Brian n'entend pas.

Ils arrivent en bas de la colline et la direction se bloque. La voiture bondit par-dessus les rails et entre dans la cour. Philip ne peut plus tourner le volant. La voiture dérape. Les roues s'enfoncent dans le ballast et des étincelles jaillissent du dessous de la voiture. Brian et Nick continuent de se cramponner jusqu'à ce que le véhicule s'arrête dans un nuage de poussière noire.

— Prenez vos affaires ! Tous ! Vite ! (Philip a déjà ouvert sa portière et sort Penny. Brian et Nick sautent à leur tour et rejoignent Philip, chargé de son sac et de sa fille.) Par ici ! dit-il en désignant une rue étroite à l'ouest.

Ils quittent précipitamment les lieux.

La rue pavée est bordée de boutiques condamnées et de bâtiments incendiés. Ils avancent rapidement en restant à l'abri des devantures sur le côté sud de la rue, frôlant les portes couvertes de graffitis. Le crépuscule ne va pas tarder et les ombres qui s'allongent déjà commencent à les envelopper.

Ils ont l'irrépressible sensation d'être encerclés, même s'ils ne voient aucune créature pour le moment dans la longue enfilade de commerces sordides de cette lointaine banlieue d'Atlanta où s'alignent les boutiques de prêteurs sur gage, de change de devises, de pièces automobiles, les bars et les brocantes. Alors qu'ils avancent le long de ces vitrines défoncées, haletant de fatigue, n'osant ni parler ni faire le moindre bruit, ils prennent conscience qu'ils doivent absolument se réfugier quelque part. La nuit tombe de nouveau et il fera un noir d'encre d'ici moins d'une heure. Ils n'ont ni carte, ni GPS, ni boussole et leur seul repère est l'horizon de la ville à des kilomètres à l'ouest.

Brian sent la main glacée de l'angoisse sur sa nuque. Ils tournent le coin de la rue. C'est lui qui voit le garage le premier, mais Philip l'aperçoit aussitôt après et le désigne du menton.

— Là-bas au coin, tu as vu ?

— Oui, fait Nick. Ça a l'air pas mal.

En effet : au coin sud-ouest d'un carrefour à une rue de là, le garage Donlevy paraît être le seul commerce dans cette zone abandonnée où il y a un semblant de vie. Même s'il est actuellement fermé pour congés annuels. Ils pressent le pas.

En approchant, ils constatent que le devant a été récemment goudronné. Les deux pompes, intactes et apparemment en état de marche, trônent sous un logo Chevron géant. Le bâtiment en lui-même – bordé de colonnes de pneus neufs et muni d'une solide double porte – est en métal et verre blindé. Il y a même un étage, qui doit abriter des bureaux ou des rayonnages.

Philip les entraîne à l'arrière. Tout est en ordre, avec des bennes à ordures fraîchement repeintes adossées au mur de parpaings. Ils cherchent vainement une porte ou une fenêtre.

— Et devant ? chuchote Brian alors qu'ils se sont arrêtés près des bennes.

Ils entendent les gémissements et les pas traînants de la cinquantaine de zombies paroissiens qui descendent dans la rue.

— Je suis sûr qu'elle est verrouillée, répond Philip.

Son visage taillé à la serpe ruisselle de sueur après tout ce chemin parcouru chargé de son sac et de sa fille. Blottie contre son épaule, Penny suce compulsivement son pouce avec angoisse.

— Comment tu le sais ?

— On peut toujours essayer, répond Philip.

Ils font le tour du bâtiment en restant à couvert, puis Philip pose son chargement et court vers l'entrée. Il appuie sur la clenche.

Ce n'est pas fermé.

8

Ils se terrent un moment dans la réception, sous le comptoir de la caisse, près d'un tourniquet rempli de sucreries et de sachets de chips.

Philip verrouille la porte et vient s'accroupir avec les autres dans la pénombre, l'œil rivé sur les morts-vivants qui défilent dans la rue sans soupçonner la présence de leurs proies, l'air hagard.

À travers les vitres en verre renforcé, Brian a la possibilité de détailler les prêtres morts-vivants et leurs ouailles déguenillées qui déambulent devant la station-service. Comment cette église remplie de fidèles s'est-elle ainsi transformée en masse ? Se sont-ils réunis, en chrétiens terrifiés une fois que la peste s'est déclarée, cherchant soutien et réconfort auprès des leurs ? Des prédicateurs leur ont-ils assené des sermons parlant du soufre et de l'enfer de l'Apocalypse de Saint-Jean ? Les pasteurs ont-ils déclamé avec ferveur leurs paraboles : « Le cinquième ange sonna de la trompette. Et je vis une étoile qui était tombée du ciel sur la terre. La clé du puits de l'abîme lui fut donnée, et elle ouvrit le puits de l'abîme ! » ?

Et comment le premier s'est-il transformé ? Était-ce quelqu'un au dernier rang qui a eu une crise cardiaque ?

Était-ce un suicide rituel ? Brian imagine l'une de ces vieilles dames en noir, les artères étouffées par le cholestérol, agitant ses petites mains potelées et gantées – puis les portant soudain à son opulente poitrine au premier frémissement d'une coronaire. Et quelques minutes plus tard – une heure, peut-être –, la femme qui se relève, son visage porcin illuminé d'une *nouvelle religion*, d'une singulière et sauvage foi.

— Saloperies de grenouilles de bénitier, grommelle Philip sous le comptoir avant de se tourner d'un air contrit vers sa fille. Pardonne-moi l'expression, ma puce.

Ils explorent le bâtiment. L'endroit est impeccable et sûr, froid, mais propre, sols nettoyés, rayonnages bien rangés, l'air frais chargé de l'odeur du caoutchouc neuf et du parfum chimique vaguement agréable des carburants et liquides mécaniques divers. Ils constatent qu'ils peuvent rester ici cette nuit, mais c'est seulement quand ils poussent jusqu'au vaste garage qu'ils font une découverte fortuite.

— Putain de merde, c'est un tank, dit Brian en braquant sa torche sur la splendeur noire drapée d'une bâche dans un coin.

Les autres s'approchent de l'unique véhicule présent dans l'obscurité. Philip enlève la bâche. C'est une Cadillac Escalade dernier cri en parfait état, dont la finition nacrée scintille dans la lumière.

— Elle devait être au proprio, hasarde Nick.

— Noël est en avance, cette année, dit Philip en donnant un coup de pied dans l'un des énormes pneus.

Le 4 × 4 de luxe est immense, avec ses énormes pare-chocs moulés, ses phares géants et ses enjoliveurs chromés. On dirait le genre de véhicule qui figure dans le parc automobile d'une agence gouvernementale, avec ses vitres sinistrement fumées qui reflètent le faisceau de la torche.

— Il y a personne dedans, hein ? demande Brian en braquant la lampe sur le verre opaque.

Philip dégaine son Ruger, ouvre une portière et le braque à l'intérieur, vide et impeccable, avec sa finition ronce de noyer, ses sièges en cuir et son tableau de bord digne d'un avion.

— Je te parie un dollar qu'on va trouver les clés quelque part, dit-il.

Toute l'affaire du flic et de l'église semble avoir plongé Penny plus profondément encore dans l'hébétude. Cette nuit-là, elle dort roulée en position fœtale sur le sol de l'atelier, sous des couvertures, en suçant son pouce.

— Ça fait une éternité que je l'avais pas vue faire ça, dit Philip, assis sur son sac de couchage avec le reste du whisky.

Il porte un t-shirt sans manches et son jean sale, et ses chaussures sont posées à côté de lui. Il boit une dernière gorgée et s'essuie les lèvres.

— Faire quoi ? demande Brian à mi-voix pour ne pas réveiller Penny.

Il est assis en tailleur, pelotonné dans son blouson maculé de sang, de l'autre côté de la petite. Nick sommeille sur un établi, enveloppé dans son sac de couchage. La température est descendue à moins de cinq degrés.

— Sucer son pouce comme ça.

— Elle en a vu de toutes les couleurs.

— Nous aussi.

— Oui, fait Brian en fixant ses genoux. Mais on y arrivera quand même.

— Où ça ?

— Au centre d'accueil. Où qu'il soit, on le trouvera.

— Mais oui, c'est ça. (Philip vide le reste de la bouteille et la repose.) On va trouver le centre et le soleil se lèvera demain et tous les orphelins trouveront un foyer et les braves conquerront l'étendard.

— Tu es mal luné ?

— Putain, Brian, mais ouvre les yeux, quoi.

— Tu m'en veux ?

Philip se lève et s'étire.

— Pourquoi je t'en voudrais, vieux ? La vie continue comme d'habitude. Pas de quoi en faire une histoire.

— Ça veut dire quoi ?

— Rien… Essaie de dormir un peu.

Philip s'approche de l'Escalade, s'agenouille et inspecte le dessous. Brian se lève, le cœur battant. Il est tout étourdi. Son mal de gorge a un peu passé et il ne tousse plus depuis leur séjour à Wiltshire, mais il ne se sent pas au mieux de sa forme. Il n'est pas le seul. Il va rejoindre son frère.

— Ça veut dire quoi, « la vie continue comme d'habitude ».

— Ça veut dire ce que ça veut dire, répond Philip en continuant son inspection.

— Tu es fâché à cause du flic.

Philip se relève lentement et se retourne.

— Va dormir, je t'ai dit.

— Peut-être que j'ai du mal à abattre quelqu'un qui a été un être humain. Tu vas pas me le reprocher, non ?

Philip empoigne Brian par le col de son t-shirt, le retourne et le plaque contre la Cadillac. Sous le choc, Brian a presque le souffle coupé ; le bruit réveille Nick et fait tressaillir Penny.

— Écoute-moi bien, gronde Philip d'une voix rauque et menaçante. La prochaine fois que tu me prends mon arme, assure-toi que tu es prêt à t'en servir. Ce flic était inoffensif, mais qui sait ce que ce sera la prochaine fois, et je serai pas toujours à côté de toi pour sauver ton cul, tu piges ?

— Oui, acquiesce Brian, la gorge sèche.

— Tu as intérêt à oublier ton petit cocon douillet et tes conneries d'intello pour te montrer à la hauteur et défoncer des crânes, continue Philip en appuyant de plus belle. Parce que je peux te dire que c'est pas demain que la situation va s'améliorer !

— J'ai compris.

Philip ne lâche pas.

— On va s'en sortir, s'exclame-t-il, et on y arrivera en étant des monstres pires qu'eux ! Tu piges ? Il y a plus de règles ! Finies, la philosophie et la pitié. C'est eux ou nous, et eux, tout ce qu'ils veulent, c'est te bouffer la gueule. Alors on va les bouffer et les recracher, et soit on sortira de ce truc, soit je fais péter le monde entier. Tu me suis ? *Tu me suis ?*

Brian opine fébrilement. Philip le lâche et s'éloigne. Nick, qui s'est levé, est resté bouche bée. Penny ouvre de grands yeux et suce son pouce de plus belle en voyant son père traverser d'un pas furibard l'atelier. Il s'avance vers les portes blindées du garage, s'arrête et fixe la nuit entre les barreaux en serrant les poings.

Au fond, toujours plaqué contre la Cadillac, Brian s'efforce silencieusement de ne pas pleurer comme un intello blotti dans son cocon douillet.

Le lendemain matin, dans la lumière scintillante qui filtre par les verrières, ils expédient un petit déjeuner de céréales et d'eau minérale, puis ils remplissent le réservoir de l'Escalade avec trois jerrycans de vingt litres. Ils trouvent les clés dans un tiroir du bureau et chargent toutes leurs affaires dans le coffre. Avec le froid, les vitres teintées sont couvertes de condensation. Brian et Penny s'installent à l'arrière pendant que Nick attend près de la porte le signal de Philip. Comme il n'y a plus de courant – apparemment, c'est la panne générale –, ils doivent l'ouvrir manuellement.

Philip prend place au volant et démarre. L'énorme V8 ronronne. Le tableau de bord s'illumine. Philip passe une vitesse et avance lentement vers la porte. C'est le signal pour Nick. Il appuie sur le contrepoids et la porte se relève en grinçant. L'air et la lumière s'engouffrent dans le garage tandis que Nick court s'installer à côté de Philip. La portière claque. Philip s'interrompt en contemplant le tableau de bord.

— Qu'est-ce qu'il y a ? demande Nick d'une voix tremblante, redoutant un peu de mettre en question ce que fait Philip. On ne part pas ?

— Une seconde, dit Philip en ouvrant un compartiment. (À l'intérieur se trouvent une vingtaine de CD méticuleusement rangés par l'ancien propriétaire – un certain Calvin R. Donlevy domicilié au 601, Greencove Lane S.E., d'après la vignette. Apparemment, c'est un amateur de rock classique, d'après tous les Led Zeppelin, Black Sabbath et Hendrix de sa collection.) Et voilà, ajoute-t-il après avoir examiné les disques. Un petit quelque chose qui nous aidera à nous concentrer.

D'un seul et même geste, il glisse un CD de Cheap Trick dans le lecteur et enclenche une vitesse. La puissance des quatre cent cinquante chevaux du moteur les plaque sur leurs sièges alors que l'Escalade s'élance par l'ouverture qu'elle frôle de peu. La lumière du jour inonde l'intérieur.

Les riffs de guitare de l'intro de *Hello There* résonnent dans les enceintes Bose surround 5.1 tandis qu'ils traversent le parking et gagnent la rue. Le chanteur de Cheap Trick demande à ces messieurs-dames s'ils sont prêts pour le rock. Philip tourne au coin de la rue et prend au nord sur Maynard Terrace. La rue s'élargit. Les maisons minables défilent de part et d'autre. Un zombie errant en imperméable déchiré surgit sur la droite et Philip lui fonce dessus. Le choc sourd est à peine audible dans le rugissement du moteur et la batterie de Cheap Trick. Derrière, Brian s'enfonce dans son siège, l'estomac retourné, inquiet pour Penny. Elle est affalée sur le siège à côté de lui, et fixe le vide. Brian lui met sa ceinture et s'efforce de lui sourire.

— Il doit forcément y avoir une bretelle d'entrée au nord d'ici, dit Philip.

Mais sa voix est presque complètement couverte par le grondement du moteur et la musique. Deux autres zombies surgissent sur la gauche, un couple en loques, peut-être des sans-abri, et Philip donne un coup de volant pour les renverser allégrement comme deux quilles de bowling. Une oreille arrachée reste collée sur le pare-brise et Philip allume les essuie-glaces.

Ils arrivent à l'extrémité nord de Maynard Terrace et la bretelle est juste devant eux. Philip pile. La Cadillac s'arrête dans un crissement strident au pied de la bretelle d'entrée devant un carambolage de six voitures autour duquel des morts-vivants déambulent comme des vautours. Philip passe la marche arrière et écrase l'accélérateur. Tout le monde est projeté en avant. Brian retient Penny sur la banquette. D'un coup de volant, la voiture fait un tête-à-queue et retourne à toute allure sur McPherson Avenue, qui est parallèle à l'autoroute.

Ils font deux kilomètres en deux minutes, la grosse caisse et la basse alternant avec les chocs des zombies percutés au passage qui valsent dans les airs. Ils sont de plus en plus nombreux à surgir entre les habitations et les arbres, alertés par le grondement de la voiture.

Philip serre les dents avec une sourde détermination alors qu'ils approchent d'une autre bretelle d'entrée. Il pile sur Faith Avenue, où un incendie fait rage dans un fast-food. Tout le quartier est noyé sous une fumée noire. Cette bretelle est pire que la précédente. Philip pousse un juron et repasse la marche arrière. La Cadillac tourne dans une rue perpendiculaire. Un autre coup de volant. Un autre coup d'accélérateur. À présent, ils foncent vers l'ouest en direction des gratte-ciel qui se dressent au loin comme des apparitions dans la brume.

Le nombre croissant de rues bloquées, de décombres, de voitures accidentées et de morts-vivants semble insurmontable, mais Philip Blake, courbé sur le volant, haletant, les yeux fixés sur l'horizon, refuse de se considérer comme vaincu. Ils passent devant un supermarché qui a l'air d'avoir été bombardé et qui est infesté de zombies. Philip accélère pour en renverser tout un groupe qui s'est aventuré dans la rue.

Une spectaculaire quantité de sang asperge le capot et le pare-brise. Les essuie-glaces glissent sans parvenir à balayer l'épaisse bouillie.

— Lapin ? demande Brian à la petite. Penny ?

Le regard vide de l'enfant est fixé sur le pare-brise rougi. Elle n'a pas l'air d'entendre son oncle dans le vacarme, entre rock'n'roll et moteur, ou bien elle a *décidé* de ne pas l'entendre. À moins qu'elle soit trop enfermée dans son petit monde pour entendre quoi que ce soit. Brian lui tapote gentiment l'épaule et elle redresse brusquement la tête. Il passe le bras par-dessus la fillette et écrit un simple mot sur la buée de la vitre :

LOIN

Brian se rappelle avoir lu quelque part que la communauté urbaine d'Atlanta compte presque six millions d'habitants. Il se rappelle avoir été surpris par ce chiffre. Atlanta lui a toujours paru comme une sorte de capitale miniature, un simple témoignage du progrès, isolée dans un océan de petites villes de ploucs. Ses rares visites là-bas lui ont donné l'impression que ce n'était qu'une banlieue géante. Bien sûr, il y a les gratte-ciel du centre – le Turner, le Coke, le Delta, et tous les autres – mais pour le reste, cela avait l'air d'une petite sœur des grandes villes du Nord. Il était déjà allé à New York une fois voir la famille de son ex-femme, et cette immense fourmilière crasseuse et oppressante lui avait paru comme une *vraie* ville. Atlanta était plus un *simulacre* de ville. Peut-être était-ce dû en partie à son histoire, que Brian avait apprise au lycée : durant la Reconstruction, après l'incendie de la guerre de Sécession, il avait été décidé de renoncer aux anciens monuments historiques. Et au cours du siècle suivant, Atlanta s'était vue refaite en acier et en verre. Contrairement à d'autres villes du Sud comme Savannah ou La Nouvelle-Orléans – où le parfum du vieux Sud est toujours fièrement présent –, Atlanta s'est tournée vers un insipide expressionnisme moderne. *Regardez*, semble dire la ville. *On est progressiste, on est cosmopolite et cool, pas comme ces péquenots de Birmingham.* Mais Brian a toujours trouvé que Dame Atlanta « proteste beaucoup trop ». Pour lui, Atlanta a toujours été une ville qui se la pète.

Jusqu'à maintenant.

Durant les horribles vingt-cinq minutes qui suivent, alors que Philip zigzague sans relâche dans des rues désolées et des terrains vagues, se rapprochant de plus en plus du cœur de la ville, par les vitres teintées, Brian voit la vraie Atlanta comme un diaporama de photos de scènes de crimes prises par la police scientifique. Des impasses aveugles bloquées par des épaves, des tas de décombres en feu, des immeubles pillés et abandonnés, des fenêtres fracassées partout, des draps souillés portant des appels au secours désespérés accrochés sur des façades. C'est *véritablement* une ville – une nécropole primitive – surpeuplée et infectée par la mort. Et le pire, c'est qu'ils ne sont pas encore parvenus dans le centre.

Vers 10 heures, Philip Blake réussit à trouver Capitol Avenue, une large artère de six voies qui passe le long de Turner Field pour gagner le centre. Il éteint la chaîne. Le silence résonne dans leurs oreilles alors qu'ils prennent Capitol Avenue pour remonter au nord. L'avenue est jonchée de voitures abandonnées, mais suffisamment dégagée pour que l'Escalade puisse se frayer un chemin. Les sommets des gratte-ciel, sur la gauche, sont si proches à présent qu'ils semblent resplendir dans la lumière comme les voiles de navires de sauvetage.

Personne ne pipe mot alors qu'ils roulent dans cet univers de béton. Le parking du stade est presque vide. Ils aperçoivent des voiturettes de golf renversées çà et là. Des étals de marchands ambulants se dressent au coin d'une rue, tous fermés et couverts de graffitis. Quelques morts-vivants, au loin, déambulent dans ce dédale gris sous la lumière d'automne. On dirait des chiens errants qui vont bientôt s'écrouler, morts de faim.

Philip baisse sa vitre et écoute. Le vent siffle. Il porte une curieuse odeur, un mélange de caoutchouc brûlé, de circuits fondus et un relent graisseux qui fait penser à du suif pourri. Au loin, quelque chose vibre.

Brian s'inquiète brusquement : si des centres d'accueil ont été ouverts à l'ouest – quelque part dans les entrailles de la ville –, ne devrait-il pas y avoir des véhicules de secours un peu partout ? Des panneaux indicateurs ? Des barrages routiers ? Des policiers armés en faction, des hélicoptères dans les airs ? C'est presque le centre-ville : ne devrait-il pas être indiqué quelque part que les secours sont tout proches ? Jusque-là, durant leur trajet vers Atlanta, ils n'ont vu que quelques rares signes de vie. Sur Glenwood Avenue, il leur a semblé voir passer fugitivement une moto, mais rien n'est moins sûr. Plus tard, sur Sydney Street, Nick a déclaré avoir aperçu quelqu'un se réfugier dans une entrée, mais il n'en jurerait pas. Brian chasse ces pensées quand il voit le vaste enchevêtrement de l'échangeur en forme de trèfle à quatre feuilles à cinq cents mètres de là. Cet énorme confluent des principales artères marque la frontière est de la zone urbaine d'Atlanta : c'est là que l'autoroute 20 rejoint la 85, la 75 et la 403. Mais ce qu'ils aperçoivent, c'est un champ de bataille oublié, couvert d'épaves retournées et de semi-remorques désossés. La Cadillac entreprend de monter la rampe.

Capitol Avenue s'élève sur d'énormes piliers par-dessus l'échangeur. Philip prend la rampe à vingt à l'heure en zigzaguant entre les carcasses de voitures. Brian sent un petit coup sur son épaule et se rend compte que c'est Penny qui réclame son attention. Il se retourne. Elle se penche et lui chuchote quelque chose.

— Qu'est-ce qui se passe ? demande Philip.

— Elle veut faire pipi.

— Oh, mince, dit Philip. Désolé, ma puce, il va falloir que tu te retiennes encore un petit peu.

Penny chuchote à Brian qu'elle a vraiment *très, très* envie.

Brian le répète à son père.

— Retiens-toi encore un tout petit peu, ma puce.

Ils atteignent le haut de la rampe. De nuit, la vue depuis cette partie de la ville doit être splendide pour un automobiliste qui traverse Capitol Avenue. Dans un instant, à une centaine de mètres, la Cadillac va sortir de l'ombre d'un immense bâtiment à l'ouest. La nuit, c'est là que surgissent les constellations des lumières de la ville en offrant un panorama à couper le souffle sur le dôme du Capitole sur un arrière-plan de cathédrales de verre. Ils sortent de l'ombre du gratte-ciel et voient la ville s'étendre devant eux dans toute sa gloire. Philip écrase le frein. La Cadillac s'arrête brusquement. Ils restent un moment sans rien dire devant cette vue.

Sur la gauche, la rue longe le vénérable édifice de marbre qu'est le Capitole. Elle est complètement encombrée de voitures abandonnées. Mais ce n'est pas pour cela que tous les passagers du 4 × 4 sont frappés de stupeur et ont le bec cloué. C'est à cause de ce qu'ils voient venir vers eux depuis l'extrémité nord de Capitol Avenue.

Penny fait dans sa culotte.

Le comité d'accueil, aussi nombreux qu'une armée romaine et grouillant comme une avalanche d'arachnides géants, arrive depuis Martin Luther King Drive, une rue plus loin. Ils surgissent de l'ombre des hauts bâtiments administratifs et ils sont si nombreux qu'il faut un moment à l'œil humain rien que pour comprendre ce qu'il perçoit. Cette foule hétéroclite, à un stade plus ou moins avancé de dégradation, émerge des porches, fenêtres et impasses, et se déverse dans la rue comme une fanfare désorganisée, attirée par le bruit, l'odeur et l'arrivée d'une automobile flambant neuve remplie de viande fraîche.

Ils sont vieux, jeunes, noirs, blancs. Avec leur visage blême et décomposé, ces hommes d'affaires, femmes au foyer, employés, enfants, délinquants, avocats, infirmières, flics, éboueurs et prostituées sont comme un immense verger de fruits fripés pourrissant au soleil. Un millier de paires d'yeux morts d'un gris terne se braquent sur l'Escalade, comme autant de féroces têtes chercheuses avidement verrouillées sur leur cible.

Dans cet unique instant de silence frappé d'horreur, les pensées s'entrechoquent dans l'esprit de Philip. Il se rend compte qu'il sent par la vitre ouverte et la ventilation l'odeur caractéristique de la horde : une puanteur de graisse rance et de merde. Mais plus encore, il comprend que l'étrange bourdonnement qu'il a entendu un peu plus tôt en baissant sa vitre, cette vibration lancinante comme un million de câbles à haute tension, c'est le bruit d'une ville remplie de morts-vivants. Et il a la chair de poule en entendant ce geignement collectif, alors qu'ils s'avancent comme un gigantesque organisme multicellulaire vers la Cadillac. Et la dernière pensée qui lui vient le frappe en plein front. Il se rend compte qu'ils ont à peu près autant de chances de trouver un refuge dans cette ville, sans parler d'un survivant, que la proverbiale aiguille dans la botte de foin.

Et dans cette microseconde figée de terreur, Philip comprend que le soleil ne va probablement pas se lever demain, que les orphelins resteront des orphelins et que les braves ne conquerront jamais l'étendard.

Avant de passer la vitesse, il se tourne vers les autres et d'une voix remplie d'amertume, demande :

— Levez la main, ceux qui tiennent toujours à trouver ce fameux centre d'accueil.

DEUXIÈME PARTIE

Atlanta

Celui qui lutte contre les monstres doit prendre garde
à ne pas devenir un monstre lui-même.
Et si vous fixez trop longtemps un abîme,
l'abîme aussi regarde en vous.

Nietzsche.

9

Très peu de voitures de série sont capables d'atteindre une certaine vitesse en marche arrière. D'abord, il y a le problème de la boîte de vitesses. La plupart des voitures, camionnettes, pickups et modèles de sport ont jusqu'à cinq ou six vitesses en marche avant, mais une seule en marche arrière. Ensuite, la plupart sont dotés d'une suspension conçue pour la marche avant, pas pour reculer. Cela permet d'éviter que le conducteur accélère trop. Et enfin, en marche arrière, vous manœuvrez généralement le volant en regardant par-dessus votre épaule, et à grande vitesse, ce genre de conduite finit le plus souvent dans un spectaculaire tête-à-queue.

En revanche, le véhicule que conduit Philip Blake est une Cadillac Escalade Platinum de 2011, à quatre roues motrices et équipée de barres de torsion améliorées pour toutes les situations hors-route que cet as de la mécanique, Calvin R. Donlevy de Greencove Lane, a pu désirer affronter dans les régions les plus reculées du centre de la Géorgie (à une époque plus heureuse). Le véhicule pèse presque trois tonnes, pour pratiquement cinq mètres de long, avec un système électronique de contrôle de stabilité StabiliTrak (standard sur tous les modèles Platinum).

Mais, mieux encore, son tableau de bord est muni d'un généreux écran de dix-huit centimètres qui diffuse l'image jaunâtre d'une caméra de recul.

Sans hésitation, toutes ses facultés concentrées sur sa main droite, Philip passe la marche arrière, le regard rivé sur l'écran : un ciel légèrement nuageux surplombant la chaussée : *Le haut de la passerelle de l'échangeur.*

Avant que le régiment de zombies ait pu faire cinquante mètres, l'Escalade bondit. Tout le monde est de nouveau projeté en avant. Brian et Nick se retournent tous les deux pour regarder par la lunette arrière teintée la passerelle qui fonce sur eux, tandis que l'arrière de la voiture frémit un peu à mesure qu'ils accélèrent. Philip a le pied au plancher. Le moteur rugit. Il ne se retourne pas et reste les yeux fixés sur l'image jaunâtre où le sommet de la passerelle grandit de plus en plus.

Une infime erreur d'appréciation – un excès de pression sur le volant dans un sens ou dans l'autre – et l'Escalade partira en toupie. Mais que ce soient ses mains sur le volant, son pied sur la pédale ou ses yeux sur l'écran, Philip reste impassible tandis que le véhicule accélère toujours, le moteur rugissant sur une note de plus en plus aiguë. Sur l'écran, Philip voit quelque chose changer.

— Oh, merde… Regardez !

La voix de Brian s'élève par-dessus le rugissement du moteur, mais Philip n'a pas besoin de se retourner. Sur le petit écran jaune, il distingue une série de silhouettes sombres qui apparaissent à une cinquantaine de mètres, en plein sur leur trajectoire, au sommet de la passerelle, comme les piquets d'une barrière. Elles avancent lentement, hagardes, les bras ouverts pour recevoir le véhicule qui se précipite sur eux. Philip laisse échapper un grognement irrité.

Il appuie à pieds joints sur le frein et l'Escalade dérape pour s'arrêter dans un nuage de fumée sur la chaussée en pente.

Il comprend alors, comme tous les autres, qu'ils n'ont qu'une seule chance de passer et que cette fenêtre d'opportunité va se refermer très rapidement. Les créatures qui s'avancent devant eux sont encore à une centaine de mètres, mais les hordes qui les suivent et se déversent sur la passerelle depuis les immeubles et les terrains vagues des alentours de Turner Field se rapprochent avec une rapidité inquiétante, malgré leur démarche gauche et pesante. Dans un rétroviseur extérieur, Philip aperçoit qu'une rue voisine, Memorial Drive, est accessible entre deux camions retournés, mais l'armée de zombies qui se rapproche derrière eux va atteindre elle aussi très vite ce croisement.

Il prend sa décision dans l'instant et écrase l'accélérateur. L'Escalade s'élance de nouveau en marche arrière vers la troupe de cadavres ambulants. Tous se cramponnent tandis qu'à l'écran grandissent les zombies, mains avidement tendues, bouches ouvertes. Memorial Drive apparaît à son tour et Philip écrase le frein.

L'arrière de l'Escalade percute une rangée de morts-vivants dans un écœurant grondement étouffé, tandis que Philip repasse la marche avant et accélère aussitôt. Tous sont plaqués au fond de leurs sièges alors que le 4 × 4 s'élance et que Philip braque brusquement à gauche pour se faufiler entre les deux camions. La voiture frôle une glissière dans une gerbe d'étincelles, puis elle s'échappe sur Memorial Drive, où il n'y a heureusement pour le moment aucun zombie. C'est à peine une minute plus tard que Brian entend un raclement sous le châssis. Les autres s'en aperçoivent aussi.

— C'est quoi, ce bruit? demande Nick en se retournant.

— Quelque chose est coincé sous les roues, dit Brian.

Il essaie de regarder par sa vitre, mais il ne voit rien. Tendu, Philip se tait, les mains clouées sur le volant, la mâchoire serrée. Nick jette un coup d'œil dans son rétroviseur.

— C'est un de ces machins qui s'est coincé par en dessous !

— Oh, *génial*, dit Brian en se tortillant sur son siège à la vue de gouttelettes de sang sur la lunette arrière. Qu'est-ce qu'on va…

— On va le laisser, répond Philip sans aucune émotion, le regard fixé sur la route. Ça sera plus que de la bouillie dans deux minutes.

Ils franchissent une demi-douzaine de rues, sautent par-dessus une voie ferrée en s'enfonçant de plus en plus dans la ville avant de tomber sur bien plus que quelques épaves isolées et une poignée de zombies. Les rues sont maintenant jonchées de décombres, vestiges d'explosions, voitures brûlées remplies de squelettes, vitrines fracassées vomissant leur contenu. Quelque part en route, le raclement cesse, mais personne ne voit ce qu'est devenu leur passager clandestin.

Philip décide de prendre une rue nord-sud menant au centre-ville ; cependant, quand il tourne à droite en contournant un camion de livraison éventré et gisant sur le flanc au milieu du carrefour, il est forcé de freiner.

Ils restent un moment au point mort. Philip ne bouge pas, les mains toujours crispées sur le volant, scrutant au loin l'ombre des immenses bâtiments. Tout d'abord, Brian ne voit pas le problème. Il se dévisse le cou pour apercevoir par les vitres teintées l'extrémité de l'avenue jonchée de détritus où des papiers volent dans le vent de septembre. Nick aussi est surpris de ce brusque arrêt.

— Qu'est-ce qu'il y a, Philip ? (Sans répondre, celui-ci continue de fixer l'avenue.) Philip ?

Toujours pas de réponse. Nick se retourne vers la rue et se raidit en apercevant ce qu'a vu Philip.

— Quelqu'un peut me dire ce qui se passe ? demande Brian en se penchant en avant pour mieux regarder.

L'espace d'un instant, il ne distingue que la chaussée encaissée entre les hautes façades qui s'étend jusqu'à l'horizon. Mais il se rend assez rapidement compte que cette désolation est en train de changer rapidement, comme un organisme géant qui réagit à l'intrusion de bactéries étrangères. Ce que Brian voit par la vitre fumée est si affreux qu'il en reste le bec cloué.

En cet instant où la folie s'empare de son esprit, lui revient un souvenir d'enfance ridicule. Un jour, sa mère l'avait emmené avec Philip voir le cirque Barnum & Bailey à Athens. Ils devaient avoir respectivement treize et dix ans, et avaient adoré le numéro des funambules tout en haut du chapiteau, les tigres sautant à travers des cerceaux enflammés, les hommes-canons, les acrobates, la barbe à papa, les éléphants, les attractions, l'avaleur de sabres et le cracheur de feu, les femmes à barbe et le charmeur de serpents. Mais le souvenir qui reste le plus profondément gravé dans la mémoire de Brian et qui lui revient en cet instant, c'est la voiture des clowns. Ce jour-là, à Athens, au beau milieu du spectacle, une voiture multicolore est arrivée au centre de la piste. Brian se rappelle combien il a ri en voyant tous ces clowns se déverser de la voiture, l'un après l'autre. Au début, c'était amusant, puis stupéfiant, avant de devenir franchement bizarre, car les clowns n'arrêtaient pas de surgir – six, huit, dix, vingt –, des grands, des petits – tous continuaient de descendre de la voiture comme si c'était une boîte magique contenant des clowns lyophilisés. Malgré son âge, Brian a été fasciné par ce gag, se doutant bien qu'il devait y avoir un truc, peut-être une trappe dans le sol de la piste sous la voiture, mais peu importait, car le spectacle était vraiment incroyable.

C'est exactement le même phénomène – ou en tout cas une version pervertie – qui se produit à présent sous ses yeux en plein cœur des entrailles d'Atlanta. Il reste bouche bée en essayant de mettre des mots sur cet atroce spectacle.

— Fais demi-tour, Philip, dit-il d'une voix blanche.

Devant eux, d'innombrables hordes de morts-vivants surgissent de partout. Si la troupe qu'ils ont croisée quelques instants plus tôt était un régiment d'une armée romaine, là, c'est... c'est... l'empire tout entier.

À perte de vue, sur les quatre voies de l'avenue, des zombies émergent de partout : bâtiments, voitures, impasses, vitrines, entrées de bureaux, cafés. Même tout au bout, là où la chaussée disparaît dans le brouillard des gratte-ciel, leurs silhouettes surgissent comme une myriade d'insectes engourdis du dessous d'une pierre qu'on retourne. Leur nombre défie la raison.

— Il faut qu'on fiche le camp, insiste Nick d'une voix rauque. (Philip n'a toujours pas bougé. Nick jette un coup d'œil inquiet par-dessus son épaule.) Il faut qu'on rebrousse chemin.

— Il a raison, Philip, dit Brian en prenant doucement Penny par l'épaule.

— Qu'est-ce qui se passe, qu'est-ce que tu fais ? demande Nick à Philip. Pourquoi tu ne fais pas demi-tour ?

— Ils sont trop nombreux, Philip, renchérit Brian. Beaucoup trop.

— Oh, mon Dieu, on est foutus… se lamente Nick en contemplant l'abomination qui se dresse sur leur chemin.

Les plus proches sont à une centaine de mètres, comme le premier frémissement d'un tsunami. D'après leurs tenues, on dirait des employés de bureau, hommes et femmes, qu'on aurait passés au broyeur et trempés dans de l'huile de moteur. Tous avancent en titubant dans leur direction comme des somnambules hargneux.

Et derrière, partout, d'autres tout aussi nombreux envahissent les trottoirs et la chaussée. S'il y a une heure de pointe en enfer, elle n'arrive pas à la cheville de ce spectacle. La cacophonie de centaines de milliers de gémissements hérissent les poils sur la nuque de Brian, qui se penche et tape sur l'épaule de son frère.

— La ville est perdue, Philip.

— Oui, il a raison, c'est foutu, il faut qu'on fiche le camp, renchérit Nick.

— Une seconde, répond Philip, glacial. Bougez pas.

— Philip, enfin, proteste Brian. La ville est à eux, à présent.

— J'ai dit : bougez pas.

Brian fixe la nuque de son frère et un frisson glacé lui parcourt l'échine. Il se rend compte que ce que Philip veut dire n'est pas : *ne bougez pas le temps que ça passe* ou *ne bougez pas le temps que je trouve une solution.* Ce qu'il veut dire, c'est…

— Vous avez tous votre ceinture de sécurité ? demande-t-il d'un ton qui donne la chair de poule à Brian.

— Philip, ne…

Philip écrase l'accélérateur. L'Escalade s'ébranle d'un seul coup et fonce dans la masse qui s'agglutine devant eux avant que Brian ait pu achever.

— Philip, non !!

Le cri de Nick est couvert par une salve de chocs sourds, comme la pulsation d'un tam-tam géant, alors que la voiture monte sur le trottoir et fauche au moins une quarantaine de zombies. Une pluie de sang et de liquide noirâtre s'abat sur le 4 × 4. Brian est dans un tel état qu'il s'accroupit sur le sol et va rejoindre Penny dans cet endroit appelé *loin*.

Les plus petits finissent broyés sous les roues en laissant une traînée d'entrailles en putréfaction. Les plus grands rebondissent sur les ailes et vont s'aplatir sur les façades des immeubles comme des fruits trop mûrs.

Les zombies semblent incapables d'apprendre. Même un papillon de nuit s'enfuit lorsqu'il frôle une flamme de trop près. Mais cette vaste foule de cadavres ambulants n'a pas l'air de comprendre pourquoi elle ne peut pas manger cette chose noire et luisante qui fonce en rugissant sur eux après avoir réduit en bouillie ceux qui les précèdent et ils continuent de se précipiter sur la voiture.

Les mains crispées sur le volant et les dents serrées, Philip allume les essuie-glaces et le lave-glace pour pouvoir continuer de voir devant lui tandis qu'il propulse ces presque trois tonnes d'acier sur cette marée de zombies pour se frayer un chemin jusqu'au centre-ville en creusant littéralement une tranchée dans cette dense cohue. Ils avancent sous une véritable averse de viscères gluants qui giflent la carrosserie et les vitres dans un kaléidoscope de couleurs mêlant rouge sang, vert marécageux, ocre rouge et noir de goudron, qui semble presque beau à Philip.

Le plus étrange, c'est cette pluie d'organes plus ou moins identifiables qui les cingle de toutes parts. Régulièrement, des dents s'incrustent dans les essuie-glaces et une masse rosâtre qui ressemble à des œufs de poisson s'agglutine dans les canaux d'évacuation du capot. Philip aperçoit ces visages morts qui défilent brièvement. Il est dans son monde, à présent, ailleurs, pas dans le 4 × 4, pas au volant, mais *au sein* de cette foule, dans la cité des morts-vivants dont il fend les rangs à coups de dents et qu'il dévore les uns après les autres. C'est lui le pire des monstres, et il a bien l'intention de traverser cet océan d'immondices même s'il doit pour cela déchiqueter l'univers entier.

Brian comprend ce qui se passe avant même de regarder. Dix insoutenables minutes après qu'ils se sont élancés dans ce raz-de-marée de zombies, après avoir parcouru une vingtaine de pâtés de maisons, l'Escalade part en vrille. Brian se retrouve plaqué au sol et parvient tout juste à lever la tête par-dessus le siège pour voir le 4 × 4 déraper sur la bouillie visqueuse de ces cinquante mille cadavres. Il serre Penny contre lui et se prépare à affronter le choc. Les pneus gluants de sang, le 4 × 4 fait un tête-à-queue et l'arrière emboutit les derniers zombies encore épargnés. Par les vitres, la ville n'est plus qu'un tourbillon et Philip s'efforce de redresser, mais la voiture fait littéralement de l'aquaplaning sur un tapis d'entrailles sanguinolentes.

Alarmé, Brian laisse échapper un cri étranglé alors que le véhicule tourbillonne vers les devantures des magasins. Il a juste le temps d'apercevoir vaguement des bustes de mannequins chauves, des écrins à bijoux vides, des câbles déchiquetés s'échappant des murs quand le flanc droit de l'Escalade heurte violemment une vitrine.

Pour Brian, le moment du choc est comme suspendu : dans un bruit de vagues, la vitrine se transforme en une pluie d'étoiles tandis que l'Escalade plonge de travers dans les sombres profondeurs de la joaillerie Goldberg d'Atlanta.

Comptoirs et vitrines explosent dans toutes les directions en une gerbe scintillante, alors que tous les passagers sont projetés contre le côté de la voiture. Sous le choc, les airbags se déploient et les grands ballons en nylon blanc remplissent tout l'habitacle avant qu'il ne s'effondre. Nick est projeté de biais sur le sien en même temps que Philip, et derrière, Penny atterrit sur Brian, pendant que le 4 × 4 continue sur sa lancée dans le magasin, avant de s'arrêter au milieu, bloqué par un pilier central. Pendant un moment, personne ne bouge.

Une neige de débris blancs s'abat sur la voiture dans la pénombre de la bijouterie, puis ils entendent quelque chose qui s'effondre en grinçant derrière eux. Brian se retourne et, par la lunette arrière brisée, aperçoit un tas de poutrelles métalliques abattues qui obstruent le trou dans la vitrine. Philip se retourne sur son siège, blême et éperdu de panique.

— Ma puce ? Ma puce ? Ça va ? Réponds-moi, ma chérie. Tout va bien ?

Brian se tourne vers l'enfant, toujours par terre, l'air étourdi et peut-être sous le choc, mais indemne.

— Tout va bien, Philip, elle n'a rien, le rassure Brian.

Il palpe le dos et le crâne de la petite pour vérifier qu'elle n'est pas blessée. Elle n'a apparemment rien.

— C'est bon pour tout le monde ? demande Philip.

Des poussières dansent dans le mince rai de lumière qui filtre dans la boutique. Dans la pénombre, Brian voit les visages en sueur et terrifiés de ses compagnons.

— C'est bon, annonce Nick en levant le pouce.

Brian confirme. Philip a déjà ouvert sa portière et se dégage péniblement de l'airbag.

— Prenez tout ce que vous pouvez porter, ordonne-t-il, mais surtout, oubliez pas les fusils et les munitions. C'est clair ?

Oui, c'est clair. Brian et Nick descendent à leur tour. En moins d'une minute, Brian observe plusieurs choses – que son frère a déjà notées –, à commencer par la devanture du magasin.

D'après le chœur de gémissements et les milliers de pas traînants, la horde de zombies se rapproche du lieu de l'accident. L'Escalade est inutilisable : l'avant est enfoncé, les pneus éclatés, toute la carrosserie littéralement repeinte au sang. L'arrière de la boutique donne sur un couloir. Sombre, étroit, tapissé de placoplâtre, rien ne permet de dire s'il débouche sur une issue. Ils n'ont que le temps d'empoigner leurs bagages et leurs armes. Encore sonnés par la collision, paniqués, les oreilles bourdonnantes, Brian et Nick prennent chacun une carabine pendant que Philip se charge d'un maximum d'armes blanches, une hachette de chaque côté de la ceinture, le Ruger et trois chargeurs.

— Allons, ma chérie, il faut qu'on décampe, dit Brian à Penny.

Mais l'enfant semble hébétée et assoupie. Il essaie de la secouer un peu, mais elle se cramponne au dossier d'un siège.

— Porte-la, dit Philip en faisant le tour du 4 × 4.

— Allez, mon lapin, monte sur mon dos, dit Brian à la petite.

À contrecœur, Penny descend et Brian la hisse sur son dos, puis tous les quatre s'engagent dans le couloir.

Ils ont de la chance. Juste après la porte vitrée du bureau, ils en trouvent une autre en acier. Philip tire le verrou, l'entrouvre un peu et jette un coup d'œil à l'extérieur. L'odeur est incroyable : une puanteur de graisse avariée qui lui rappelle une visite scolaire dans une usine d'équarrissage. Il fait signe aux autres de s'arrêter. Par-dessus l'épaule de son frère, Brian aperçoit une longue ruelle sombre bordée de bennes à ordures débordantes. Mais c'est leur contenu qui le glace d'effroi : à l'extérieur pendent des bras humains livides, des jambes couvertes d'ulcères et des cheveux collés par un sang aussi noirâtre que celui qui couvre le sol.

— Suivez-moi tous et faites exactement ce que je vous dis, souffle Philip en armant son Ruger, prêt à tirer ses huit balles.

Il sort dans la ruelle et les autres lui emboîtent le pas.

Le plus silencieusement et rapidement possible, ils avancent dans la puanteur de cet abattoir obscur et désert vers une rue qu'ils aperçoivent au bout. Alourdi par le sac et l'enfant accrochée à son dos, Brian peine derrière Philip. Jamais les trente kilos de la petite ne lui ont paru aussi lourds. Nick ferme la marche, le Marlin dans les bras. Brian a coincé sous le sac son fusil – encore qu'il n'ait pas la moindre idée de comment on s'en sert. Arrivés au bout de la ruelle, ils s'apprêtent à sortir dans la rue déserte, quand Philip marche par mégarde sur une main humaine qui dépasse de sous une benne. La main – qui appartient à un zombie encore en état de nuire – recule prestement sous la benne et Philip fait un bond en arrière.

— Fais gaffe ! crie Nick alors que la main ressort brusquement et empoigne la cheville de Philip.

Celui-ci perd l'équilibre et s'étale sur le sol en laissant échapper son Ruger. Le mort-vivant – un sans-abri barbu et en loques sanguinolentes, au visage couleur de cendre – rampe vers Philip comme une araignée géante. Philip tend le bras vers son pistolet. Brian essaie de prendre son fusil tout en gardant Penny en équilibre sur son dos. Nick relève le chien de son Marlin. Le mort-vivant se cramponne en ouvrant des mâchoires distendues à la jambe de Philip qui saisit sa hachette. Le zombie s'apprête à lui arracher un morceau de mollet quand Nick vient poser le canon de son fusil sur sa nuque. Dans un geyser de sang et de cervelle, la détonation lui fait exploser le crâne en lui arrachant la moitié de la face et résonne entre les parois d'acier et de verre.

— Maintenant on est foutus, dit Philip en se relevant et en ramassant le Ruger.

— Qu'est-ce qu'il y a ? demande Brian.

— Écoute.

Dans le silence, ils entendent la rumeur des geignements changer, comme si le vent tournait : la horde de zombies est attirée par le bruit du coup de feu.

— Bon, on n'a qu'à retourner dedans, dit Nick d'une voix tendue. On retourne dans la bijouterie, il y a forcément un étage.

— Trop tard, rétorque Philip qui a vérifié son Ruger. (Il lui reste quatre balles et trois magasins de huit dans ses poches arrière.) Je parie qu'ils ont déjà envahi le magasin.

— Tu proposes quoi ?

— Avec tout ce que vous portez tous les deux, vous pensez pouvoir courir à quelle vitesse ?

Ils partent à petite allure, Philip en tête, Brian clopinant derrière lui et Nick le dernier, passant devant des devantures défoncées et pétrifiées, et des tas de cadavres noircis brûlés par des survivants courageux.

Brian n'en est pas certain, mais il lui semble que Philip cherche désespérément à fuir les rues – une entrée d'immeuble, une sortie de secours, *n'importe quoi* – et qu'il est distrait par le nombre croissant de zombies qui apparaissent partout.

Philip abat le premier à dix mètres, d'une balle dans le front qui lui règle son compte. Le deuxième surgit d'un porche à quelques pas et Philip le liquide à son tour. D'autres font leur apparition dans des vitrines fracassées. Nick lève sa carabine et ses vingt ans de chasse au sanglier lui sont bien utiles pour en descendre une bonne douzaine sur l'espace de deux rues. Les détonations résonnent comme des avions qui franchissent le mur du son.

Ils tournent au coin de la rue suivante, plus étroite et pavée de briques, peut-être un vestige d'avant la guerre de Sécession qui résonnait autrefois des attelages et des sabots des chevaux, mais qui est aujourd'hui bordée d'immeubles barricadés. La bonne nouvelle, c'est qu'ils semblent s'éloigner de la zone la plus dense, car ils croisent de moins en moins de zombies à mesure qu'ils avancent. La mauvaise, c'est qu'ils ont l'impression d'être pris au piège. Ils sentent la ville qui se referme sur eux et les engloutit dans son gosier de verre et d'acier. Entre-temps, le soleil a commencé à baisser et les ombres des immenses bâtiments s'allongent.

Philip aperçoit quelque chose au loin et s'abrite instinctivement sous un auvent déchiré. Les autres le rejoignent et se plaquent contre la vitrine condamnée d'une ancienne teinturerie en essayant de reprendre leur souffle.

Brian est épuisé ; Penny, toujours aussi léthargique, se cramponne sur son dos comme un petit singe traumatisé.

— Qu'est-ce qu'il y a ? demande Brian à Philip qui se dévisse le cou pour essayer de scruter l'horizon.

— Dis-moi que j'ai des hallus, répond Philip.

— Qu'est-ce que c'est ?

— L'immeuble gris là-bas à droite, répond Philip en désignant le nord. Tu vois ? À deux rues d'ici ? Tu vois l'entrée ?

Au loin, un bâtiment résidentiel de trois étages domine d'autres petits immeubles en ruine. L'énorme ensemble de brique blanche et de balcons en surplomb est le plus grand du quartier. Son toit surgit de l'ombre et le pâle soleil se reflète sur les cheminées et les antennes.

— Oh, mon Dieu, je vois, murmure Brian.

— C'est pas un mirage, Philly, ajoute Nick, fasciné.

Tous ont le regard fixé sur une silhouette humaine – homme ou femme, c'est trop loin pour le savoir – qui *leur fait signe*.

10

Philip approche prudemment du côté opposé de la rue, son calibre .22 à la main, armé. Les autres le suivent en file indienne, tous leurs sens aux aguets, prêts à toute éventualité.

— Dépêchez-vous ! les presse la jeune femme de l'autre côté de la rue. (Elle a apparemment la trentaine, avec de longs cheveux châtain clair ramenés en queue-de-cheval, un jean et un pull à grosses côtes un peu large et couvert de taches rougeâtres qui se voient malgré la distance. Elle leur fait signe avec son revolver petit calibre, peut-être un .38, qu'elle agite dans l'air comme un agent de piste sur un aéroport. Philip s'essuie les lèvres en reprenant son souffle et réfléchit en essayant de la jauger.) Vite ! crie-t-elle. Avant qu'ils nous sentent ! (Manifestement, elle tient à ce qu'ils la suivent à l'intérieur et elle ne leur veut aucun mal. D'après sa manière de tenir l'arme, il y a de grandes chances qu'elle ne soit pas chargée.) Et surtout, qu'aucun de ces Bouffeurs ne vous voient entrer !

Circonspect, Philip s'arrête au bord du trottoir avant de traverser.

— Combien vous êtes là-dedans ? crie-t-il.

— Bon sang, soupire la femme avec exaspération. On vous offre le gîte et le couvert, allez !

— Combien ?

— Bon Dieu, mais vous voulez qu'on vous aide ou pas ?

— Réponds d'abord à ma question, rétorque Philip en crispant la main sur le Ruger.

— Trois ! C'est bon ? On est trois. Tu es content, là ? C'est votre dernière chance, parce que si vous venez pas maintenant, je vais rentrer et vous vous retrouverez le bec dans l'eau.

Elle a un léger accent de Géorgie, mais on sent aussi qu'elle vient d'une grande ville. Peut-être du Nord. Philip et Nick échangent un regard. Le chœur lointain de gémissements rauques se rapproche comme un orage qui menace. Brian rajuste Penny sur son dos et jette un regard inquiet par-dessus son épaule vers le bout de la rue.

— On a quoi, comme choix, Philip ? demande-t-il.

— Je suis d'accord, chuchote Nick en ravalant sa peur.

— Combien d'hommes et combien de femmes ? lance Philip à la femme.

— Faut que je remplisse un questionnaire, aussi ? Je rentre. Bon courage et bonne chance – vous allez en avoir besoin !

— Attends !

Philip fait un signe à ses compagnons et ils traversent prudemment la rue.

— Vous avez des clopes ? demande la jeune femme en les guidant dans le hall du bâtiment après avoir bloqué la porte avec un étai. Il nous reste plus que dix mégots.

Elle est un peu amochée, avec des égratignures au menton, des bleus sur un côté du visage et un œil injecté de sang. Sous ses dehors un peu rudes, elle renvoie Philip à l'image d'une jolie femme, avec ses yeux bleus et ce teint hâlé de paysanne. Une sorte de beauté simple et sans apprêts. Mais d'après la manière méfiante dont elle incline la tête et les courbes que dissimulent ses vêtements amples, elle a l'air d'une mère féroce, pas le genre qu'il est conseillé de se mettre à dos.

— Désolé, on fume pas, répond Philip.

— Vous avez l'air d'en avoir vu de toutes les couleurs, dit-elle en les précédant dans l'entrée bordée de boîtes à lettres et de sonnettes.

Brian dépose doucement Penny. La petite vacille un instant, le temps de trouver ses repères. L'endroit, jonché de détritus, empeste le moisi et le zombie. L'immeuble ne paraît pas sûr. La jeune femme s'agenouille à côté d'elle.

— Comme tu es mignonne, toi. (Sans répondre, Penny baisse les yeux.) C'est ta fille ? demande-t-elle à Brian.

— La mienne, répond Philip.

— Je m'appelle April, ma chérie, dit la femme en lui repoussant une mèche de cheveux sales. Et toi ?

— Penny, répond la petite d'une voix si fluette et tremblante que c'est presque un miaulement.

April sourit et lui caresse l'épaule, puis elle se relève et se tourne vers les trois hommes.

— Entrons avant d'en attirer d'autres. (Elle appuie sur l'une des sonnettes d'interphone.) Papa, fais-nous entrer.

— *Pas si vite, ma petite*, grésille une voix en réponse.

— Vous avez l'électricité ? Il y a encore du *courant*, ici ? demande Philip en l'empoignant par le bras.

— Malheureusement non… L'interphone est sur batterie. Papa, ouvre, insiste-t-elle en appuyant sur le bouton.

— *Comment tu sais qu'on peut faire confiance à ces mecs ?* demande la voix.

— Tu vas nous laisser entrer ou pas ?

— *Dis-leur de te remettre leurs armes.*

Elle pousse un soupir et se retourne vers Philip, qui secoue la tête sans équivoque. Il n'en est pas question.

— Ils ont une petite fille avec eux, bon sang. Je me porte garante.

— *Et Hitler peignait des roses, aussi... On connaît ces gens ni d'Ève ni d'Adam.*

— Papa, ouvre cette fichue porte !

— *Tu as vu ce qui s'est passé à Druid Hills.*

— On n'est pas à Druid Hills ! s'emporte April. Maintenant, laisse-nous entrer, putain !

Un bourdonnement métallique précède un déclic sec et la porte s'ouvre. April les entraîne dans un couloir miteux où règne une odeur aigre, avec trois appartements de part et d'autre. Au bout, une porte métallique indiquant ESCALIER est barricadée par des planches clouées en travers.

April frappe à la dernière porte sur la droite, la 1C, et peu après, une version plus charnue, plus âgée et moins raffinée qu'elle ouvre la porte.

— Oh, mon Dieu, quelle adorable petite ! s'exclame la fille en voyant Penny qui tient la main de Brian. Entrez donc... Je peux pas vous dire comme ça fait plaisir de voir des gens qui ont pas la bave aux lèvres !

La sœur d'April, Tara, qui sent la fumée et le shampooing bon marché, porte une vaste robe à fleurs délavée qui dissimule son excès de poids. Sa poitrine déborde de son décolleté comme un soufflé qui a trop gonflé et elle a un petit tatouage de Woody Woodpecker au-dessus d'un sein. Elle a les mêmes yeux bleu vif que sa cadette, mais les siens sont lourdement soulignés de mascara et de fard à paupières bleu, et ses faux ongles ont l'air de taille à servir d'ouvre-boîte. Philip entre le premier, le Ruger toujours au poing le long de sa jambe. Les autres suivent. Au premier abord, Philip remarque à peine le salon encombré, les vêtements entassés sur les fauteuils et les valises et étuis d'instruments de musique posés le long du mur. Ni la kitchenette sur sa gauche, les cageots remplis de provisions et l'évier de vaisselle sale. Ni l'odeur de tabac froid, de sueur et de linge sale. Car la seule chose qu'il voit, c'est le canon d'un fusil à pompe braqué sur lui depuis un rocking-chair de l'autre côté de la pièce.

— Pas plus près, dit le vieil homme au fusil.

Le vieux bonhomme émacié a le visage tanné d'un fermier, les cheveux coupés en brosse rase et des yeux bleu glacier. De son nez crochu dépasse le cathéter d'un respirateur artificiel dont la bonbonne d'oxygène est posée à côté de lui comme un chien fidèle. Il remplit à peine son jean étroit et sa chemise à carreaux. Philip lève instinctivement son pistolet et le braque sur le vieillard.

— On a eu assez de problèmes dehors, on tient pas à en avoir ici aussi, monsieur.

Les autres se figent. April vient s'interposer entre eux.

— Pour l'amour du ciel, Papa, pose ton flingue.

— Tais-toi, gamine, répond son père en lui faisant signe de s'écarter avec son fusil.

April se campe avec agacement devant lui, les mains sur les hanches.

— On peut descendre d'un cran, là ? propose Tara de l'autre côté de la pièce.

— D'où vous venez ? demande l'homme à Philip, sans baisser son fusil.

— De Waynesboro, en Géorgie.

— Jamais entendu parler.

— C'est dans le comté de Burke.

— Merde, c'est presque en Caroline du Sud.

— Exact.

— Vous vous droguez ? Speed, crack… des trucs de ce genre ?

— Non, monsieur. Où est-ce que vous allez chercher ça ?

— Il y a quelque chose dans vos yeux, on dirait que vous êtes sous speed.

— Je prends pas de drogue.

— Comment vous avez atterri devant chez nous ?

— On a entendu dire qu'il y avait un centre d'accueil en ville, mais ça avait pas l'air d'aller.

— Ça, c'est sûr, répond le vieillard.

— On dirait qu'on a quelque chose en commun, ajoute April.

— Comment ça ? lui demande Philip, sans quitter le vieil homme des yeux.

— On est arrivés dans cet enfer exactement pour la même raison. On cherchait ce fichu centre dont tout le monde parle.

— Comme quoi, c'est pas la peine de se donner du mal pour si peu, observe Philip.

— Bien dit, réplique le vieil homme dans un sifflement d'oxygène. J'imagine que vous vous rendez pas compte du tort que vous nous avez causé.

— Je vous écoute.

— Vous avez rameuté tous ces Bouffeurs. Au coucher du soleil, on va avoir un foutu rassemblement devant notre porte.

— Désolé pour ça, mais je crois pas qu'on avait beaucoup le choix.

— Oui, bon… soupire l'homme. Je peux pas dire le contraire.

— C'est votre fille qui nous a fait signe dans la rue… On avait aucune mauvaise intention. Merde, on en avait aucune. À part éviter de nous faire mordre.

— Bon, je peux comprendre.

Un long silence s'installe. Tout le monde attend. Les deux hommes commencent à baisser leur arme. Philip se détend.

— C'est quoi, ces boîtes ? demande-t-il enfin en désignant les étuis à instruments au fond de la pièce. Vous avez des tambours dedans ?

Le vieil homme laisse finalement échapper un petit rire desséché. Il pose son fusil en travers sur ses genoux, le désarme et se détend à son tour.

— Mon gars, vous avez devant vous ce qui reste du Mondialement Célèbre Orchestre Familial Chalmers, stars de la scène, de l'écran et des fêtes foraines de tous les États du Sud. (Il dépose son fusil à terre avec un grognement et regarde Philip.) Désolé pour l'accueil belliqueux. (Il se lève péniblement et une fois déplié, on dirait un Abraham Lincoln tout ridé.) Je m'appelle David Chalmers, mandoline, chant et père de ces deux polissonnes.

Philip glisse son pistolet dans sa ceinture.

— Philip Blake. Là, c'est mon frère Brian, et l'autre timide, là-bas, c'est Nick Parsons… Et merci de nous avoir sauvé la peau.

Les deux hommes se serrent la main et la tension disparaît comme par enchantement.

Il se trouve qu'il y a *eu* un quatrième membre dans l'Orchestre Familial Chalmers – une opulente matrone de Chattanooga qui accompagnait de son soprano les morceaux folk et les succès sans âge du groupe. Selon April, en mourant cinq ans plus tôt d'une pneumonie, la pauvre femme n'avait pu connaître sa chance. Si elle avait vécu assez longtemps pour assister à l'horreur infligée à la race humaine, elle aurait été effondrée, considérant cela comme la fin du monde, et se serait probablement jetée d'un ponton dans le lac de Clark's Hill.

C'est ainsi que l'Orchestre Familial Chalmers était devenu un trio et avait continué sa carrière en jouant dans les foires dans les trois États voisins, Tara à la contrebasse, April à la guitare et Papa à la mandoline. Père et veuf, à soixante-six ans, David avait de quoi faire : Tara était perpétuellement défoncée à l'herbe, et April avait le caractère difficile et entêté de sa mère.

Quand la peste s'était déclarée, ils étaient à un festival de folk dans le Tennessee et étaient rentrés dans le camping-car familial. Ils étaient arrivés à la frontière de la Géorgie quand le véhicule les avait laissés en carafe. Là, ils avaient eu la chance de trouver un train qui faisait encore la liaison entre Dalton et Atlanta. Malheureusement, le train les avait déposés pile-poil au sud-est de la ville, à King Memorial Station, qui était infestée de morts-vivants. Malgré tout, ils avaient réussi à remonter vers le nord sans se faire attaquer, se déplaçant la nuit dans des voitures volées, à la recherche du mythique centre d'accueil.

— Et c'est comme ça qu'on a atterri ici dans notre petit paradis à loyer modéré, explique April à voix basse à Philip.

Elle est assise à un bout du canapé élimé, Philip à l'autre pendant que Penny dort entre les deux d'un sommeil agité, enveloppée de couvertures. Des bougies sont allumées sur la table basse. Brian et Nick dorment par terre de l'autre côté, tandis que David et Tara ronflent chacun dans sa tonalité dans leurs chambres respectives.

— Mais on a trop peur pour monter dans les étages, ajoute April sur un ton de regret. Même si ce qu'on pourrait y trouver nous rendrait bien service. Piles, conserves, je ne sais quoi. Bon sang, je donnerais un nichon pour du papier toilette.

— Ça fait beaucoup pour un peu de papier toilette, sourit Philip, assis pieds nus en t-shirt et jean sale, le ventre rempli de riz et de haricots.

Les vivres des Chalmers s'épuisent, mais il leur reste encore la moitié du sac de cinq kilos de riz qu'ils ont récupéré la semaine précédente dans un magasin, et assez de haricots pour nourrir tout le monde. C'est April qui a fait la cuisine. Et ce n'était pas mauvais. Après le dîner, Tara a roulé des cigarettes avec ce qui lui restait de tabac et un peu d'herbe. Philip a pris quelques bouffées, même s'il a renoncé à l'herbe depuis des années, car cela réveille dans sa tête des voix qu'il n'a pas envie d'entendre. Là, il se sent tout cotonneux.

— Enfin, bref. C'est tout près et en même temps tellement loin, soupire April.

— Comment ça ? (Il la regarde, puis il lève les yeux au plafond.) Ah… d'accord. (Il se rappelle avoir entendu du bruit un peu plus tôt. On les entend moins à présent, mais les pas traînants et les grincements continuent, comme des termites insidieux et invisibles. Qu'il soit parvenu à les oublier montre combien il est devenu insensible à la présence des morts-vivants.) Et les autres appartements du rez-de-chaussée ? demande-t-il.

— On a fouillé et pris tout ce qui pouvait être utilisable.

— Qu'est-ce qui s'est passé à Druid Hills ? demande-t-il après un moment de silence.

— On nous a dit qu'il y avait un centre d'accueil là-bas, soupire-t-elle. Il y avait rien.

— Et ?

— On est arrivés sur place et on a trouvé tout un tas de gens planqués derrière les grilles d'une casse. Des gens comme nous. Terrorisés, qui savaient plus où ils en étaient. On a essayé d'en convaincre de venir avec nous en leur disant que l'union fait la force, ce genre de trucs.

— Et qu'est-ce qui s'est passé ?

— Je crois qu'ils avaient autant peur de partir que de rester. (Elle baisse les yeux dans la lueur des bougies.) On a trouvé une voiture en état de marche, on a réuni des provisions et on s'est mis en route. Mais on a entendu des motos arriver quand on partait.

— Des motos ?

Elle hoche la tête, se frotte les yeux.

— On avait fait cinq cents mètres sur la route – peut-être moins, même – et passé la colline en question quand on a entendu des hurlements, très loin derrière nous. On a regardé en direction de la casse et c'était… je sais pas comment dire… on aurait dit *Mad Max*.

— Qu'est-ce que c'était ?

— Une bande de motards qui démolissait tout, qui renversait les gens, des familles entières, Dieu sait quoi d'autre. C'était atroce. Et le plus bizarre, c'est que c'est pas d'y avoir échappé qui nous a marqués. Je crois que c'est la culpabilité. On voulait tous retourner les aider, être des bons citoyens et tout ça, mais on n'a rien fait. (Elle le regarde.) Parce qu'on n'est pas des bons citoyens. Il en reste plus.

— Je comprends pourquoi ton père était pas très chaud pour prendre des pensionnaires.

— Depuis ce drame à la casse, il est parano avec les survivants, peut-être même plus qu'avec les Bouffeurs.

— *Les Bouffeurs*... Vous dites ça, tous les trois. Qui est-ce qui l'a trouvé, ce mot ?

— C'est une expression de mon père. Ça nous est resté.

— Ça me plaît bien, sourit Philip. Et ton père aussi. Il est responsable, et je peux pas lui en vouloir s'il nous a pas fait confiance. Il a l'air d'un dur à cuire et je respecte ce genre-là. Il en faudrait d'autres comme lui.

— Il est pas aussi coriace qu'avant, je peux te dire.

— Qu'est-ce qu'il a ? Un cancer des poumons ?

— Un emphysème.

— C'est pas bon, dit Philip, qui se fige en surprenant le geste de la fille.

Tout en parlant, April Chalmers est en train de caresser distraitement l'épaule de Penny. C'est un geste si affectueux et si inattendu, tout en étant naturel, qu'il attendrit Philip et réveille en lui quelque chose. Tout d'abord, il ne comprend pas ce sentiment, et cela doit se voir sur son visage, car April le regarde d'un air interrogateur.

— Ça va ?

— Oui, oui, ça va. (Il porte la main au sparadrap sur sa tempe, trace de leur accident en début de journée. Les Chalmers ont sorti leur trousse de secours et soigné tout le monde avant le dîner.) Je vais te dire : repose-toi un peu, et demain matin, les gars et moi, on nettoiera les étages.

Elle le considère un moment comme si elle se demandait si elle peut se fier à lui.

Le lendemain matin, après le petit déjeuner, Philip montre à April qu'il est quelqu'un de parole. Il enrôle

Nick, prend quelques chargeurs de plus pour le Ruger et le Marlin, glisse les deux hachettes dans sa ceinture et confie un pic à Nick pour le combat rapproché.

Sur le seuil, il resserre les lacets de ses chaussures de chantier, tellement souillées qu'on dirait qu'elles sont brodées de noir et de violet.

— Faites bien attention là-haut, dit le vieux David Chalmers depuis la kitchenette. (Dans la lumière matinale, il paraît tout gris et épuisé, appuyé sur le chariot métallique de sa bouteille d'oxygène. Dans ses narines, le tube siffle à chaque respiration.) Vous savez pas sur quoi vous allez tomber.

— On est toujours prudents, répond Philip en rentrant sa chemise dans son jean.

Nick attend, la carabine sur l'épaule. Il a un visage tendu, entre détermination et sinistre enthousiasme.

— Ils seront presque tous au deuxième, ajoute le vieillard.

— On va les nettoyer.

— Faites gaffe.

— Pas de problème, répond Philip en se relevant.

— Je viens.

Philip fait volte-face et voit Brian avec un t-shirt propre – frappé du logo de REM, la fierté d'Athens – et une expression décidée, un fusil dans les bras comme si c'était un être vivant.

— Tu es sûr ?

— Et comment.

— Et Penny ?

— Les filles vont s'en occuper.

— Je sais pas trop, là.

— Arrête, tu as besoin d'une paire d'yeux en plus, là-haut. Je suis prêt.

Philip réfléchit. Il jette un coup d'œil de l'autre côté de la pièce, où Penny est assise en tailleur entre les deux filles Chalmers. Elles jouent au huit américain avec un vieux jeu écorné. Penny a l'air de s'amuser. Cela fait longtemps qu'il ne l'a pas vue sourire.

— Bon esprit, dit Philip en souriant à son frère.

Ils montent par les escaliers du bout du couloir – les ascenseurs ne fonctionnent pas – mais avant cela, ils doivent déclouer les planches qui bloquent la porte. Les coups de hache et le grincement des clous semblent provoquer de l'agitation à l'étage, dans les pièces plongées dans l'obscurité. Une fois la dernière planche enlevée, ils s'engagent dans la cage d'escalier privée de lumière.

— Oubliez pas, leur rappelle Philip. Faut être rapide. C'est des saloperies, mais ils sont super lents et encore plus idiots que Nick.

— Très drôle, répond celui-ci en glissant deux cartouches dans sa carabine.

Ils arrivent sur le palier suivant. La porte est hermétiquement close. Ils s'arrêtent. Brian tremble.

— Calme-toi, vieux, lui dit Philip en remarquant le fusil qui frémit dans ses mains et en l'écartant. Et essaie de pas nous tirer dessus avec ça non plus.

— Je maîtrise, réplique Brian d'une voix mal assurée qui dément ses paroles.

— On y va, dit Philip. Et surtout, frappez fort et vite.

Un seul coup de talon bien placé dans la porte suffit à l'ouvrir.

11

Pendant une fraction de seconde, ils restent immobiles, le cœur battant la chamade. À part quelques papiers de bonbons, des bouteilles cassées et une épaisse couche de poussière, le couloir de cet étage – identique au rez-de-chaussée – est vide. Une faible clarté qui filtre par les fenêtres au bout révèle six portes closes.

— Ils sont tous enfermés dans leurs apparts, chuchote Nick.

— Ça va être comme la pêche miraculeuse, opine Philip.

— Allez, on y va, intervient Brian sans grande conviction. Finissons-en.

— On a un vrai Rambo, là, dit Philip à Nick.

Ils s'approchent de la première porte sur la droite et lèvent leurs armes. Philip arme son Ruger et enfonce la porte d'un coup de pied. Une pestilence indescriptible les assaille : un ignoble mélange de pourriture, d'urine et d'excréments, l'odeur rance des zombies, le dispute à un relent de nourriture avariée, de moisissure et de crasse. C'est si violent et insoutenable que cela les prend à la gorge et les fait presque reculer.

— Putain, articule péniblement Nick en détournant le visage, comme si cette puanteur soufflait sur lui.

Philip lève son Ruger. Nick et Brian le suivent, fusils levés, les yeux brillants. Un instant plus tard, ils trouvent quatre zombies vautrés chacun dans un coin, hébétés, qui grognent vaguement à leur entrée, mais qui sont trop malades, trop bêtes ou trop dérangés pour bouger, comme s'ils s'étaient lassés de leur destin funeste et avaient oublié à quoi servent les meubles. C'est difficile à dire dans la pénombre, surtout avec leurs chairs tuméfiées et noircies, mais on dirait une autre famille : les parents et deux enfants adultes. Les murs sont bizarrement couverts de griffures par endroits, comme si ces créatures suivaient une sorte d'instinct qui les pousse à se creuser une issue.

Philip s'approche du premier, le regard flamboyant, et baisse son pistolet. La balle inonde le mur de débris d'os et de cervelle. La créature s'effondre. Pendant ce temps, de l'autre côté de la pièce, Nick en liquide une deuxième. Philip abat la troisième avant qu'elle ait le temps de se lever et Nick se charge de la dernière. Les murs ruissellent tandis que les détonations résonnent encore dans leurs oreilles. Brian est resté dix pas derrière eux, son fusil levé, tout son courage balayé par une vague de nausée.

— C'est… C'est pas… commence-t-il.

Mais un mouvement soudain sur sa gauche l'arrête tout net.

Le zombie errant surgit des profondeurs obscures d'un couloir comme un monstrueux clown avec une perruque noire hirsute et de grands yeux. Avant que Brian ait pu décider s'il s'agissait d'une fille ou d'une petite copine, attifée d'une robe déchirée d'où pend un sein fripé, la chose se jette sur lui comme un attaquant de rugby.

Brian tombe à la renverse. Tout se passe si vite que Philip et Nick n'ont pas le temps d'intervenir. Ils sont trop loin. Le cadavre s'abat sur Brian en grondant, babines retroussées sur des dents noires, et – le temps que Brian se rappelle qu'il a un fusil dans les mains – ouvre des mâchoires béantes.

Brian aperçoit le fond de la gorge de la créature – un immonde puits noir et infernal – avant de redresser instinctivement le fusil. Presque accidentellement, le canon s'enfonce dans la gueule de la créature et, en poussant un cri étranglé, Brian appuie sur la détente.

L'arrière du crâne du monstre explose dans un nuage de sang et de chairs pulvérisées qui éclabousse jusqu'au plafond. Brian reste un moment frappé de stupeur, cloué au sol. La tête de la créature est encore embrochée sur le canon du fusil. Il cligne des paupières. Les yeux laiteux de la femme sont maintenant figés et fixés sur lui.

Il tousse et se détourne tandis que la tête de la morte-vivante glisse le long du canon comme un kebab géant, ses yeux toujours braqués sur lui. Il sent sur ses mains les gouttes de sang gluant. Il ferme les yeux, incapable de bouger. La main droite toujours sur la détente et l'autre sur le fût, il grimace d'horreur.

— Regardez qui a fait une touche, dit Philip avec un rire sans joie.

C'est Nick qui trouve la sortie menant au toit, et Philip qui a l'idée d'y déposer toutes les carcasses pourrissantes pour qu'elles n'empestent pas davantage les lieux et ne rendent pas leur expédition dans les étages plus déplaisante qu'elle ne devrait. Il leur faut un petit peu plus d'une heure pour emporter le tout jusqu'en haut. Ils doivent faire sauter le cadenas de l'issue de secours, puis faire la chaîne en se passant tous ces restes malodorants sur deux étages jusqu'au toit, maculant de traces de sang la moquette verte.

Ils ont éliminé un total de quatorze monstres, épuisant deux chargeurs de calibre .22 et une demi-boîte de cartouches, mais ils parviennent à tout évacuer.

— Regardez-moi ça, s'émerveille Nick en laissant tomber le dernier sur le toit goudronné.

Dans le vent qui lui ébouriffe les cheveux, les corps sont rangés comme du bois de chauffage en prévision de l'hiver. À l'autre bout, Brian contemple les cadavres avec une expression étrange et implacable.

— Cool, fait Philip en s'approchant du bord du toit.

À cette hauteur, il peut voir les bâtiments éloignés du très chic quartier de Buckhead, Peachtree Plaza et les cathédrales de verre des gratte-ciel à l'ouest. Les points culminants de la ville se dressent comme des sommets inaccessibles et impassibles dans la lumière du soleil, épargnés par l'apocalypse. En bas, Philip aperçoit les morts-vivants qui déambulent, soldats de plomb cassés à qui on aurait insufflé la vie.

— C'est cool, comme endroit pour se détendre, dit-il en contemplant le reste du toit. (Autour de l'amas d'antennes et de la machinerie du chauffage et de la climatisation, désormais hors d'usage, l'espace couvert de graviers est vaste comme un terrain de handball. Du mobilier de jardin abandonné est entassé contre une canalisation.) Prenez un fauteuil, on va se reposer.

Ils déplient des chaises longues au bord du toit.

— Je pourrais me plaire, ici, soupire Nick en contemplant l'horizon.

— Ici, tu veux dire le toit, ou l'endroit en général? demande Philip.

— Les deux.

— Je prends note.

— Comment vous faites ? demande Brian, debout derrière eux.

À bout de nerfs, il refuse de s'asseoir et de se détendre. Il est encore sous le choc de son face à face avec la tête de la créature.

— Comment on fait quoi ? demande Philip.

— Je sais, pas, moi. Vous faites un carnage et l'instant d'après, vous…

Brian n'achève pas, incapable de formuler sa pensée, et Philip se retourne vers son frère. Il voit ses mains qui tremblent.

— Assieds-toi, frangin, tu t'en es bien sorti.

Brian approche un fauteuil, s'assoit et se tord les mains en ruminant.

— Je veux juste dire…

Une fois de plus, il est incapable de terminer sa phrase.

— C'est pas des meurtres, vieux, dit Philip. Une fois que tu auras pigé ça, tout ira bien.

— C'est quoi, alors ?

— Nicky, comment tu appellerais ça ? demande Philip.

— L'œuvre de Dieu ? propose Nick, le regard toujours fixé sur l'horizon.

Philip éclate de rire.

— J'ai une idée, dit-il.

Il se lève et s'approche du premier cadavre de la rangée, qui est le plus petit.

— Regardez ça, dit-il en tirant le corps au bord du toit.

Les deux autres le rejoignent. Le vent leur ébouriffe les cheveux alors qu'ils se penchent pour regarder la rue une douzaine de mètres plus bas. Philip pousse le cadavre du bout du pied jusqu'à ce qu'il glisse dans le vide. Il semble tomber au ralenti, ses bras inertes flottant comme des ailes brisées. Il se fracasse sur le béton de l'entrée devant le bâtiment avec le bruit et la couleur d'une pastèque trop mûre.

Dans la chambre principale de l'appartement du rez-de-chaussée, David Chalmers, en t-shirt et caleçon, tète son inhalateur en s'efforçant d'absorber assez de médicament dans ses poumons pour apaiser les sifflements, quand il entend le fracas devant les portes vitrées coulissantes barricadées de l'arrière de l'appartement.

Le bruit lui hérisse aussitôt les poils de la nuque. Il s'habille le plus vite qu'il peut et branche son respirateur dans ses narines. Puis il sort de la chambre en tirant sa bouteille d'oxygène sur son chariot comme une nourrice impatiente un enfant désobéissant.

En traversant le salon, il aperçoit du coin de l'œil sur le seuil de la cuisine trois silhouettes interdites et terrifiées par le bruit. April, Tara et la petite fille étaient en train de préparer des cookies avec ce qu'il reste de sucre et de farine. David clopine jusqu'à la porte vitrée coulissante barricadée. Par une étroite fente entre les planches, et entre les branches d'arbres dépouillés, il peut tout juste apercevoir l'extrémité de la cour et, au-delà, une mince portion de la rue qui longe l'immeuble.

Comme projeté par la main de Dieu, un autre corps vient s'écraser sur le sol avec un bruit mou et écœurant. Mais ce n'est pas ce bruit qui inquiète David Chalmers pour le moment. Ni celui qu'il entend au loin par vagues, ce chœur désaccordé et obsédant.

— Foutu bon Dieu, marmonne-t-il dans un sifflement en faisant volte-face et en traînant son chariot jusqu'à la porte.

Sur le toit, Philip et Nick s'arrêtent après avoir balancé le cinquième corps.

— Ils explosent pas mal, hein ? fait Philip, essoufflé et en proie à une sorte d'ivresse morbide.

— C'est atroce, ce qu'on fait, convient Nick en réprimant vainement un rire, mais je dois avouer que ça fait du bien.

— Ça, c'est clair.

— À quoi ça sert, les mecs ? demande Brian derrière eux.

— Ça sert que ça sert à rien, justement, réplique Philip sans se retourner.

— C'est quoi ? Un koan zen ?

— C'est ce que c'est.

— OK, je suis perdu, là. Mais bref, je ne vois pas en quoi balancer ces trucs du haut du toit *apporte* quelque chose.

— Détends-toi, vieux, répond Philip en se retournant enfin. Tu as décroché ton premier trophée, aujourd'hui. C'était pas terrible, mais tu as fait le boulot. On se détend, là, c'est tout.

— Hé, regardez, fait Nick, qui vient d'apercevoir quelque chose au loin.

— Ce que je suis en train de dire, coupe Brian, c'est qu'il faut qu'on garde un peu l'esprit clair dans toutes ces conneries. (Les mains enfoncées dans les poches, il tripote nerveusement son canif et de la monnaie.) April et sa famille sont des gens bien, Philip, il faut qu'on se tienne.

— Oui, maman, ricane Philip.

— Hé, les mecs, regardez le bâtiment là-bas au coin.

Nick désigne un affreux petit édifice en briques au coin nord-est du carrefour voisin. Noircies par la pollution, les lettres peintes au-dessus des vitrines annoncent : MEUBLES DILLARD.

— Oui, et alors ? demande Philip.

— Regarde le coin du bâtiment, il y a un truc piéton.

— Un quoi ?

— Une passerelle, un passage piéton, je sais pas comment tu appelles ça. Tu vois ?

Effectivement, Philip aperçoit la passerelle vitrée qui enjambe la rue et relie l'immeuble de bureaux voisin du leur avec le premier étage du magasin Dillard. Elle est vide et fermée des deux côtés.

— Qu'est-ce que tu as derrière la tête, Nicky ?

— Je sais pas, répond celui-ci en fixant pensivement la passerelle. Peut-être…

— Messieurs ! les coupe la voix rauque du vieil homme.

Brian se retourne et voit David Chalmers qui surgit sur le toit et s'avance vers eux, le regard flamboyant, traînant sa bonbonne d'oxygène derrière lui.

— Mr. Chalmers, vous êtes monté jusqu'ici par vos propres moyens ? demande Brian.

— Je suis peut-être vieux et malade, rétorque le vieil homme, le souffle court, mais je suis pas handicapé… Et appelez-moi David. Je vois que vous avez fait un sacré ménage dans les étages et je vous en suis bien reconnaissant, vraiment.

— Il y a un problème ? demande Philip en se retournant.

— Ah, ça oui, il y a un problème, dit le vieillard, les yeux étincelants de colère. Qu'est-ce que vous avez fichu ici à balancer des cadavres depuis le toit ? Vous vous coupez l'herbe sous le pied !

— Comment ça ?

— Vous êtes tous sourds ou quoi ? grommelle Chalmers. Vous entendez pas ?

— Mais quoi donc ?

— Jetez un coup d'œil, répond le vieil homme en gagnant le bord du toit et en tendant le bras vers deux bâtiments au loin. Vous voyez pas ce que vous avez fait ?

Philip suit le doigt noueux vers le nord et comprend soudain pourquoi il entend depuis un quart d'heure un concert de milliers de gémissements. Des légions de zombies convergent vers leur immeuble, très probablement attirés par le bruit et le spectacle des corps se fracassant sur la chaussée.

À une dizaine de rues de là, ils avancent en cahotant comme des caillots dans des artères. L'espace d'un moment, Philip ne peut détacher son regard de cette migration hideuse.

Ils arrivent de toutes les directions. Suintant de l'ombre et des ruelles, s'agglutinant dans les rues, ils se retrouvent et se multiplient à chaque carrefour comme une immense amibe qui grandit et change de forme, inexorablement attirée vers les êtres humains. Philip finit par détourner le regard et tapote l'épaule du vieillard.

— C'est notre faute, David... notre faute.

Cette nuit-là, ils essaient de dîner comme si c'était un repas ordinaire entre amis, mais les raclements insistants à l'extérieur ne cessent d'interrompre la conversation. Ces bruits leur rappellent constamment qu'ils sont des exilés, seuls au monde, et qu'à leur porte, une menace mortelle pèse sur eux. Ils se racontent des anecdotes de leur vie passée et essaient de faire comme si de rien n'était, mais ces bruits leur mettent les nerfs à vif.

Étant donné qu'il y a dix-sept autres appartements dans l'immeuble, ils pensaient récolter quantité de provisions dans les étages supérieurs. Mais ils n'ont trouvé que quelques paquets de céréales et de pâtes dans des placards, une demi-douzaine de soupes en boîte, un paquet de crackers périmés et quelques bouteilles de vin bon marché.

Cela fait des semaines que l'immeuble a été abandonné, sans électricité, infesté de morts-vivants, et toute la nourriture a pourri. Des asticots ont envahi la plupart des réfrigérateurs et même les draps et les vêtements sont moisis et souillés par la puanteur des zombies. Peut-être que les gens se sont enfuis en emportant l'essentiel. Qu'ils ont pris toute l'eau minérale, les piles, les allumettes et les armes.

Cependant, les armoires à pharmacie sont intactes et Tara réussit à récolter une pleine boîte à chaussures de cachets : tranquillisants, stimulants, médicaments contre l'hypertension, coupe-faim, antidépresseurs, etc. Elle trouve aussi quelques flacons de bronchodilatateurs qui feront du bien au vieil homme. Cela amuse Philip qu'elle prétende se soucier de la santé de chacun alors qu'il sait très bien que ce qui l'intéresse, c'est tout ce qui peut la défoncer. Et qui pourrait le lui reprocher ? Dans une situation comme la leur, on trouve l'oubli comme on peut.

Le fait est que, en cette deuxième nuit, malgré le vacarme qui résonne devant leurs fenêtres, Philip s'est pris d'affection pour les Chalmers. Il les aime bien. Il apprécie leur côté bohème et leur courage, et il est tout simplement content d'avoir retrouvé d'autres survivants. Même Brian, dont le coup de froid est maintenant passé, semble plus fort et plus sûr de lui. Il a encore pas mal de chemin à faire, selon l'humble opinion de Philip, mais il semble galvanisé par la possibilité d'une sorte de communauté, si petite et fragile soit-elle.

Le lendemain, ils commencent à prendre leurs habitudes. Depuis le toit, Philip et Nick suivent la progression des zombies dans les rues, tandis que Brian inspecte les points faibles des alentours de l'appartement – fenêtres, issues de secours, cour et hall d'entrée. Penny se familiarise avec les sœurs Chalmers, et David reste le plus souvent dans son coin. Le vieil homme s'efforce de lutter contre sa maladie pulmonaire. Il alterne les siestes et les inhalations, mais il va retrouver les nouveaux venus dès qu'il le peut.

Dans l'après-midi, Nick commence à s'atteler à la fabrication d'une passerelle de fortune qu'il compte lancer entre le toit de leur immeuble et celui de son voisin. Il s'est mis en tête qu'il était possible de passer de l'un à l'autre sans poser le pied dans la rue. Bien qu'il juge que c'est de la folie, Philip lui donne sa bénédiction et le laisse perdre son temps s'il en a envie.

Nick estime que cette manœuvre est en fait la clé de leur survie : même si personne n'en parle, il suffit de voir leur tête quand ils vont dans la cuisine pour comprendre que tout le monde s'inquiète de l'épuisement des vivres. L'eau est coupée dans l'immeuble et transporter des seaux de déjections depuis les toilettes pour les jeter dans la cour par la fenêtre est le moindre de leurs problèmes. Ils n'ont qu'une provision limitée d'eau et c'est ce qui les angoisse le plus.

Cette nuit-là, après le dîner, peu après 20 heures, quand un silence gêné dans la conversation rappelle à tous les bruits qui hantent inlassablement les rues, Philip a une idée.

— Et si vous nous jouiez quelque chose ? propose-t-il. Histoire de couvrir le bruit de ces saloperies.

— Hé, ça c'est une bonne idée, s'anime Brian.

— On est un peu rouillés, dit le vieil homme depuis son rocking-chair. (Il a l'air particulièrement fatigué ce soir et la maladie semble le ronger de plus en plus.) Si vous voulez tout savoir, on n'a pas joué une seule note depuis le début de tout ça.

— Tu te dégonfles, intervient Tara depuis le canapé où elle roule un joint avec ce qui lui reste de tabac, graines et tiges.

Les autres sont assis autour, oreilles dressées à la perspective d'entendre le célèbre Orchestre Familial Chalmers.

— Allons, Papa, renchérit April. On peut leur jouer *The Old Rugged Cross*.

— Mais non, ils ont pas envie d'entendre des conneries d'église, surtout en ce moment.

Tara a déjà déplacé son imposante personne jusqu'à l'immense étui de sa contrebasse, sa cigarette de fortune collée au coin des lèvres.

— Choisis le titre, Papa, je ferai la ligne de basse.

— Oh, et puis ça peut pas faire de mal, cède finalement David Chalmers en se hissant péniblement debout.

Les Chalmers sortent leurs instruments et s'accordent. Une fois prêts, ils s'installent, April devant avec sa guitare, David et Tara de part et d'autre, légèrement en retrait, respectivement à la mandoline et à la contrebasse. Philip les imagine très bien sur la scène de l'émission Grand Ole Opry à Nashville et Brian ne dissimule pas son impatience. Il faut lui reconnaître cela, à Brian Blake, il adore la musique. Philip s'est toujours émerveillé de l'érudition de son frère en ce domaine et là, avec ce petit concert improvisé, il doit être ravi.

Ils commencent à jouer. Philip s'immobilise. Et il a l'impression que son cœur est soudainement rempli d'hélium.

Ce n'est pas la beauté pure et inattendue de leur musique – le premier morceau est une vieille chanson irlandaise, avec une contrebasse triste et obsédante et une guitare qui sonne comme une boîte à musique. Ni le fait que Penny, assise par terre, semble soudain transportée par la mélodie, le regard rêveur. Ni que cet air aussi simple que délicat au milieu de toute cette laideur brise presque le cœur de Philip. C'est lorsque April commence à chanter que Philip est ensorcelé. Argentin et délicat, le surprenant alto d'April résonne dans la pièce. Sa voix caresse les notes et a un côté à la fois religieux et sensuel qui fait penser Philip à une chanteuse de chorale dans une chapelle campagnarde.

La voix éveille en lui un désir douloureux comme il n'en a plus éprouvé depuis la mort de Sarah. Brusquement, chez la jeune fille qui roucoule joyeusement en pinçant sa six-cordes, il voit des choses qui lui avaient échappé jusque-là. Une chaînette autour de sa cheville, un petit tatouage de rose à l'intérieur de son avant-bras, et entre les boutons de son chemisier, les demi-lunes pâles de ses seins d'une blancheur nacrée.

Tous applaudissent à la fin de la chanson, et Philip avec plus d'enthousiasme encore que les autres.

Le lendemain, après un petit déjeuner frugal de céréales périmées et de lait en poudre, Philip remarque April, toute seule près de la porte, en train d'enfiler ses chaussures de randonnée et de fixer les manches de son sweat-shirt avec du Gaffer.

— Je pensais que tu voudrais en prendre une deuxième tasse, dit-il innocemment en arrivant vers elle avec un café dans chaque main. C'est de l'instantané, mais ça va. Qu'est-ce que tu fais ? demande-t-il en la voyant scotcher le bas de son pantalon.

— Tu as utilisé le reste de la grosse bouteille pour le faire ?

— Il me semble.

— Il nous reste quatre litres pour sept personnes.

— Qu'est-ce que t'as en tête ?

— Pas grand-chose, dit-elle en remontant sa fermeture éclair et en rabattant sa capuche. Ça fait un moment que j'en ai l'intention et je compte bien le faire toute seule.

— Faire quoi ?

Elle sort une batte de baseball en aluminium d'un placard.

— On a trouvé ça dans un des appartements. J'étais sûre que ça serait utile un jour.

— Qu'est-ce que tu fais, April ?

— Tu vois l'escalier de secours sur le côté sud de l'immeuble ?

— Tu vas pas y aller toute seule.

— Je peux sortir par le 3F, descendre l'échelle et attirer les Bouffeurs loin de l'immeuble.

— Non… non !

— Je vais les éloigner suffisamment de temps pour aller chercher des provisions et revenir.

— Tu peux me les passer ? demande Philip en lui désignant ses chaussures posées près de la porte. Parce que s'il y a pas moyen de te faire changer d'avis, pas question que tu fasses ce truc toute seule.

12

Une fois de plus, c'est l'odeur qui lui prend la gorge quand Philip sort la tête par la fenêtre de l'appartement 3F. Un mélange si infect de déjections humaines et de graisse brûlée qu'il en a la nausée et les larmes aux yeux. Il se faufile sur le palier en ferraille rouillée de l'escalier de secours relié à l'échelle qui descend jusqu'à la rue. La plateforme vacille sous son poids et il se rattrape à la rambarde.

Le temps est couvert et humide, avec un ciel couleur de goudron et un vent de nord-est qui s'engouffre entre les bâtiments. Heureusement, pour l'heure, assez peu de Bouffeurs hantent l'étroite rue qui longe la façade sud de l'immeuble. Philip jette un coup d'œil à sa montre.

Dans un peu moins de deux minutes, April va risquer sa vie devant l'immeuble et il doit donc agir rapidement. Il descend vivement le premier étage, l'échelle gémissant sous son poids. Il sent les yeux laiteux des morts-vivants qui se lèvent vers lui, alertés par le bruit métallique. Leurs sens primitifs le suivent, le sentent, comme des araignées qui perçoivent les vibrations de leur toile. Du coin de l'œil, il aperçoit de sombres silhouettes qui se dirigent lentement vers lui, surgissant de plus en plus nombreuses.

Ils ont rien vu, se dit-il en se laissant tomber à terre et en courant de l'autre côté de la rue. Soixante-cinq secondes. L'idée est d'entrer et de sortir rapidement et Philip court le long des devantures condamnées, aussi furtif qu'un commando des Marines. Il atteint le coin est du pâté de maisons et trouve une Chevrolet Malibu abandonnée immatriculée dans un autre État.

Trente-cinq secondes. Il entend les pas traînants qui se rapprochent et se tapit derrière la voiture en enlevant prestement son sac à dos. D'une main assurée, il en sort une petite bouteille de Coca remplie d'essence. April en a déniché un jerrycan dans le sous-sol de leur immeuble.

Vingt-cinq secondes. Il dévisse le capuchon, y glisse un chiffon imbibé d'essence et enfonce la bouteille dans le pot d'échappement de la Malibu en laissant dépasser le bout du chiffon. Vingt secondes. Il sort son briquet et allume le chiffon. Quinze secondes. Il détale.

Dix secondes. Il atteint l'autre côté de la rue en frôlant un groupe de Bouffeurs et se réfugie derrière une rangée de poubelles avant d'entendre la première explosion – la bouteille dans le pot d'échappement – suivie d'une seconde, bien plus dévastatrice. Dans un grondement assourdissant, une boule de feu se déverse dans la rue.

Pile au bon moment, se dit April en se baissant dans l'entrée alors que le souffle de l'explosion fait vibrer la porte vitrée et qu'un éclair illumine les environs. Elle jette un coup d'œil par une fente des planches pour voir comment réagit l'océan de zombies.

Comme une marée de visages déchiquetés et marbrés répondant à l'attraction lunaire, ils commencent à suivre la direction du bruit et de la lumière et se retournent en masse vers le côté sud du bâtiment. Cette explosion attire les Bouffeurs aussi efficacement qu'un objet qui scintille au soleil une volée de moineaux. En moins d'une minute, la rue est pratiquement déserte.

April se prépare, respire un bon coup et resserre les courroies de ses sacs. Elle ferme les yeux, murmure rapidement une courte prière muette, puis elle se lève d'un bond, ôte la barre de sécurité et ouvre la porte.

Elle sort discrètement. Malgré la puanteur qui lui soulève le cœur, elle se baisse et traverse la rue à toutes jambes pour se réfugier dans l'ombre d'une devanture, en essayant de ne pas prêter attention à l'odeur et aux battements de son cœur, et d'oublier la proximité de la horde. Heureusement, elle connaît assez bien le quartier pour savoir où se trouve l'épicerie.

Il faut à April une dizaine de minutes pour se glisser par une brèche dans la vitrine, parcourir les rayons saccagés du magasin et remplir deux sacs de toile avec assez d'eau et de nourriture pour leur permettre de tenir encore un peu. Mais pour elle, c'est comme si le temps était suspendu. Elle entasse dix kilos de vivres – dont un petit jambon en conserve avec assez de conservateurs pour tenir jusqu'à Noël, quatre litres d'eau minérale, trois cartouches de cigarettes, des briquets, du bœuf séché, des vitamines, des médicaments pour le rhume, du désinfectant, et six très gros rouleaux de ce papier toilette tant convoité. Elle est consciente que le temps lui est compté et que sous peu, une armée de Bouffeurs lui barrera le chemin si elle ne ressort pas rapidement.

Philip vide l'autre moitié de son chargeur en retournant à l'arrière de leur immeuble. La majorité des Bouffeurs sont maintenant massés autour de la Malibu en feu, excités comme des insectes attirés par une lampe. Philip se fraie un chemin jusqu'à la cour en tirant deux balles. L'une fait exploser le crâne d'un zombie en survêtement qui s'écroule comme une marionnette dont on a coupé les fils. L'autre celui d'une ancienne clocharde. Avant que les autres Bouffeurs aient le temps de se retourner sur lui, il saute par-dessus la clôture de la cour et fonce sur la pelouse lépreuse et desséchée. Il grimpe le long de l'arrière de l'immeuble en s'appuyant sur un auvent. Une autre échelle de secours est repliée à mi-hauteur sous le premier étage ; Philip l'empoigne et commence à la gravir. Mais brusquement, il s'arrête car il a des doutes sur leur plan.

April arrive au stade critique de sa mission – cela fait douze minutes qu'elle est partie, mais elle prend le risque d'une visite dans un autre magasin. À moins d'une rue de là se trouve une quincaillerie déserte à la vitrine fracassée et aux grilles assez distendues pour qu'une femme mince puisse s'y glisser. Elle remplit le deuxième sac de toile de filtres à eau (pour filtrer celle qui reste dans les toilettes), d'une boîte de clous (pour maintenir les barricades), de feutres et de grands rouleaux de papier (pour faire des banderoles destinées à alerter d'autres survivants), d'ampoules, de piles, d'allume-feu et de trois petites torches.

En revenant vers l'entrée, ployant sous ses presque vingt kilos de marchandises dans deux sacs de toile gonflés, elle passe devant une forme affalée au bout d'un rayon.

April s'immobilise. La fille morte qui gît sur le sol contre la paroi a une jambe en moins. D'après les traces de sang, il est évident que la créature s'est traînée jusqu'ici. Elle n'est pas beaucoup plus âgée que Penny. April reste un instant médusée. Elle sait qu'elle doit sortir d'ici, mais elle ne peut arracher son regard de ce pitoyable cadavre en lambeaux baignant dans son sang.

— Oh, mon Dieu, je peux pas, murmure April pour elle-même, sans savoir s'il s'agit de mettre fin aux souffrances de la zombie ou de l'abandonner pour l'éternité dans ce magasin désert.

April tire la batte glissée dans sa ceinture et pose ses sacs. Elle s'approche prudemment. La créature qui bouge à peine lève lentement les yeux avec la stupeur tremblante d'un poisson agonisant sur le pont d'un bateau.

— Désolée, murmure April.

Puis elle assène un coup de batte sur le crâne de la fillette, qui se fracasse avec un bruit de bois vert. La zombie s'effondre. Mais April ne bouge pas, fermant les yeux un instant, essayant de balayer de son esprit cette image qui va probablement la hanter jusqu'à son dernier jour. Voir une batte fendre un crâne est déjà assez pénible, mais dans l'horrible fraction de seconde avant de l'abattre, April a vu la fillette détourner la tête, soit par un réflexe de son système nerveux, soit parce qu'elle a compris ce qui lui arrivait.

Un bruit près de l'entrée attire son attention. April ramasse ses sacs, les hisse sur ses épaules et retourne vers la vitrine. Mais elle ne va pas bien loin. Elle s'immobilise en apercevant une *deuxième* fillette lui barrer le chemin, à trois mètres de là, devant les grilles, avec une robe identique à celle de l'enfant qu'elle vient de liquider.

D'abord, April se dit que ses yeux lui jouent un tour. Que c'est le fantôme de la fillette qu'elle vient de tuer. Qu'elle est en train de perdre la tête. Mais lorsque la deuxième gamine commence à avancer d'un pas saccadé vers April avec une bave noirâtre aux lèvres, April se rend compte que c'est la *sœur jumelle* de la première.

— Et on recommence, dit April en déposant ses sacs et en ressortant sa batte, prête à en découdre.

Elle avance à son tour vers le monstre haut comme trois pommes et lève son arme quand un claquement sec retentit derrière l'enfant. La balle fracasse le coin de la vitrine et fait sauter le sommet du crâne de la fillette, qui s'écroule en une masse informe. April, éclaboussée par un nuage de sang, laisse échapper un soupir de soulagement.

Dans la rue, devant le magasin, Philip remet un chargeur dans son Ruger.

— Tu es là-dedans ? appelle-t-il.

— Oui, je suis là. J'ai rien !

— Je sais que c'est pas poli de presser les dames, mais ils reviennent !

April empoigne ses trésors, saute par-dessus le cadavre et vient le retrouver dans la rue. Elle mesure immédiatement le problème : la foule des zombies apparaît au bout de la rue, avec la frénésie collective d'une fanfare de déments en pleine débandade. Philip prend l'un des sacs et ils s'élancent vers leur immeuble. Ils traversent la rue en quelques secondes, une bonne cinquantaine de Bouffeurs de chaque côté.

Brian et Nick, qui scrutent la rue par la vitre blindée de l'entrée, comprennent que la situation est en train de changer rapidement. Ils aperçoivent les meutes de zombies qui débouchent dans la rue de part et d'autre. Et au milieu de tout cela, deux êtres humains, un homme et une femme, comme les attaquants de quelque sport aussi incompréhensible qu'irréel, en train de foncer vers l'immeuble avec des sacs de toile brinquebalant sur leur dos.

— Les voilà ! s'écrie Nick.

— Dieu merci, dit Brian en reposant son Marlin crosse sur le sol.

Il tremble tellement qu'il glisse une main dans sa poche pour essayer de se calmer : pas question que son frère le voie ainsi.

— Ouvrons la porte, dit Nick en posant son fusil contre un mur.

Ils achèvent la manœuvre juste au moment où Philip et April arrivent, suivis d'une cohorte de Bouffeurs. April entre la première, hors d'haleine, suivie de Philip, l'air surexcité.

— Bien joué ! s'exclame-t-il.

Nick claque la porte juste à temps. Trois Bouffeurs s'écrasent sur la vitre blindée, ébranlant la porte et y laissant une traînée de bave. Plusieurs paires d'yeux laiteux se collent au verre renforcé et des mains griffues le grattent frénétiquement. D'autres zombies apparaissent en titubant dans l'allée.

— Qu'est-ce qui se passe, mec ? demande Brian en levant son fusil et en reculant. Où est-ce que vous étiez passés ?

— Ça a été… dit April en laissant tomber son sac. Mon Dieu, il était moins une !

— Toi, lui répond Philip en posant le sien, tu es une fille qui a des *cojones*, je peux pas dire le contraire.

— C'était quoi, ce plan, Philly ? demande Nick. Vous avez disparu sans rien dire à personne !

— Demande-lui *à elle*, sourit Philip en glissant son Ruger dans sa ceinture.

— On flippait complètement ! continue Nick. Un peu plus et on partait à votre recherche.

— Du calme, Nicky.

— Du calme ? *Du calme ?* On a mis tout l'immeuble sens dessus dessous pour vous retrouver ! Tara a failli piquer une crise !

— C'est ma faute, dit April en essuyant la poussière sur son visage.

— Regarde ce qu'on rapporte, vieux ! rétorque Philip en désignant le butin dans les sacs.

— Et puis quand on a entendu cette foutue explosion, qu'est-ce que tu crois qui nous est venu à l'esprit ? C'était vous ? Ça a un rapport avec vous ?

Philip et April échangent un regard.

— C'est une idée qui venait un peu des deux, répond Philip.

Tous les deux arborent un sourire triomphant devant Nick et Brian, incrédules. Nick s'apprête à répondre quand une silhouette apparaît à l'autre bout de l'entrée.

— Oh, mon Dieu ! s'écrie Tara en se précipitant pour étreindre sa sœur. J'ai eu tellement la trouille ! Heureusement, tu n'as rien !

— Excuse-moi, Tara, répond April en lui tapotant le dos. Mais il fallait que je le fasse.

— Je devrais te foutre une *dérouillée* ! s'exclame Tara en reculant, furibonde. Je te jure ! J'ai dit à la gamine que tu étais en haut, mais elle flippait encore plus que moi ! Qu'est-ce que tu voulais que je fasse ? C'est vraiment idiot et irresponsable de prendre ce genre d'initiatives. Et ça te ressemble bien !

— Ça veut dire quoi ? rétorque April. Et si tu crachais le morceau une bonne fois pour toutes ?

— Espèce de petite *garce* !

Tara a l'air tellement prête à la gifler que Philip s'interpose.

— Hé, doucement, dit-il en lui prenant l'épaule. Pas la peine de s'énerver. Respire un bon coup. (Il désigne les sacs du menton.) Je vais te montrer un truc. OK ? Calme-toi juste une seconde. (Il s'agenouille et ouvre la fermeture éclair, dévoilant le contenu du sac. Tout le monde contemple les provisions sans un mot. Philip se relève et regarde Tara droit dans les yeux.) Cette *petite garce*, comme tu dis, elle nous a sauvé la mise, aujourd'hui. Les sacs sont pleins d'eau et de bouffe. La petite garce, elle a risqué sa peau, sans savoir si elle s'en sortirait et sans vouloir risquer celle des autres. Tu devrais lui baiser les pieds, à la *petite garce*.

— On était tous inquiets, c'est tout, répond piteusement Tara.

Nick et Brian se sont accroupis devant les sacs et font l'inventaire de leur trésor.

— Philip, dit Nick. Je suis forcé d'avouer, là, vous avez fait fort.

— Vous êtes des champions, murmure Brian en voyant le papier toilettes, le bœuf séché et les filtres à eau.

L'ambiance est redevenue plus légère et des sourires apparaissent sur tous les visages. Même Tara finit par jeter à contrecœur un regard sur le contenu des sacs.

— Il y a des clopes, là-dedans ? demande-t-elle.

— Trois cartouches, répond April en les sortant. Savoure-les, *petite garce*, ajoute-t-elle en les lui lançant avec un sourire.

Tout le monde éclate de rire. Personne n'a aperçu la petite silhouette de l'autre côté de l'entrée, quand Brian lève le nez.

— Penny ? Ça va, ma chérie ?

La petite pousse la porte et vient les rejoindre. Elle porte encore son pyjama et son petit visage d'angelot a pris un air grave.

— Le monsieur là-dedans. Il est tombé, dit-elle.

Ils trouvent David Chalmers par terre dans la grande chambre, au milieu d'un désordre de mouchoirs en papier et de médicaments. Les éclats de verre d'un flacon d'aftershave font comme un halo autour de sa tête.

— Mon Dieu, Papa ! s'écrie Tara en s'agenouillant auprès de lui et en lui enlevant son cathéter.

Le visage parcheminé, le vieillard essaie de respirer.

— Il suffoque ! dit April en courant près du lit pour récupérer la bouteille à oxygène qui gît par terre, les tubes emmêlés, sans doute entraînée par le vieil homme dans sa chute.

— Papa, tu m'entends ? demande Tara en lui donnant de petites tapes sur le visage.

— Regarde sa langue !

— Papa ? Papa ?

— Regarde sa langue, Tara ! crie April en revenant avec la bonbonne et le tube.

Pendant ce temps, Philip, Brian, Nick et Penny les regardent agir depuis le seuil. Philip, désemparé, ne sait pas s'il doit courir les aider ou attendre. Les filles ont l'air de savoir ce qu'il faut faire. Tara ouvre délicatement la bouche de leur père et jette un coup d'œil dans sa gorge.

— C'est bon, dit-elle.

— Papa ? Tu m'entends ? demande April en rebranchant le tube dans ses narines.

David Chalmers continue de haleter. Ses paupières diaphanes commencent à papillonner. Tara soulève sa tête pour vérifier qu'il ne s'est pas blessé au crâne.

— Pas de trace de sang, annonce-t-elle. Papa ?

— Il est glacé, dit April en lui posant une main sur le front.

— La bouteille est ouverte ?

— À fond.

— Papa ? Tu nous entends ? Papa ?

Le vieil homme tousse et ouvre brièvement les yeux. Il essaie d'inspirer une longue goulée d'air, mais son souffle s'arrête dans sa gorge. Il a les yeux révulsés et paraît seulement à moitié conscient.

— Papa, regarde-moi, dit April en tournant doucement son visage vers elle. Tu me vois ?

— Portons-le sur le lit, propose Tara. Les gars, vous nous filez un coup de main ?

Les trois hommes viennent les rejoindre. Philip et Nick soulèvent le vieillard d'un côté, Tara et Brian de l'autre, et le hissent doucement sur le lit. Après avoir arrangé le tube, ils l'enveloppent d'une couverture. Seul son visage blême et tiré en dépasse ; les paupières closes, la bouche entrouverte, il respire difficilement, d'une manière saccadée, comme un moteur qui a du mal à démarrer. De temps en temps, ses paupières se soulèvent et ses lèvres esquissent une grimace, puis le visage redevient inerte. Il respire toujours, mais à peine.

Assises de chaque côté du lit, Tara et April lui tiennent la main. Pendant un long moment, personne ne dit rien, mais il y a fort à parier qu'ils pensent tous la même chose.

— Tu crois que c'est une attaque ? demande à mi-voix Brian un peu plus tard.

— Je n'en sais rien. (April tourne dans le salon comme un lion en cage en se rongeant les ongles, pendant que les autres la regardent. Tara est restée dans la chambre au chevet de leur père.) Sans soins, il n'y a pas grand-chose à espérer.

— C'est déjà arrivé ?

— Il a déjà eu des difficultés respiratoires, mais rien d'aussi grave que ça, dit-elle en s'immobilisant et en essuyant ses yeux embués de larmes. Mon Dieu, je savais que ce jour viendrait. C'est notre dernière bouteille d'oxygène. (Philip la questionne sur les médicaments.) Oui, on a son traitement, bien sûr, mais ça va pas lui servir à grand-chose à ce stade. Il a besoin d'un docteur. Ce cabochard est pas allé à son rendez-vous le mois dernier.

— Qu'est-ce qu'on a comme matériel médical ici ? demande Philip.

— J'en sais rien. Des trucs piqués là-haut, des antihistaminiques, ce genre de choses. Des trousses de premiers secours. Tu parles si ça nous aide. C'est grave, là. Je sais pas ce qu'on va faire.

— Restons calmes et réfléchissons, dit Philip. Il se repose tranquillement pour le moment, non ? Il a les voies respiratoires dégagées. On sait jamais, avec ce genre de truc… Il peut se remettre.

— Oui, mais s'il se remet pas ?

Philip se lève et s'approche d'elle.

— Écoute. Il faut qu'on garde l'esprit clair. On va le surveiller de près et on trouvera une solution. C'est un vieux coucou coriace.

— Un vieux coucou coriace qui est en train de mourir, dit-elle, une larme sur la joue.

— Ça, t'en sais rien, répond Philip en la lui essuyant.

— C'est bien essayé, Philip.

— Enfin, voyons…

— Si, si, c'est bien essayé, répète-t-elle, effondrée.

Cette nuit-là, les filles Chalmers veillent au chevet de leur père à la lueur blafarde d'une lanterne sur batterie. L'appartement est aussi glacial qu'une chambre froide et April voit l'haleine de Tara qui se condense dans l'air. Le vieil homme reste immobile comme un gisant durant toute la nuit, les joues creuses, la respiration difficile. De temps à autre, ses lèvres desséchées essaient vainement de former un mot, mais rien ne sort hormis quelques bouffées d'air.

Vers le matin, April remarque que Tara s'est assoupie et a posé la tête sur le lit. April prend une autre couverture et en enveloppe délicatement sa sœur. Elle entend une voix.

— Lil ?

C'est le vieil homme. Il a toujours les yeux fermés, mais ses lèvres s'agitent et son front se plisse de colère. Lil est le diminutif de Lilian, sa défunte épouse. Cela fait des années qu'April ne l'a pas entendu le prononcer.

— Papa, c'est April, chuchote-t-elle en lui touchant la joue.

Il tressaille, sans ouvrir les yeux. Sa bouche se tord et il a la voix pâteuse et la moitié du visage apparemment paralysée.

— Lil, fais rentrer les chiens ! Il va y avoir un sacré orage…

— Papa, réveille-toi, chuchote April, vaincue par l'émotion.

— Lil, où tu es ?

— Papa ?

Silence.

— Papa ?

Tara se réveille en clignant des paupières, surprise par la voix étranglée de leur père.

— Qu'est-ce qui se passe ? demande-t-elle en se frottant les yeux.

— Papa ?

Dans le silence, le souffle saccadé de leur père s'accélère.

— Pa...

Le mot s'arrête dans la gorge d'April, qui voit une expression horrible se peindre sur le visage du vieillard. Il ouvre grand les paupières, les yeux révulsés, et dit d'une voix affreusement claire :

— Le Diable a des projets pour nous. (Dans la sinistre lueur de la lanterne, les deux sœurs échangent un regard mortifié. La voix de David Chalmers est grave et rocailleuse comme un grondement de moteur.) Le jour des comptes est arrivé... Le Malin est parmi nous.

Il se tait et sa tête retombe sur le côté, comme si un circuit avait été brusquement coupé dans son cerveau. Tara prend son pouls. Elle lève les yeux vers sa sœur. April contemple son père, dont le visage est à présent reposé et détendu dans un éternel sommeil.

Réveillé par la lumière matinale, Philip s'étire dans son sac de couchage par terre dans le salon. Il s'assoit en se massant la nuque, encore ankylosé par le froid. Il attend un peu que ses yeux s'habituent à la pénombre. Penny est encore endormie, blottie dans des couvertures sur le canapé, tout comme Nick et Brian, allongés à l'autre bout de la pièce. De l'autre côté du couloir, la porte de la grande chambre est toujours fermée.

Philip sort de son sac de couchage, s'habille rapidement sans faire de bruit, se passe une main dans les cheveux et va se rincer la bouche dans la cuisine. Entendant un murmure de voix dans l'autre pièce, il s'approche de la porte et tend l'oreille. C'est Tara. Elle prie. Il frappe doucement à la porte. Un instant plus tard, April vient lui ouvrir, les yeux rouges.

— Bonjour, dit-elle à voix basse.

— Comment il va ?

— C'est fini, répond-elle d'une voix tremblante.

— Quoi ?

— Il est mort, Philip.

— Oh, mon Dieu… Je suis vraiment désolé, April.

— Oui…

Elle se met à pleurer. Après un instant de gêne, tiraillé entre ses émotions, Philip l'attire contre lui et lui caresse les cheveux. Elle tremble dans ses bras comme un enfant perdu. Il ne sait pas quoi lui dire. Par-dessus son épaule, il voit Tara agenouillée près du lit du défunt, la tête sur les couvertures. Elle serre la main inerte de son père et Philip a du mal à détacher son regard de ce spectacle.

— Pas moyen de la faire sortir. (Assise à la table de la cuisine, April boit une tasse de thé tiède et insipide qu'elle a fait chauffer sur un réchaud.) La pauvre… Je crois qu'elle essaie de le ramener à la vie en priant.

— Il y a pas de honte à ça, répond Philip, assis en face d'elle, un bol de riz entamé devant lui.

— Tu as réfléchi à ce que tu voulais faire ? demande Brian depuis la cuisine.

Il est en train de verser dans des filtres de l'eau qu'ils ont recueillie dans les toilettes à l'étage. Dans l'autre pièce, Nick et Penny jouent aux cartes.

— Concernant quoi ? demande April.

— Ton père… Pour l'enterrer, tu vois.

April soupire.

— Tu es déjà passé par là, non? demande-t-elle à Philip.

Philip regarde le riz qu'il n'arrive pas à finir, faute d'appétit. Il ne sait pas si elle veut parler de Bobby Marsh ou de Sarah, dont il lui a raconté la mort hier soir.

— Oui, effectivement. Mais quoi que tu décides, on t'aidera.

— *Évidemment*, on va l'enterrer, dit-elle d'une voix étranglée. C'est juste que je m'imaginais pas le faire dans un endroit pareil.

— On le fera ensemble, lui assure Philip. On fera les choses bien comme il faut.

— Ça me démolit, soupire April en baissant la tête.

— Il faut qu'on se serre les coudes, assure Philip sans grande conviction, simplement parce qu'il ne sait pas quoi dire d'autre.

— Il y a un terrain derrière, sous le…

April n'achève pas. Un bruit soudain dans le couloir fait tourner toutes les têtes. Un coup étouffé, puis quelque chose tombe, comme des meubles qu'on renverse. Philip s'est déjà levé avant que les autres se rendent compte que cela provient de derrière la porte close de la grande chambre.

13

Philip ouvre la porte d'un coup de pied. Des bougies gisent sur le sol et la moquette brûle par endroits. Des cris jaillissent dans l'air enfumé. Quelque chose bouge dans l'obscurité et il faut une fraction de seconde à Philip pour comprendre ce qu'il a devant lui.

La commode renversée – ce bruit qui les a alertés – a atterri à quelques centimètres de Tara, qui rampe sur le sol en essayant désespérément d'échapper à l'étau d'une main crochue qui s'est refermée sur sa cheville.

Au départ, l'espace d'un instant, Philip croit que quelque chose est passé par la fenêtre, mais c'est alors qu'il voit la silhouette ratatinée de David Chalmers – totalement transformé à présent – qui se hisse sur les jambes de Tara en plongeant ses ongles jaunis dans sa chair. Le visage émacié du vieil homme est marbré, couleur de moisissure, les yeux voilés d'une taie vitreuse. Il laisse échapper un gémissement rauque et avide.

Tara parvient à se dégager et une fois debout, se plaque contre le mur. Philip comprend la situation, il sait qu'il a laissé son pistolet dans la cuisine et qu'il n'a que très peu de temps pour éliminer cette menace. Car tout est là : le gentil vieux joueur de mandoline a disparu et ce qu'il a sous les yeux, cette masse de chairs mortes qui gargouille en bavant, est une *menace*. Plus que les flammes qui s'élèvent de la moquette ou que la fumée qui a déjà envahi la pièce, cette *chose* qui a envahi l'intérieur de leur refuge est la plus grande menace. Pour eux tous.

Mais avant que Philip ait le temps d'agir, les autres arrivent et s'entassent sur le seuil. April laisse échapper un cri douloureux, comme un animal blessé. Elle essaie d'entrer dans la chambre, mais Brian l'attrape et la retient. April se débat encore quand Philip aperçoit la batte.

Dans toute l'agitation de la veille, April a laissé la batte d'aluminium autographiée par Hank Aaron dans un coin près de la fenêtre barricadée. Elle luit dans les flammes à cinq mètres de Philip. Il n'a pas le temps de réfléchir à la distance ni à la manière dont il doit s'y prendre : il n'a que le temps de se jeter d'un bond de l'autre côté de la chambre.

Entre-temps, Nick a fait volte-face et traverse à toutes jambes l'appartement pour aller chercher son fusil. Brian essaie d'entraîner April hors de la pièce, mais elle continue de se débattre en criant comme une forcenée.

Philip atteint la batte en quelques secondes. Pourtant c'est suffisant pour que la créature qui a été David Chalmers s'en prenne à Tara. Avant que la grosse femme ait le temps de reprendre ses esprits et s'échappe de la chambre, le mort-vivant est sur elle.

Des doigts gris et glacés se jettent gauchement à sa gorge. Elle se retrouve acculée contre le mur et tente vainement de repousser la chose. Les mâchoires pourries s'écartent et un souffle fétide lui monte au visage. Le zombie cherche à mordre sa gorge dodue. Tara pousse un cri strident, mais avant que les dents noircies aient le temps de l'effleurer, la batte s'abat.

Jusqu'à ce moment – surtout pour Philip –, anéantir un mort-vivant était devenu un geste presque anodin, aussi machinal et obligatoire qu'assommer un cochon avant de l'égorger. Là, c'est différent. Il ne lui faut que trois coups bien assenés.

Le premier, sur l'arrière de la tempe, fige le zombie et l'arrête. Tara se laisse glisser sur le sol, en larmes. Le deuxième l'atteint sur le côté alors que la créature se retourne vers son adversaire. Le métal enfonce l'os pariétal et une partie des fosses nasales dans une gerbe de liquide rosâtre. Et le troisième et dernier coup fracasse toute la moitié gauche. La créature tombe avec un bruit de chou-fleur qu'on écrase. Le monstre qui était David Chalmers s'effondre dans un amas ruisselant de sang sur les bougies renversées qui grésillent.

Philip est debout devant le cadavre, hors d'haleine, les mains toujours crispées sur la batte. Comme pour souligner l'horreur de la situation, un bip suraigu s'élève. Les alarmes incendie à piles de l'étage se mettent à retentir. Philip laisse tomber la batte ensanglantée. Et c'est là qu'il remarque la différence. Cette fois, après cette élimination, personne ne bouge. April reste sur le seuil, hagarde. Brian l'a lâchée et ouvre de grands yeux. Même Tara, assise contre le mur au bout de la chambre, en larmes, demeure hébétée. Le plus étrange, c'est qu'au lieu de regarder la masse sanguinolente sur le sol, c'est Philip qu'ils fixent tous.

Ils entreprennent d'éteindre tous les feux, puis ils nettoient les lieux. Une fois le cadavre enveloppé, ils le sortent dans le couloir en attendant de l'ensevelir.

Heureusement, Penny n'a pas vu grand-chose de la scène. Mais elle en a suffisamment entendu pour se murer de nouveau dans sa petite coquille de silence. En fait, pendant un long moment, personne n'a envie de parler non plus, et le silence gêné dure jusqu'à la fin de la journée. Les deux sœurs, qui semblent en état de choc, vaquent mécaniquement à leurs occupations sans s'adresser la parole. Elles ont pleuré jusqu'à leur dernière larme. Mais elles ne cessent de fixer Philip, qui sent leur regard sur lui. Qu'est-ce qu'elles s'imaginaient ? Qu'est-ce qu'elles voulaient qu'il fasse ? Qu'il laisse le monstre dévorer Tara ? Qu'il essaie de faire entendre raison à cette créature ?

Le lendemain, à midi, ils improvisent une cérémonie funèbre dans une portion de la cour entourée d'une clôture de sécurité. Philip insiste pour creuser lui-même la tombe en refusant l'aide de Nick. Cela prend des heures. L'argile de Géorgie est tenace, dans cette région. En milieu d'après-midi, Philip ruisselle de sueur, mais c'est terminé.

Les deux sœurs chantent l'air préféré de leur père – *Will The Circle Be Unbroken* – devant la sépulture. Brian et Nick fondent en larmes. C'est d'autant plus déchirant que la mélodie monte dans le ciel bleu et se mêle au chœur de gémissements qui s'élève de la rue.

Après cela, ils s'installent dans le salon pour partager l'alcool qu'ils ont récupéré dans l'un des appartements et qu'ils gardaient en réserve pour Dieu sait quoi. Les filles Chalmers racontent des anecdotes sur leur père, son enfance, ses débuts avec le Barstow Bluegrass Boys Band et l'époque où il travaillait dans une station de radio de Macon. Elles se remémorent son mauvais caractère, sa générosité, son amour des femmes et de Jésus. Philip les laisse parler. C'est agréable d'entendre enfin de nouveau leurs voix et la tension de la journée semble se dissiper un peu. Peut-être que c'est leur manière de faire leur deuil, ou bien elles ont besoin d'un peu de temps.

Plus tard dans la nuit, Philip, dans la cuisine, se sert le reste du whisky quand April entre.

— Écoute… je voulais te parler de ce qui s'est passé, tout ça…

— Pas la peine, répond Philip en considérant le liquide ambré dans le verre.

— Non, j'aurais dû… j'aurais dû parler plus tôt, je crois que j'étais encore sous le choc.

— Je suis désolé que ça se soit passé comme ça, je t'assure. Désolé que tu aies dû voir ça.

— Tu as fait ce qu'il fallait.

— Merci de me dire ça, répond Philip en lui donnant une petite tape sur l'épaule. J'ai bien aimé ton père dès le premier instant, c'était un sacré bonhomme. Il a vécu une longue et belle vie.

Elle se mord l'intérieur de la joue et Philip voit bien qu'elle retient ses larmes.

— Je pensais que je serais capable de supporter sa perte.

— Personne n'est jamais prêt.

— Oui, mais comme ça… J'arrive toujours pas à comprendre.

— Ça a été un sacré moment.

— Enfin… on ne peut pas… On n'a aucune référence pour comprendre ce truc.

— Je sais de quoi tu parles.

Elle regarde ses mains qui tremblent. Peut-être que le souvenir de Philip fracassant le crâne de son père est toujours là.

— Enfin, je voulais surtout te dire que… je t'en veux pas de ce que tu as fait.

— Merci.

— Il nous en reste encore un peu ? demande-t-elle en désignant son verre.

Il lui en trouve un fond dans une bouteille et la sert. Ils boivent sans mot dire.

— Et ta sœur ? finit par demander Philip.

— Elle a pas l'air…

April n'achève pas.

— … D'humeur à pardonner ?

— C'est un peu ça, répond April avec un triste sourire. Elle m'en veut encore de lui avoir piqué son argent de poche quand on était à l'école primaire.

Au cours des jours suivants, la nouvelle famille se consolide à mesure que les sœurs font leur deuil, tantôt en se disputant à propos de rien, tantôt en se murant dans le silence ou en s'enfermant dans leurs chambres pour pleurer ou ruminer dans leur coin.

April paraît mieux gérer la situation que sa sœur. Elle se débarrasse des affaires de leur père et s'installe dans la grande chambre en cédant la sienne à Philip. Celui-ci aménage un petit coin pour Penny, avec des étagères et des livres de coloriages qu'il a trouvés dans un autre appartement.

L'enfant commence à s'attacher à April. Elles passent des heures ensemble à explorer les étages, jouer et rivalisent d'ingéniosité pour faire durer leurs maigres provisions.

Petit à petit, les hordes de zombies quittent les environs immédiats en ne laissant que quelques traînards, ce qui permet aux trois hommes de mener d'autres missions de reconnaissance dans les bâtiments voisins. Philip remarque

que Brian devient de plus en plus audacieux et qu'il est disposé à s'aventurer hors de l'immeuble. Mais c'est surtout Nick qui semble trouver l'endroit à son goût. Il s'est installé dans un studio au deuxième étage, au fond du couloir. Il a trouvé des livres et des magazines dans d'autres appartements ainsi que des meubles. Il passe son temps sur le balcon à faire des croquis des environs, cartographier le quartier, lire sa Bible, aménager un potager pour l'hiver et réfléchir à ce qui est arrivé à la race humaine. Et enfin, il achève son pont de fortune entre les deux immeubles voisins.

L'étroite passerelle est fabriquée avec des morceaux de contreplaqué et des échelles de peintre attachés avec de la corde, du Gaffer et beaucoup d'optimisme. Elle part du bout du toit et enjambe une ruelle sur huit mètres pour aboutir à un escalier de secours sur le toit voisin.

Son achèvement marque un tournant pour Nick. Un jour, rassemblant son courage, il s'aventure sur la construction branlante et – ainsi qu'il le désirait – parvient jusqu'au coin sud-ouest du pâté de maisons sans poser le pied sur le sol. De là, il trouve le moyen de pénétrer dans le passage couvert menant au grand magasin. Quand il revient le soir, chargé de marchandises, il est accueilli comme un héros de la guerre.

Il leur a apporté des sucreries de luxe et des fruits secs, des vêtements chauds, de nouvelles chaussures et du papier à lettres ; des stylos hors de prix, un réchaud de camping, des draps en satin et de la lingerie fine. Et même des peluches pour Penny. Tara se déride en voyant les cartouches de cigarettes européennes. Nick fait autre chose durant ses expéditions solitaires, mais dans un premier temps, il garde cela pour lui.

Une semaine après la mort de David Chalmers, Nick convainc Philip de l'accompagner dans une petite mission de reconnaissance, afin de lui révéler ce qu'il fait. Philip n'est pas très chaud pour emprunter la passerelle – il prétend qu'elle risque de s'écrouler sous son poids, mais en réalité, son secret, c'est qu'il a le vertige. Nick finit par le persuader en piquant sa curiosité.

— Faut que tu voies ça, Philly. Tout le quartier est une mine d'or. Je t'assure, c'est génial.

À contrecœur, Philip accepte et suit Nick sur la passerelle, à quatre pattes, en maugréant tout du long et sans oser regarder en dessous.

Arrivés de l'autre côté, ils empruntent l'escalier de secours, puis se glissent dans l'immeuble par une fenêtre ouverte. Nick entraîne Philip dans les couloirs déserts d'un cabinet comptable au sol couvert de formulaires et de documents comme autant de feuilles d'automne.

— On y est presque, dit-il en le menant par un escalier puis dans un hall désert jonché de meubles renversés. (Philip, aux aguets, la main posée sur la crosse du Ruger glissé dans sa ceinture, guette le moindre crissement et scrute les recoins sombres, comme s'ils pouvaient tomber à tout moment dans un traquenard.) Là-bas, juste à côté du parking, dit Nick en tendant le bras vers une alcôve.

Ils passent devant un distributeur de boissons renversé, montent quelques marches, passent une porte métallique et soudain, le monde entier s'ouvre devant Philip.

— Nom de Dieu, s'émerveille-t-il en suivant Nick sur le passage couvert.

L'endroit est dégoûtant, jonché de détritus et empeste l'urine, et les parois en plexiglas renforcé sont tellement crasseuses qu'elles sont troubles. Mais la vue est spectaculaire. Le passage est inondé de lumière et on peut voir sur des kilomètres.

— Cool, hein ? demande Nick.

— Ça en jette, oui. (À dix mètres au-dessus de la rue, dans le vent qui cingle la passerelle, Philip peut apercevoir les zombies épars qui errent dans la rue comme des poissons exotiques par le fond transparent d'un bateau.) S'il y avait pas ces saloperies, je montrerais ça à Penny.

— Voilà ce que je voulais te montrer, à *toi*, continue Nick en gagnant l'autre extrémité. Tu vois ce bus ? À une rue d'ici ? (Philip aperçoit effectivement un énorme bus argenté garé le long d'un trottoir.) Regarde au-dessus de la porte avant, près du rétro, sur le côté. Tu vois la marque ?

Bien sûr, Philip distingue un symbole peint à la main à la peinture rouge au-dessus de la porte, une étoile à cinq branches.

— Et c'est censé être quoi ?

— Une zone sans risque.

— Quoi ?

— Je me suis baladé dans cette rue et jusqu'à celle-là, là-bas, lui annonce Nick avec la fierté d'un gamin qui montre un petit chef-d'œuvre en pâte à modeler à son père. Il y a un barbier là-bas, c'est propre comme tout, absolument sûr, et la porte est pas verrouillée. Et il y a un semi-remorque de ce côté, en bon état, avec une porte bien solide.

— Mais à quoi ça sert, Nick ?

— C'est des abris. Des endroits où on peut se réfugier. Si tu pars en expédition pour trouver des vivres et que tu as un problème. Je suis en train de les localiser partout dans le quartier. Je mets des marques dessus pour qu'on les repère facilement. Il y a des tas de cachettes, tu imagines même pas.

— Tu es allé tout seul jusqu'au bout de cette rue ? demande Philip, stupéfait.

— Ouais, tu sais…

— Nom de Dieu, Nick. Jamais t'aurais dû t'aventurer comme ça tout seul.

— Philly…

— Non, non, me donne pas du Philly, là, mec. Je rigole pas. Faut que tu fasses plus attention. C'est clair ? Je blague pas, là.

— OK, OK, tu as raison. J'ai pigé.

— Tant mieux.

— Avoue quand même que c'est génial comme endroit. Vu notre situation.

— Oui, si on veut.

— Ça pourrait être bien pire, Philly. On n'est pas dans les bâtiments les plus hauts, c'est assez plat alentour pour voir où on va. On a plein d'espace dans notre immeuble, des magasins bien remplis pas très loin. Je me dis même qu'on pourrait trouver un générateur quelque part, et démarrer une voiture pour tout rapporter. Je nous vois bien rester ici, Philly… Je sais pas… Un bon moment. Pour une période… indéfinie, même.

— Tout est *indéfini*, maintenant, Nicky, répond Philip en contemplant par la vitre crasseuse la nécropole d'immeubles vides où déambulent des monstres.

Cette nuit-là, Brian est repris de quintes de toux. Le temps est plus froid et humide de jour en jour et il a du mal à résister. Dès le crépuscule, l'appartement est gelé. Au petit matin, c'est une glacière, et le sol glisse sous les chaussettes. Brian a pris l'habitude d'enfiler trois pulls et une écharpe tricotée que Nick lui a rapportée du grand magasin. Avec ses mitaines, ses cheveux noirs hirsutes et ses grands yeux cernés, Brian commence à avoir l'air d'un orphelin dans un roman de Dickens.

— Je crois que cet endroit est vraiment bien pour Penny, confie-t-il ce soir-là à Philip sur le balcon.

Les deux frères prennent un verre après dîner – toujours le même vin bon marché – en contemplant l'horizon désolé. L'air froid du soir leur apporte l'odeur infecte des zombies qui se mêle à celle de la pluie. Brian fixe au loin les silhouettes sombres des immeubles, comme en transe. Pour un Américain du XXIe siècle, c'est presque incompréhensible de voir une grande métropole plongée dans le noir. Mais c'est exactement ce qu'ils ont devant eux : un horizon si noir et si mort qu'on dirait une chaîne de montagnes par une nuit sans lune. De temps à autre, il lui semble apercevoir une lumière ou un feu qui clignote, mais peut-être n'est-ce que son imagination.

— Je crois que c'est *April* qui fait le plus de bien à Penny, répond Philip.

— Oui, elle est adorable avec elle.

Brian aussi apprécie April et il a remarqué que Philip s'était peut-être un peu entiché d'elle. Rien ne rendrait Brian plus heureux que de voir que son frère retrouve un peu de paix et de stabilité avec quelqu'un.

— L'autre, en revanche, c'est un sacré numéro, poursuit Philip.

— Tara ? Ah oui, pas commode.

Ces derniers jours, Brian évite Tara Chalmers, qui est perpétuellement susceptible, paranoïaque et toujours pas remise de la mort de son père. Mais Brian se dit qu'elle finira par faire son deuil. Elle a l'air de quelqu'un de bien.

— Elle se rend pas compte que je lui ai sauvé la vie, dit Philip.

Brian est saisi d'une quinte de toux.

— Je voulais t'en parler, justement.

— De quoi ?

— Le vieux qui s'est transformé comme ça ? (Brian pèse ses mots. Il sait qu'il n'est pas le seul à s'interroger. Depuis que David Chalmers est revenu d'entre les morts et a essayé de dévorer sa fille aînée, Brian rumine ce phénomène, ce qu'il implique, les règles de ce nouveau monde sauvage, voire le pronostic de toute la race humaine.) Réfléchis, Philip : il n'a pas été mordu, on est bien d'accord ?

— Non.

— Alors pourquoi il s'est transformé ?

Philip considère son frère et l'obscurité semble tout envahir autour d'eux. La ville paraît s'étendre à l'infini comme le paysage dans un rêve. Brian a les poils qui se hérissent rien que d'avoir parlé, comme si les mots avaient eu le pouvoir de libérer un génie malfaisant enfermé dans une bouteille. Un génie qu'ils ne pourront jamais, jamais emprisonner de nouveau. Philip boit une gorgée de vin, l'air résolu.

— Il y a des tas de choses qu'on sait pas. Peut-être qu'il a été infecté avant, qu'il est entré en contact avec un truc qui a envahi son organisme. De toute façon, il était proche de la fin.

— Si c'est vrai, alors on va tous…

— Hé, l'intello. Du calme. On est tous en bonne santé et on va le rester.

— Je sais. Je voulais juste dire qu'on devrait peut-être songer à prendre plus de précautions.

— Quelles précautions ? Je les ai là, nos précautions, dit Philip en touchant la crosse du Ruger glissé dans sa ceinture.

— Je parle de mieux nous laver, de stériliser les trucs.

— Avec quoi ?

Brian soupire et lève les yeux vers le ciel nocturne, couvert, aussi sombre que de la laine noire. Les pluies d'automne menacent.

— On a de l'eau dans les toilettes des étages, dit-il. Des filtres et du propane, et puis on peut se procurer des détergents, du savon, tout ça.

— On la filtre déjà, l'eau, vieux.

— Oui, mais…

— Et on se lave avec le truc qu'a ramené Nick.

Le truc en question est une douche de camping que Nick a trouvée dans le rayon sport du grand magasin. De la taille d'une petite glacière, elle a un réservoir pliable de vingt litres et fonctionne sur piles. Depuis cinq jours, ils savourent tous le luxe d'une brève douche dont ils recyclent l'eau autant que possible.

— Je sais, je sais… Je dis juste qu'il vaut mieux en faire trop que pas assez, question hygiène. C'est tout. En attendant d'en savoir plus.

— Et s'il y a rien de plus à savoir ? interroge Philip.

Brian ne trouve rien à lui répondre.

Et de la ville qui bourdonne dans l'obscurité monte une rafale d'un vent pestilentiel.

C'est peut-être l'inquiétante quantité d'ingrédients peu appétissants qu'April et Penny ont réunis pour le dîner – un mélange d'asperges en boîte, de corned-beef et de miettes de chips cuit sur le réchaud – qui reste sur l'estomac de Philip. Ou bien l'effet cumulé de tout le stress, de la colère et du manque de sommeil. Ou encore la conversation qu'il a eue sur le balcon avec son frère. Mais quoi qu'il en soit, une fois couché cette nuit, en sombrant dans un sommeil difficile, Philip fait un rêve tordu.

Il est allongé dans ses nouveaux quartiers (l'ancienne chambre d'April a dû être le bureau de l'ancienne locataire, car en débarrassant ses affaires, ils ont trouvé des quantités de formulaires de commandes de produits cosmétiques et des échantillons). Sur le lit adossé au mur, vaguement inconscient, Philip s'agite, prisonnier d'un spectacle d'horreur. C'est le genre de rêve qui n'a pas de forme, ni queue ni tête, mais qui ne cesse de tourner en boucle.

Il se retrouve dans la maison de son enfance, à Waynesboro – la maisonnette délabrée de Farrel Street –, dans la chambre du fond qu'il partageait avec Brian. Dans son rêve, Philip est adulte et la peste est survenue dans les années 1970. Le rêve est d'un réalisme criant, presque en relief. Il y a le papier peint fleuri, les posters d'Iron Maiden, le bureau abîmé, et Brian est quelque part dans la maison, invisible. Il hurle, et Penny est là elle aussi, dans une autre pièce, en train d'appeler son papa en pleurant. Philip court dans le couloir qui est devenu un labyrinthe sans fin. Les murs se craquellent. Dehors, la horde hurlante de zombies gratte les parois. Les fenêtres barricadées tremblent. Philip a un marteau et essaie de les renforcer, mais la tête du marteau tombe. Des craquements. Philip voit une porte s'entrouvrir et se précipite, mais la poignée lui reste dans la main. Il retourne commodes et placards à la recherche d'armes, et les meubles s'effondrent, le plâtre du plafond se fendille et tombe, son pied passe par un trou du plancher. Les murs s'écroulent, le lino se dérobe, les fenêtres se descellent et Philip ne cesse d'entendre la voix suraiguë de Penny qui crie : Papa !

Des bras décharnés surgissent par les trous des murs, noirâtres, les doigts crochus.

— Papa !

Des crânes blancs surgissent du sol.

— Papa !

Philip pousse un hurlement muet et le rêve vole en éclats.

14

Philip se réveille en étouffant un cri. Il sursaute dans la pâle lumière de l'aube. Il y a quelqu'un au pied de son lit. Non. Deux personnes. Il les voit, à présent – une grande et une petite.

— Bonjour, toi, dit April, une main sur l'épaule de Penny.

— Bon Dieu, répond-il en se redressant, vêtu de son débardeur et d'un jogging. Quelle heure il est ?

— Presque midi.

— Nom d'un chien, murmure-t-il en reprenant ses esprits, ruisselant de sueur, la nuque endolorie et la bouche sèche. J'en reviens pas.

— Il faut qu'on te montre quelque chose, Papa, dit la petite fille, les yeux pétillants.

Voir sa fille si heureuse apaise Philip et dissipe les derniers fragments de son cauchemar. Il se lève et s'habille en leur demandant de patienter.

— Donnez-moi une seconde pour me faire beau, dit-il d'une voix rauque voilée par le whisky, en passant une main dans ses cheveux sales.

Elles l'emmènent sur le toit. Quand ils émergent par l'issue de secours dans l'air frais et la lumière, Philip est ébloui. Bien que la journée soit couverte, il a la gueule de bois et la lumière lui donne mal au crâne. Les yeux mi-clos, il regarde dans le ciel les nuages menaçants qui s'amoncellent depuis le nord.

— Ça sent la pluie, dit-il.

— Tant mieux, répond April avec un clin d'œil à la petite. Montre-lui pourquoi, ma chérie.

L'enfant prend la main de son père et l'entraîne sur le toit.

— Regarde, Papa, April et moi on a fait un jardin pour faire pousser des trucs.

Elle lui montre une jardinière improvisée au milieu du toit. Elles l'ont fabriquée avec quatre brouettes réunies, roues enlevées, remplies d'une vingtaine de centimètres de terre d'où dépassent de petites pousses vertes.

— C'est rudement bien, complimente-t-il Penny. Rudement bien, répète-t-il à April.

— C'est Penny qui a eu l'idée, répond la jeune fille avec une petite lueur de fierté dans le regard. Et on va récupérer l'eau de pluie aussi, ajoute-t-elle en lui désignant une rangée de seaux.

Philip contemple le beau visage d'April, ses magnifiques yeux bleus, ses cheveux blonds défaits qui caressent le col de son gros pull en laine. Il n'arrive pas à en détacher son regard. Et même lorsque Penny se met à lui détailler ce qu'elle compte planter, Philip ne peut s'empêcher d'imaginer : la manière dont April s'agenouille auprès de la petite en l'écoutant avec attention, une main sur son épaule, son expression affectueuse, la facilité avec laquelle elles communiquent – tout cela fait penser à bien autre chose que la simple survie. Il n'ose pas envisager le mot, mais il lui vient tout de même à l'esprit : *la famille*.

— Excusez-moi ! crie une voix bourrue depuis l'issue de secours. (Philip fait volte-face. Il aperçoit Tara avec sa grande robe à fleurs défraîchie, l'air maussade comme d'habitude. Elle porte un seau et son visage lourdement maquillé est encore plus fripé et revêche que de coutume.) Ce serait trop vous demander de m'aider ?

— Je t'ai dit que je venais dans une minute, répond April en se relevant.

Philip constate que Tara a récupéré de l'eau dans les toilettes de l'immeuble. Il songe un instant à intervenir, mais se ravise.

— Ça fait déjà une demi-heure, réplique Tara. Pendant ce temps-là, je me coltine la corvée d'eau alors que tu te balades de ton côté.

— Tara, enfin… Calme-toi, soupire April. J'arrive dans une seconde.

— Bon… Si tu le dis !

Tara tourne les talons et redescend rageusement, laissant une ambiance plombée derrière elle. April baisse les yeux.

— Désolée, mais elle a… des trucs sur le cœur, tu vois.

À son expression abattue, il est évident qu'April n'a même plus la force de débiter la liste de ce qui préoccupe sa sœur. Philip n'est pas idiot. Il sait que c'est compliqué et que c'est une affaire de rivalité et de jalousie entre sœurs, accentuée par le fait qu'April fait son deuil avec quelqu'un d'autre que Tara.

— Pas besoin de t'excuser, dit Philip. Mais il y a quelque chose que je veux que tu saches.

— Quoi donc ?

— À quel point je suis reconnaissant de la manière dont tu t'occupes de ma fille.

— C'est une enfant formidable, sourit April.

— Oh, que oui… Et tu es pas mal non plus.

— Eh bien, merci. (Elle s'avance et lui dépose un petit baiser sur la joue. Rien de plus qu'un petit baiser. Mais qui fait son effet.) Je vais y aller, sinon elle va me tuer.

Et April s'en va, laissant Philip frappé de stupeur.

Question baiser, celui-là n'avait rien de spécial. Sarah, la défunte épouse de Philip, était une experte en la matière. Merde, après le décès de sa femme, Philip avait connu des prostituées qui se défendaient pas mal de ce côté-là. Même les putes ont des sentiments, et Philip leur demandait généralement au début si cela ne les embêtait pas trop qu'ils s'embrassent un peu. Juste pour faire bonne mesure, pour faire comme s'il y avait un peu d'amour. Mais ce petit baiser d'April est comme un hors-d'œuvre, un avant-goût de choses à venir. Philip ne dirait pas qu'elle l'allume. Ni que c'est le genre de baiser platonique entre frère et sœur. Il y a une zone floue entre ces deux extrêmes. Pour Philip, c'est comme un coup frappé à une porte, histoire de voir s'il y a quelqu'un.

Dans l'après-midi, Philip guette vainement la pluie. C'est déjà la mi-octobre – même s'il ignore quel jour exactement – et tout le monde s'attend aux trombes qui s'abattent traditionnellement sur le centre de la Géorgie à cette saison, mais quelque chose les retient. La température baisse et l'air est humide, pourtant la pluie s'obstine à ne pas venir. Peut-être que la sécheresse a un rapport avec cette peste. En tout cas, le ciel tourmenté avec ses gros nuages noirs semble être un écho à l'étrange et inexplicable tension qui s'accumule en Philip. Vers la fin de la journée, il demande à April de l'accompagner pour une petite expédition dans la rue.

Il lui faut un peu de persuasion – bien que la population de zombies se soit considérablement clairsemée depuis leur dernière sortie. Philip lui explique qu'il a besoin d'aide pour chercher dans les environs un magasin de bricolage où ils pourraient trouver des générateurs. Il fait de plus en plus froid, surtout la nuit, et ils vont bientôt avoir besoin de courant pour pouvoir survivre. Et il lui faut quelqu'un qui connaît les environs.

Il ajoute qu'il veut aussi lui montrer les itinéraires sûrs que Nick a repérés. Ce dernier se propose de venir, mais Philip répond qu'il vaut mieux qu'il reste pour surveiller l'immeuble avec Brian.

April est d'attaque et d'accord pour venir, mais elle est juste un peu sceptique devant la passerelle bricolée. Et s'il commence à pleuvoir quand ils se retrouveront perchés dessus ? Philip lui assure que ce n'est rien du tout, surtout pour quelqu'un d'aussi léger qu'elle. Ils s'habillent, s'arment – cette fois, April prend l'un des fusils – et se préparent à partir. Tara fulmine en les voyant, révoltée par ce qu'elle qualifie de « perte de temps dangereuse et imprudente ». Philip et April l'ignorent poliment.

— Ne regarde pas en bas !

Philip est à mi-chemin sur la passerelle. April se cramponne à trois mètres derrière lui. Il jette un coup d'œil pardessus son épaule. Décidément, cette fille a vraiment du cran.

— C'est bon, dit-elle, les dents serrées, en avançant prudemment dans le vent qui lui ébouriffe les cheveux.

Dix mètres plus bas, deux morts-vivants lèvent la tête dans la direction des voix.

— Tu y es presque, l'encourage Philip en arrivant de l'autre côté.

Elle rampe sur les six derniers mètres et il l'aide à sauter sur l'escalier de secours qui grince sous leur poids. Par la fenêtre ouverte, ils se glissent dans les anciens locaux du cabinet comptable Stevenson & fils. Il fait plus sombre et plus froid dans les couloirs que lors de la dernière visite de Philip. Le front orageux a fait tomber le crépuscule plus tôt que d'habitude.

— Ne t'inquiète pas, affirme Philip alors qu'ils traversent les bureaux jonchés de paperasses et de débris de verre. Il y a pas plus sûr comme endroit, à l'époque où on vit.

— C'est pas très rassurant, dit-elle en serrant le fusil contre elle.

April a scotché avec du Gaffer les manches et les jambes de sa polaire et de son jean. Elle est la seule à le faire. Philip lui a posé la question une fois et elle a répondu qu'elle avait vu un dresseur procéder ainsi à la télévision pour éviter de se faire entamer la peau par des morsures.

Ils traversent le hall jusqu'à l'escalier à côté des distributeurs.

— Tu vas en prendre plein la vue, dit Philip en l'entraînant jusqu'à la porte. Tu te rappelles le capitaine Nemo ?

— Qui ?

— Le vieux film, *Vingt mille lieues sous les mers* ? Le capitaine solitaire qui joue de l'orgue dans son sous-marin pendant qu'un calamar géant passe devant son immense hublot ?

— Jamais vu.

— Eh bien, tu vas pouvoir le vivre, sourit Philip.

April est loin de s'attendre à tomber sur autre chose qu'une nouvelle explosion de violence, mais elle a le souffle coupé quand elle suit Philip sur le passage couvert. Elle s'arrête sur le seuil et regarde autour d'elle.

Ce n'est pas la première fois qu'elle emprunte ce genre de passage – elle est peut-être même déjà passée sur celui-ci – mais ce soir, dans la lumière tamisée où il baigne à dix mètres au-dessus du sol, l'endroit lui paraît miraculeux. Par le toit vitré, elle aperçoit des éclairs qui zèbrent les nuages noirs et par les parois transparentes, les ombres de la ville où grouillent des zombies. Atlanta ressemble à un immense plateau de jeu de société en proie au chaos.

— Je comprends, maintenant, murmure-t-elle en contemplant la scène autour d'elle, étourdie, dans un mélange d'enthousiasme et de crainte.

Philip gagne le milieu de la passerelle et s'arrête pour poser son sac.

— Faut que tu voies quelque chose, dit-il en désignant le sud. Viens là.

Elle le rejoint et pose son fusil et son sac contre la paroi vitrée.

Philip lui montre sur les véhicules abandonnés les marques rouges tracées par Nick et lui explique le concept de « zones sûres » astucieusement inventé par leur compagnon.

— Je crois qu'il a vraiment eu une super idée, conclut-il.

— Oui, on pourrait utiliser ces cachettes une fois qu'on aura trouvé le générateur auquel tout le monde tient tant.

— Exactement.

— Nick est un mec bien.

— Ça, c'est sûr.

L'obscurité descend sur la ville et dans les ombres bleutées de la passerelle, le visage taillé à la serpe de Philip paraît encore plus anguleux à April. Avec ses moustaches noires à la Fu Manchu et ses yeux noirs soulignés de pattes d'oie, il lui fait penser à un mélange entre Clint Eastwood jeune et… qui ? Son père au même âge ? Est-ce pour cela qu'elle éprouve une attirance pour ce grand type ? Est-elle assez idiote pour se laisser séduire par un homme simplement parce que c'est l'image de son père ? Ou bien ce pitoyable mélange d'amour et d'admiration est-il dû au besoin de lutter pour survivre dans un monde condamné à l'extinction ? C'est quand même le mec qui a fendu le crâne de son père, bon sang. Mais peut-être que c'est injuste. Ce n'était plus David Chalmers. L'âme de son père s'était envolée, bien avant qu'il sorte de son lit et essaie de dévorer sa fille aînée.

— Je vais te dire, continue Philip en contemplant les silhouettes déguenillées qui déambulent dans les rues. On s'est pas mal organisés et on pourrait rester un bout de temps dans notre petit immeuble.

— Oui, je trouve aussi. Reste plus qu'à trouver le moyen de glisser des calmants dans le verre de Tara.

Philip éclate de rire, avec une bonne humeur qu'April ne lui connaissait pas.

— On a une chance qui s'offre à nous, poursuit-il. On peut y arriver. On peut faire mieux que survivre. Et je te parle pas seulement de trouver un générateur.

— De quoi, alors ?

— J'ai connu pas mal de filles en mon temps, mais jamais une comme toi. Dure à cuire… mais la tendresse que tu as pour ma gosse ? J'ai jamais vu Penny se prendre d'affection pour quelqu'un comme avec toi. Merde, tu nous as sauvé la vie en nous faisant signe dans la rue. Tu es une fille pas comme les autres, tu sais.

April sent le feu lui monter aux joues et un délicieux frisson la parcourir et elle se rend compte que Philip, les yeux brillants d'émotion, la considère sous un jour nouveau. Elle comprend qu'il pense la même chose qu'elle et baisse les yeux, gênée.

— Tu dois pas être bien difficile, alors, murmure-t-elle.

Il lui relève le menton de sa grosse main calleuse.

— Je connais personne d'aussi difficile que moi.

Le grondement de tonnerre qui retentit et ébranle la passerelle la fait sursauter. Philip pose un baiser sur ses lèvres. Elle recule.

— Philip… Je ne sais pas si… Je veux dire… Enfin, tu sais…

Elle est assaillie par des pensées contradictoires. Si elle cède, comment Tara va-t-elle réagir ? Quelles seront les conséquences sur les relations au sein du petit groupe ? Cela va-t-il compliquer les choses ? Cela aura-t-il un impact sur leur sécurité, leurs chances de survie et leur avenir – si tant est qu'ils en aient un ? Philip se penche pour l'embrasser à nouveau et cette fois, elle l'étreint et lui rend son baiser, sans même remarquer les gouttelettes de pluie qui commencent à crépiter sur le toit de la passerelle. Elle se sent mollir entre les bras de Philip, enivrée par son odeur musquée. Un éclair baigne brièvement le crépuscule dans une lumière argentée.

April, étourdie, perd la tête. Elle ne remarque plus la pluie qui cingle la passerelle, ni même qu'ils sont en train de glisser doucement le long de la paroi de verre. Leurs lèvres collées, ses mains qui la caressent : avant même qu'elle ait eu le temps de s'en rendre compte, ils sont tous les deux enlacés sur le sol.

L'orage se déchaîne. À présent, la pluie tambourine sur le toit. Le tonnerre gronde, les éclairs jaillissent et l'air est rempli d'électricité statique. Fébrilement, Philip soulève le pull d'April et dégrafe leurs jeans. Un roulement de tonnerre assourdissant. April sent Philip entre ses cuisses, et soudain, comme si elle reprenait conscience…

Dans la vague du désir qui l'emporte, Philip n'entend pas la voix d'April.

— *Arrête ! Attends ! Écoute, je ne suis pas prête pour faire ça, je t'en prie, arrête, s'il te plaît.*

Philip n'entend rien de tout cela, tant il est submergé de désir, de solitude et du besoin irrépressible de *sentir quelque chose*. Tout son être est réduit à son bas-ventre et aux émotions qu'il a réprimées en lui.

— Bon sang, je t'en prie, arrête ! supplie la voix lointaine d'April qui se raidit.

Arc-bouté sur la femme qui se débat sous lui, convaincu qu'elle le désire secrètement, *qu'elle l'aime*, en dépit de ses paroles, Philip continue, tandis que se succèdent les éclairs éblouissants ; il la prend, il la remplit, il la transforme, jusqu'à ce qu'elle se taise, inerte, dans ses bras, et que le plaisir explose en lui.

Il se laisse glisser à côté d'elle, fixant le plafond criblé de pluie – oubliant un instant les âmes en peine qui errent dix mètres plus bas sous la pluie comme les silhouettes monstrueuses d'un film muet.

Philip interprète le silence d'April comme le signe que tout va peut-être bien se passer. Alors que l'orage laisse la place à une pluie torrentielle dont le grondement remplit la passerelle, ils se rhabillent et restent allongés côte à côte un long moment sans rien dire, les yeux fixés sur le toit ruisselant.

Le cœur battant, Philip est encore sous le choc, glacé. Il a l'impression d'être un miroir brisé et d'avoir aperçu dans un des éclats de son âme le visage d'un monstre. Que vient-il donc de faire ? Il sait que c'est mal. Mais c'est presque comme si c'était quelqu'un d'autre qui avait agi à sa place.

— Je me suis laissé emporter, dit-il enfin après de longues minutes d'un horrible silence. (Elle ne répond pas. Il se tourne vers elle, voit dans la pénombre son visage qui reflète les ombres liquides de la pluie. Elle semble à demi inconsciente. Comme une somnambule.) Je suis désolé, continue-t-il piteusement. Ça va ? hasarde-t-il.

— Oui.

— C'est sûr ?

— Oui.

Elle répond mécaniquement, d'une voix morne, à peine audible dans le fracas de la pluie. Il s'apprête à ajouter quelque chose quand un roulement de tonnerre interrompt le cours de ses pensées et fait vibrer toute la passerelle.

— April ?

— Oui ?

— Il faut qu'on rentre.

Le trajet du retour se fait dans le silence. Philip marche à quelques pas derrière April dans le hall désert, l'escalier et les couloirs vides. De temps en temps, il songe à lui parler, mais il n'ose pas. Il se dit qu'il vaut mieux laisser courir pour le moment. Tout ce qu'il pourrait ajouter risquerait d'envenimer la situation. Avec son fusil sur l'épaule,

April a l'air d'un soldat épuisé qui rentre d'une patrouille pénible. Ils arrivent au dernier étage du cabinet comptable et à la fenêtre ouverte. La pluie continue de tomber. Seuls quelques mots sont échangés – « Passe la première. Fais attention où tu mets les pieds » – quand il l'aide à gagner l'escalier de secours ruisselant. Le vent et la pluie qui s'acharnent toujours alors qu'ils reprennent la petite passerelle branlante revigorent presque Philip et lui donnent l'espoir d'être capable de réparer le mal qu'il vient de faire à cette femme.

Quand ils arrivent enfin à l'appartement, trempés jusqu'aux os et épuisés, Philip est certain de pouvoir tout arranger.

Brian est en train de coucher Penny dans la chambre. Dans le salon, Nick travaille sur la carte des planques qu'il a repérées.

— Alors, comment ça a été ? demande-t-il. Vous êtes tout dégoulinants. Vous avez trouvé un magasin de bricolage ?

— Pas cette fois, répond Philip en gagnant sa chambre sans prendre la peine d'ôter ses chaussures.

April part dans le couloir sans rien dire ni même croiser le regard de Nick.

— Regardez-vous, dit Tara en sortant de la cuisine, l'air maussade, une cigarette au coin des lèvres. Exactement ce que j'avais prévu : une expédition qui sert à rien.

Elle reste là, les mains sur les hanches, tandis que sa sœur va dans sa chambre au bout du couloir. Tara jette un regard mauvais à Philip, puis court après sa sœur.

— Je me couche, dit Philip à Nick avant de refermer sa porte.

Le lendemain matin, Philip se réveille juste avant l'aube. La pluie continue de tomber. Il l'entend qui tambourine sur la fenêtre. La chambre froide et sombre sent l'humidité et le moisi. Il reste assis au bord de son lit un long moment à contempler Penny, qui dort pelotonnée dans le sien. Les vagues souvenirs d'un rêve flottent dans le cerveau cotonneux de Philip, avec la sensation écœurante de ne pas savoir où le cauchemar se termine et où commence l'épisode de la veille avec April.

Si seulement il avait *rêvé* ce qui s'est passé dans le passage au lieu de l'avoir réellement fait. Mais la dure réalité lui revient dans une série d'images qui défilent dans son esprit, comme s'il regardait quelqu'un d'autre commettre le crime. Philip baisse la tête en essayant de balayer ce sentiment d'angoisse et de culpabilité. Il se passe la main dans les cheveux, se persuade de garder espoir. Il peut en discuter avec April, trouver le moyen d'aller de l'avant, dépasser cette épreuve, s'excuser et se rattraper auprès d'elle. Il regarde Penny endormie.

Depuis vingt jours que le petit groupe de Philip a rejoint les Chalmers, il a remarqué que l'enfant sortait de sa coquille. D'abord, il a noté quelques menus détails : l'empressement de Penny à préparer leurs épouvantables repas, son visage qui s'éclaire quand April entre dans une pièce. À chaque jour qui passe, la petite devient plus bavarde, raconte des souvenirs « d'avant », fait des remarques sur le temps, pose des questions sur « la maladie ». Les animaux peuvent-ils l'attraper ? Est-ce qu'on en guérit ? Est-ce un châtiment de Dieu ?

Il est ému de la voir sommeiller ainsi. Il doit y avoir un moyen de reconstruire une vie, une famille et un foyer pour sa fille – même au cœur de ce cauchemar. Oui, il doit y avoir une solution.

L'espace d'un instant, Philip imagine une île déserte et une petite cabane blottie sous des cocotiers. La peste est à des années-lumière. Il imagine April et Penny sur des balançoires, jouant ensemble auprès d'un potager. Il se voit assis sur les planches d'une terrasse, tanné par le soleil, heureux devant le spectacle du bonheur des deux femmes de sa vie.

Il se lève et s'approche du petit lit, s'agenouille et pose la main sur ses cheveux. Elle aurait besoin d'un bon bain. Ils sont sales et gras, et elle ne sent pas très bon. L'odeur lui serre le cœur. Ses yeux s'emplissent de larmes. Jamais il n'a aimé personne autant que cette enfant. Même Sarah, qu'il adorait, venait en deuxième. Son amour pour Sarah était compliqué – comme dans tous les couples. Mais quand il avait posé les yeux pour la première fois sur ce nourrisson tout fripé, sept ans et demi plus tôt, il avait compris ce qu'aimer signifie.

Cela signifie avoir peur et être vulnérable pour le restant de ses jours.

Brusquement, il aperçoit de l'autre côté de la pièce la porte entrebâillée. Il se rappelle pourtant bien l'avoir fermée avant de se coucher. D'abord, cela ne l'inquiète pas particulièrement. Peut-être qu'il l'a mal fermée et qu'elle s'est rouverte toute seule. Ou bien il s'est levé pour aller aux toilettes dans la nuit et a oublié de la refermer. Ou c'est *Penny* qui s'est levée. Merde, peut-être qu'il est somnambule sans le savoir. Mais quand il se retourne pour contempler de nouveau sa fille, il remarque autre chose. Il manque des affaires dans la pièce.

Son cœur se met à battre. Son sac à dos – celui avec lequel il est arrivé il y a plus de deux semaines –, qu'il a laissé dans un coin contre le mur, a disparu. Son pistolet, qui était posé sur la commode avec son dernier chargeur, a disparu aussi avec les munitions. Philip se lève d'un bond et regarde autour de lui. L'aube commence à peine à éclairer la pièce, projetant l'ombre des larmes de la pluie sur le sol. Ses chaussures ont disparu elles aussi. Qui serait allé les prendre ? Il faut qu'il se calme. Il y a forcément une explication toute simple. Pas besoin de se mettre dans tous ses états. Mais c'est la disparition de l'arme qui l'inquiète le plus. Il décide d'en avoir le cœur net. Sans un bruit, pour ne pas réveiller Penny, il sort de la chambre.

Rien ne bouge dans l'appartement silencieux. Brian dort dans le salon sur le canapé-lit. Philip passe dans la cuisine, allume le réchaud à gaz et se prépare une tasse de café instantané avec un fond d'eau de pluie. Il se passe un peu d'eau sur le visage. Son café prêt, il part avec sa tasse dans le couloir vers la chambre d'April. Sa porte est aussi entrouverte.

Il regarde à l'intérieur : la chambre est vide. Son pouls s'accélère.

— Elle est pas là, dit une voix.

Il fait volte-face et se retrouve nez à nez avec Tara qui braque le Ruger sur lui.

15

— OK, on se calme, là, dit Philip sans bouger. (Il lève sa main libre et écarte celle qui tient la tasse.) Je sais pas quel est le problème, mais on peut l'arranger.

— *Ah oui ?* demande Tara en lui jetant un regard noir. Tu crois vraiment ?

— Écoute… Je sais pas ce qui se passe…

— Ce qui se passe, coupe-t-elle d'une voix ferme, c'est qu'on va changer l'organisation, ici.

— Tara, je sais pas ce que tu as en tête…

— Je vais être bien claire, continue-t-elle sur le même ton. D'abord, tu vas fermer ta gueule et faire ce que je te dis, sinon je te fais sauter le caisson, et crois-moi, j'en suis capable.

— C'est pas…

— Pose la tasse.

Philip obéit et pose lentement la tasse par terre.

— OK, comme tu veux.

— Maintenant, on va aller chercher ton frère, ton pote et ta gosse.

Philip a le cœur battant. Il ne pense pas Tara capable de lui faire aucun mal, et il songe même à essayer de s'emparer de l'arme, mais il résiste à la tentation. Pour le moment, mieux vaut obéir et la faire parler.

— Je peux dire un truc ?

— Avance !

Son cri qui déchire le silence suffit à réveiller non seulement Penny et Brian, mais a dû probablement arriver jusqu'au deuxième étage aux oreilles de Nick, qui, en lève-tôt, est sans doute déjà debout. Philip s'avance vers elle.

— Si tu me laissais au moins la possibilité de…

Le coup de feu éclate. La balle le manque largement – peut-être à dessein, mais peut-être pas – et fait sauter un bout de mur à une quarantaine de centimètres de l'épaule de Philip. La détonation résonne dans l'espace réduit du couloir et Philip, qui a les oreilles qui bourdonnent, se rend compte qu'un éclat de plâtre est logé dans sa joue.

Il voit à peine Tara dans la fumée bleutée. C'est difficile de dire si elle ricane ou grimace.

— La prochaine sera pour ta gueule, dit-elle. Alors, tu vas être un garçon obéissant ou pas ?

Nick entend le coup de feu au moment où il ouvre sa Bible pour sa lecture matinale. Adossé à la tête de lit, il sursaute et le livre lui échappe des mains. Il était ouvert à l'Apocalypse selon saint Jean, chapitre 1, verset 9, celui où Jean déclare à l'Église : « Moi, Jean, votre frère associé dans la tribulation, le royaume et la persévérance de Jésus. »

Il bondit de son lit et court au placard où devrait se trouver son Marlin, mais il n'y est plus. Un frisson de panique lui parcourt l'échine. Il se retourne : son sac à dos – disparu. Ses boîtes de cartouches – envolées. Ses outils, son pic, ses chaussures et ses cartes – tout a disparu.

Heureusement, il lui reste son jean encore soigneusement plié sur le dossier d'une chaise. Il l'enfile précipitamment et sort du studio en courant. Descend le couloir. Puis l'escalier. Au rez-de-chaussée, il lui semble entendre des éclats de voix, mais il n'en est pas sûr. Il se précipite dans l'appartement des Chalmers, dont la porte n'est pas verrouillée.

— Qu'est-ce qui se passe ? Qu'est-ce qui se passe ? répète-t-il avant de s'immobiliser dans le salon en tombant sur un spectacle qui n'a ni queue ni tête.

Tara braque le Ruger sur Philip, qui fait une drôle de tête. En retrait, Brian serre Penny contre lui. Plus étrange encore, toutes leurs affaires sont entassées par terre devant le canapé.

— Ramène-toi, dit Tara en agitant le pistolet.

— Qu'est-ce qu'il y a ?

— T'occupe pas, fais ce que je te dis.

Nick obéit, mais il n'en reste pas moins perplexe. Qu'est-ce qui s'est donc passé ici ? Presque involontairement, il lève un regard interrogateur vers Philip, mais pour la première fois depuis qu'ils se connaissent, celui-ci a l'air penaud et hésitant.

— Où est April ? Qu'est-ce qui s'est passé ? demande Nick à Tara.

— T'occupe.

— Qu'est-ce que tu fais ? Pourquoi toutes nos affaires sont…

— Nicky, répond Philip en regardant Tara. Laisse tomber. Tara est venue nous dire ce qu'elle veut qu'on fasse, on va lui obéir et tout ira bien.

— Écoute ton pote, Nick, confirme Tara qui elle aussi regarde Philip.

Ses yeux flamboient d'un mélange de fureur, de mépris et de vengeance. Mais il y a autre chose, quelque chose que Nick ne parvient pas à cerner, mais qui lui paraît désagréablement intime.

— Qu'est-ce que tu nous demandes, exactement ? intervient Brian.

— De vous tirer, répond-elle sans quitter Philip du regard.

D'abord, Nick, abasourdi, a l'impression que ce n'est pas à prendre au pied de la lettre et que c'est juste une manière pour Tara de s'affirmer. Mais il change rapidement d'avis en voyant le regard de Tara.

— Foutez le camp.

— Là d'où je viens, dit Philip, c'est une condamnation à mort.

— Appelle ça comme ça te chante. Prenez vos saloperies et barrez-vous.

— Tu nous obliges à partir sans nous laisser d'armes.

— Je vais faire mieux que ça, répond-elle. Je vais monter sur le toit avec une de vos carabines et je vais m'assurer que vous foutez vraiment le camp.

Au bout d'un long et horrible moment de silence, Nick regarde Philip. Finalement, celui-ci se détourne de la grosse fille qui les braque avec le Ruger.

— Prends tes trucs, dit-il à Nicky. Il y a un poncho en plastique dans mon sac. Mets-le sur Penny, ajoute-t-il pour Brian.

Il ne leur faut que quelques minutes pour s'habiller et se préparer, tandis que Tara les surveille, implacable, mais cela laisse amplement le temps à Brian de réfléchir de son côté à ce qui a pu se passer. Tout en nouant ses lacets et en habillant Penny, il se rend compte que tout converge vers un triangle malsain. L'absence d'April en dit long.

Tout comme la colère indignée de Tara. Mais quelle est la cause ? Ce ne peut pas être Philip qui aurait dit ou fait quelque chose. Qu'est-ce qui a pu offenser à ce point les deux filles ?

Brièvement, Brian repense à son ex-épouse. Imprévisible, impulsive, elle s'était comportée de la même manière. Elle était capable de disparaître pendant des semaines sans laisser de traces. Une fois, alors que Brian était parti aux cours du soir, elle avait sorti toutes ses affaires sur le palier, comme si elle se débarrassait d'une souillure dans sa vie. Mais là… Là, c'était différent. Jusqu'ici, les filles Chalmers ne s'étaient aucunement montrées irrationnelles ou cinglées.

Ce qui tracasse le plus Brian, c'est le comportement de son frère. Sous ses dehors furieux et frustré, Philip a l'air presque résigné, peut-être même sans espoir. C'est un indice. Important. Seulement, Brian n'a pas le temps d'analyser plus avant la situation.

— Allez, on file, conclut Philip, son sac sur l'épaule.

Il a enfilé son blouson en jean, toujours taché de sang, et il se dirige vers la porte.

— Attends ! dit Brian en se tournant vers Tara. Au moins, laisse-nous prendre quelques vivres, ne serait-ce que pour Penny.

— Je vais vous laisser sortir d'ici vivants, répond-elle, inflexible.

— Viens, Brian, insiste Philip depuis la porte. C'est fini.

Brian regarde son frère. Quelque chose dans ce visage tanné et ridé galvanise Brian. Philip est sa famille, son sang. Et cela ne date pas d'hier. Ils ont survécu à trop d'épreuves pour mourir aujourd'hui comme des chiens abandonnés en bord de route.

— Très bien, dit-il, résolu. Si c'est comme ça que ça doit finir…

Sans terminer sa phrase, car il n'y a rien à ajouter, il prend Penny par l'épaule et sort à la suite de Philip.

La pluie est à la fois un avantage et une calamité. Elle leur fouette le visage quand ils sortent de l'immeuble, mais alors qu'ils s'abritent sous les arbres dépouillés le temps de s'orienter, ils constatent que l'orage a fait déguerpir des rues les Bouffeurs. Les égouts débordent, les rues charrient des ordures et le ciel est gris et bas.

— C'est par là que c'est le mieux ! dit Nick en scrutant le sud. La plupart des cachettes sont là-bas !

— OK, on part au sud, répond Philip. Brian, tu peux la prendre sur ton dos ? Je compte sur toi, vieux. Veille sur elle.

Brian essuie les gouttes sur son visage et acquiesce. Après quoi, il s'apprête à charger la petite fille, mais il s'immobilise, stupéfait. Elle est en train de lui faire signe que ce n'est pas la peine. Brian regarde son frère. Sous la pluie, Penny Blake relève le menton d'un air de défi, avec une expression qui rappelle à Philip l'impatience de sa mère.

— Je suis plus un bébé, dit la petite. On y va ?

Ils gagnent le coin de la rue sans se faire voir, glissant sur le trottoir ruisselant, ralentis par la pluie qui leur cingle le visage et les trempe jusqu'aux os. Insistante, glaciale, elle semble partie pour durer.

Devant eux, quelques clochards morts-vivants sont massés près d'un arrêt, les cheveux ruisselants, comme s'ils attendaient un bus qui ne viendra jamais. Philip entraîne son groupe jusqu'à un auvent. Nick leur désigne le premier abri : le bus abandonné à une centaine de mètres après la passerelle. Sur un geste de Philip, tout le monde s'ébranle et progresse le long des devantures en direction du véhicule.

— Moi, je dis qu'on devrait y retourner, grommelle Nick en s'accroupissant sur le sol du bus et en fouillant dans son sac. (La pluie tambourine sur la tôle du toit. Nick sort un t-shirt et s'essuie le visage.) C'est juste une fille toute seule. On peut lui reprendre l'appartement. Moi, je trouve qu'on devrait repartir là-bas et la foutre dehors.

— Parce que tu crois qu'on pourrait, hein ? demande Philip depuis la cabine du chauffeur. Tu as un gilet pare-balles dans ton petit sac ?

Dans le bus d'une dizaine de mètres de long, avec ses sièges en plastique moulés alignés le long des parois, flotte une odeur de chien mouillé. Au fond, assis avec Penny, Brian frissonne dans son sweat-shirt et son jean trempés. Il a un mauvais pressentiment, et ce n'est pas seulement parce qu'ils se retrouvent livrés à eux-mêmes sous la pluie dans une jungle urbaine.

Cette inquiétude est surtout due à ce qui est mystérieusement arrivé dans l'immeuble la veille. Il ne peut s'empêcher de se demander ce qui s'est passé entre 17 heures, quand Philip et April sont partis pour leur mission, et 5 heures le lendemain matin, quand tout leur a brusquement explosé en pleine face. D'après l'intonation rauque et le visage déterminé de son frère, Brian sent qu'il y a anguille sous roche. Pour l'heure, la priorité immédiate est leur survie, mais il ne peut s'empêcher d'y penser. Ce mystère cache sûrement quelque chose de plus profond que Brian n'arrive pas à identifier et qui le ronge.

Les éclairs illuminent la nuit comme des flashs.

— C'est dommage, tout se passait bien, là-bas, continue Nick d'un ton plaintif. C'est nos armes, merde ! dit-il en se levant. Et on s'est donné un mal de chien, non ? C'est nos affaires autant qu'à elles !

— Rassieds-toi, répond Philip. Pas question que ces sacs à pus nous voient là-dedans. (Nick obéit. Philip s'assoit au volant et inspecte vainement le contenu de la boîte à gants. Les clés sont encore sur le contact. Il les tourne, mais sans résultat.) Je vais pas le répéter. Là-bas, c'est *fini* pour nous.

— Mais pourquoi ? Pourquoi on peut pas récupérer l'immeuble, Philly ? On peut l'affronter, cette grosse salope. À nous trois, enfin !

— Laisse tomber, Nick, répète Philip.

Et même du fond du bus, Brian perçoit la menace glacée dans son intonation.

— Je pige pas, c'est tout, se plaint Nick à mi-voix. Comment un truc pareil peut arriver…

— Ça y est ! (Enfin, Philip a découvert quelque chose d'utile. La tige en acier d'un mètre vingt est fixée par des clips sous la vitre du chauffeur. C'est un outil qui sert au chauffeur à atteindre la porte pour la fermer manuellement sans quitter son fauteuil. Philip soupèse la tige dans la pénombre.) Ça fera l'affaire, murmure-t-il.

— Comment ça se fait ? insiste Nick, accroupi.

— Putain de merde !

Philip abat la tige sur le tableau de bord qui vole en éclats, faisant sursauter tout le monde. Il recommence et fracasse la radio. Il s'acharne, de toutes ses forces, jusqu'à ce qu'il ne reste plus rien. Finalement, haletant, rouge de colère, il se tourne vers Nick et le foudroie du regard.

— Tu veux bien la fermer ?

Au fond du bus, Penny se détourne et regarde à travers la vitre qui ruisselle de pluie. Elle plisse le front, comme si elle essayait de résoudre un problème beaucoup trop compliqué pour son âge. Devant, Nick est pétrifié.

— Calme-toi, Philly… Je… disais ça comme ça… C'est juste que ça me plaisait, là-bas.

Philip s'humecte les lèvres. Son regard se radoucit. Il prend une profonde inspiration et laisse échapper un long soupir en posant la tige sur le fauteuil.

— Écoute, je suis désolé… Je comprends ce que tu ressens. Mais ça vaut mieux comme ça. Sans électricité, cet immeuble va être une chambre froide avant la mi-novembre.

— Oui… je comprends ton point de vue, répond Nick sans lever les yeux.

— C'est mieux comme ça, Nicky.

— Oui, oui.

À ce moment, Brian murmure à Penny qu'il revient tout de suite et se lève pour aller les rejoindre, en se baissant pour rester inaperçu de l'extérieur.

— C'est quoi, le plan, Philip ?

— On va trouver un endroit où on peut faire du feu. On peut pas en faire dans un immeuble.

— Nick, combien d'autres coins sûrs tu as repérés ?

— Assez pour sortir de cette partie de la ville, avec un peu de chance.

— De toute façon, tôt ou tard, il faudra qu'on trouve une voiture, dit Brian.

— Sans blague, grogne Philip.

— Tu crois qu'il y a du carburant, dans ce bus ?

— Du diesel, sûrement.

— Peu importe ce que c'est, on n'a rien pour siphonner.

— Ni pour le transporter, lui rappelle Philip.

— Le truc en métal que tu as trouvé, demande Brian. Tu crois qu'il est assez pointu pour percer le réservoir ?

— Du bus ? Oui, je pense. À quoi tu veux que ça serve ?

Brian déglutit. Il a une idée.

L'un après l'autre, ils sortent sous la pluie qui s'est un peu calmée. Le ciel est toujours couvert. Philip porte la tige, Nick les trois bouteilles de bière que Brian a trouvées sous la banquette du fond. Brian garde Penny auprès de lui – des silhouettes sombres rôdent un peu partout à quelques centaines de mètres de là et le temps leur est compté.

Par intermittences, la foudre illumine les rues et les zombies qui errent au bout de la rue. Certains Bouffeurs ont remarqué les humains qui s'agitent autour du bus et s'approchent maintenant avec intérêt. Ayant été routier, Philip sait où se trouve le réservoir. Il se baisse sous les roues et tâtonne sous le châssis pour mettre la main sur les deux réservoirs, qui contiennent chacun quatre cents litres de carburant.

— Dépêche-toi, mec, ils arrivent ! dit Nick en s'agenouillant à côté de lui avec les bouteilles.

Philip projette l'extrémité pointue de la tige sur la paroi métallique, mais parvient à peine à la cabosser. Il laisse échapper un cri furibard et recommence. Cette fois, la pointe perce la tôle et un mince filet de liquide jaune et huileux coule sur ses mains et ses bras. Nick se baisse et remplit rapidement la première bouteille.

Le tonnerre gronde, suivi d'une autre salve d'éclairs. D'un coup d'œil par-dessus son épaule, Brian aperçoit tout un régiment de morts-vivants qui se rapprochent dans cette clarté aveuglante. Ils ne sont qu'à vingt-cinq mètres à présent, et on distingue presque leurs visages. L'un d'eux n'a plus de mâchoire, un autre se promène avec les intestins qui s'échappent par un trou dans son ventre.

— Dépêche-toi, Nick ! Vite !

Brian a des morceaux de chemise déchirée prêts dans une main et le briquet dans l'autre. Il s'impatiente tandis que Penny, qui s'efforce de se montrer brave, serre ses petits poings et se mord la lèvre en observant l'avancée des cadavres ambulants.

— En voilà une, vas-y ! dit Nick en tendant la bouteille à Brian.

Brian y enfonce le bout de chiffon et retourne prestement la bouteille pour l'humecter. Cela ne prend que quelques secondes, mais le temps passe et les Bouffeurs se rapprochent. Il allume le briquet. La flamme est immédiatement soufflée par le vent.

— Allez, vieux, allez ! dit Philip qui se retourne vers les zombies en brandissant la tige d'acier.

Derrière lui, Brian finit par allumer le chiffon. Les flammes jaillissent. Il jette ce cocktail Molotov sur les premiers zombies en vue.

La bouteille se fracasse dans une boule de flammes à un mètre des plus proches morts-vivants. Plusieurs d'entre eux reculent en titubant devant la brusque lumière et la chaleur, renversant leurs compagnons qui tombent comme des dominos. Cela pourrait être drôle dans d'autres circonstances, mais le petit groupe n'a pas le cœur à rire.

Philip prend la deuxième bouteille et y glisse le chiffon.

— Donne-moi le briquet ! Maintenant, bougez-vous ! ordonne-t-il en allumant le cocktail et en le lançant sur l'armée de monstres qui arrive sur eux.

Cette fois, elle atterrit en plein milieu et explose en mettant le feu à une bonne douzaine de Bouffeurs avec la violence d'un jet de napalm. Sans se retourner, Brian prend Penny dans ses bras et suit Nick qui court déjà vers la boutique du barbier.

Brian, Penny et Nick sont à mi-chemin du prochain abri quand ils se rendent compte que Philip ne les a pas rejoints.

— Qu'est-ce qu'il fout ? s'écrie Nick avec angoisse en se réfugiant sous le porche d'un magasin.

— Comment tu veux que je sache ! répond Brian en le rejoignant avec Penny et en scrutant la rue.

À une centaine de mètres, Philip hurle une obscénité aux monstres en agitant sa lance improvisée devant un zombie en flammes qui s'avance.

— Oh, mon Dieu, s'exclame Brian en cachant les yeux de Penny. Baissez-vous !

Philip recule devant la horde, le briquet dans une main et sa lance ensanglantée dans l'autre, comme un Viking qui libère toute sa fureur. Il se baisse pour mettre le feu à la mare d'essence qui coule sous le bus, puis il tourne les talons et s'enfuit à toutes jambes. Derrière lui, les flammes bleutées gagnent le bus. Philip franchit cinquante mètres de chaussée trempée en fracassant au passage le crâne de quelques Bouffeurs, alors que le feu lèche la carrosserie du bus. Un grondement sourd couvre le crépitement de la pluie et les gémissements. Dans le brouillard, Philip peine à distinguer ses compagnons.

— Philip ! Ici !

En entendant la voix, Philip plonge vers eux et les rejoint au moment même où l'explosion ébranle le sol, transformant la rue en un océan de feu.

Ils n'ont le temps de rien voir : ils sont projetés contre la porte sous le porche et se protègent le visage des fragments de métal et de verre qui retombent en pluie. L'explosion a éparpillé en l'air les dix-huit tonnes du bus dans un horrible champignon de flammes éblouissantes, et les morts-vivants qui n'ont pas été instantanément consumés sur place par l'onde de choc brûlante comme une supernova sont déchiquetés par les débris métalliques. Un morceau de pare-chocs en feu retombe à quelques mètres de la porte. Tous sursautent, les yeux écarquillés d'horreur.

— Putain ! s'écrie Nick en se protégeant le visage.

Sans voix, paralysé, Brian serre fermement Penny contre lui. Philip s'essuie le visage d'un revers de main et les dévisage avec la stupeur d'un somnambule qui se réveille brusquement.

— OK. Alors, demande-t-il à Nick. Il est où, ce barbier ?

16

À une rue de là – dans l'obscurité d'une salle carrelée où règne une puanteur suffocante, parmi les restes épars de magazines déchirés, peignes en plastique, tas de cheveux humains et tubes de brillantine –, ils se sèchent le visage avec des serviettes et des blouses de barbier, puis ils trouvent de quoi fabriquer d'autres cocktails Molotov.

Ils vident des bouteilles de lotion capillaire, les remplissent d'alcool et y glissent une mèche de coton. Ils trouvent aussi sous le comptoir une batte de baseball qui devait servir à repousser quiconque avait envie de voler la caisse. Philip la confie à Nick en lui recommandant d'en faire bon usage.

Ils continuent leurs recherches. Au fond, un vieux distributeur leur livre une poignée de barres chocolatées et quelques gâteaux. Pendant qu'ils remplissent leurs sacs, Philip leur conseille de ne pas baisser leur garde. Avec la pluie qui se calme, les bruits portent mieux et il entend à l'extérieur d'autres morts-vivants qui envahissent le quartier, attirés par l'explosion. Ils doivent continuer leur route dans la ville avant que la nuit tombe.

— Allez, allez, bougez-vous le cul pour qu'on atteigne le prochain refuge. Nicky, tu nous guides.

À contrecœur, Nick les entraîne sous la bruine le long de la rue. Philip ferme la marche, sa tige d'acier au poing, tout en gardant l'œil sur Penny, cramponnée sur le dos de Brian.

À mi-chemin, un mort-vivant égaré surgit de derrière une épave et s'avance d'un air menaçant vers Brian et l'enfant. Philip lui fracasse la nuque avec une telle violence qu'il lui brise les vertèbres et que le cadavre s'effondre, la tête pendouillant sur la poitrine.

D'autres morts-vivants apparaissent au coin des ruelles et dans les entrées d'immeubles. Nick trouve la marque suivante à l'intersection de deux rues, peinte sur la porte vitrée d'une petite boutique. La devanture est protégée par une grille et, hormis des néons cassés et des câbles, la vitrine est vide. La porte n'est pas verrouillée, telle que Nick l'a laissée trois jours plus tôt.

Il la pousse, leur fait signe de le suivre, et tous se précipitent à l'intérieur. Ils sont entrés si vite qu'ils n'ont pas remarqué l'enseigne au-dessus de la porte : TOM POUCE – JOUETS.

La boutique, d'à peine une cinquantaine de mètres carrés, est jonchée de débris multicolores. Les rayonnages renversés ont répandu sur les dalles leur contenu de poupées, petites voitures et trains. Des mobiles cassés pendent du plafond, des boîtes de Lego sont répandues sur le sol avec le rembourrage de peluches mutilées.

L'espace d'un instant, ils restent immobiles dans l'entrée, ruisselants et hors d'haleine, fascinés par le spectacle de cette dévastation.

— Restez là, dit Philip en sortant un foulard pour s'éponger la nuque.

Il enjambe un ours déchiqueté et s'aventure un peu plus loin dans la boutique. Il aperçoit une porte, qui donne sur une réserve ou une sortie de secours. Brian pose doucement Penny à terre et vérifie qu'elle n'a rien. L'enfant contemple le tragique amoncellement de Barbie décapitées et de peluches éventrées.

— Quand je suis tombé sur cette boutique, dit Nick tout en cherchant de son côté, je me suis dit qu'il y avait peut-être des trucs utiles, des gadgets, des talkies-walkies, des torches… (Il contourne la caisse et continue son inspection.) Merde, dans un quartier pareil, ils avaient peut-être même un flingue.

— Qu'est-ce qu'il y a par ici, Nicky ? demande Philip en désignant une tenture au fond du magasin. Tu es allé voir la dernière fois ?

— Une réserve, je dirais. Fais gaffe, Philly, il y a pas de lumière, là-dedans.

Philip s'immobilise devant le rideau, pose son sac à dos, y prend sa minitorche, l'allume et se glisse derrière la tenture. Dans le magasin, Penny est toujours hypnotisée devant les ours et poupées en lambeaux. Brian la scrute attentivement. Il voudrait la réconforter, arranger la situation, mais il ne peut que s'agenouiller auprès d'elle et essayer de lui changer les idées.

— Tu veux une barre chocolatée ?

— Non.

— C'est sûr ?

— Oui.

— On a des gâteaux, continue Brian pour essayer de la forcer à parler et lui occuper l'esprit.

Mais pour le moment, tout ce qu'il a en tête, c'est l'expression de Philip, la violence dans son regard, et le monde entier, leur monde, qui est en train de s'écrouler.

— Non, ça va, répond Penny. (Elle aperçoit un petit sac à dos Hello Kitty et va le ramasser pour l'examiner.) Tu crois que ça va fâcher quelqu'un si j'en prends ?

— Si tu prends quoi, ma chérie ? demande Brian. Des jouets ? (Elle hoche la tête. Brian a un pincement au cœur.) Vas-y, prends ce que tu veux.

Elle commence à ramasser des morceaux de poupées et de peluches. Pour Brian, on dirait une sorte de rituel, un rite de passage pour la petite qui glisse les jouets blessés dans le sac à dos avec le soin d'une infirmière aux urgences.

Au même moment, la voix de Philip s'élève quelque part dans le fond de la boutique et Brian se relève brusquement.

— Qu'est-ce qu'il a dit ? demande-t-il à Nick.

— Je sais pas, répond celui-ci en levant la tête derrière le comptoir.

— Philip ! s'écrie Brian en s'avançant vers le rideau, tendu. Est-ce que ça va ?

Des pas précipités claquent à l'intérieur, puis brusquement, le rideau s'écarte et Philip passe la tête dehors avec un air surexcité.

— Ramassez vos affaires, on vient de décrocher le gros lot !

Philip les emmène dans un étroit et sombre couloir où s'alignent des cartons de jouets, puis par une porte blindée laissée ouverte par les précédents occupants. Enfin, après un second couloir, guidés par le mince faisceau de la minitorche, ils arrivent à une issue de secours. Par la porte métallique entrouverte, ils aperçoivent une passerelle.

— Regardez ce qu'il y a de l'autre côté de notre petit magasin de jouets, dit Philip en poussant la porte d'un coup de pied. Tout ce qu'il faut pour foutre le camp de cet enfer.

Brian se retrouve devant un couloir identique, muni à son extrémité d'une porte en métal également entrouverte, par laquelle il aperçoit des rangées de roues luisantes.

— Oh, bon Dieu, dit-il. Je rêve pas, c'est bien ça ?

L'endroit, immense, occupe tout le coin du bâtiment voisin et est bordé sur trois côtés par des vitrines en verre renforcé. Par les vitres, on aperçoit la rue où errent des formes sombres sous la pluie comme des âmes en peine, mais *à l'intérieur*, dans le monde scintillant et bienheureux du Champion Cycle Center, concessionnaire de motos numéro un d'Atlanta, tout est chaleureux, bien rangé et impeccable.

Le showroom semble avoir été épargné par la peste. Dans la faible clarté filtrant par les vitrines, des motos de toutes sortes sont alignées sur quatre rangs d'un bout à l'autre. L'air sent le caoutchouc neuf, le cuir ciré et l'acier. Les abords du showroom sont recouverts d'une magnifique et épaisse moquette comme le hall d'un hôtel de luxe. Des néons éteints annoncent des marques légendaires : Kawasaki, Ducati, Yamaha, Honda, Triumph, Harley-Davidson et Suzuki.

— Tu crois qu'il y en a avec de l'essence dans le réservoir ? demande Brian en contemplant cette caverne d'Ali Baba.

— On a que l'embarras du choix, vieux, dit Philip en lui désignant le fond de la salle derrière le comptoir et les rayonnages de pièces détachées étincelantes. Ils ont un atelier et un garage là-bas... On peut siphonner de l'essence sans problème.

Sans émotion, Penny contemple les lieux, son petit sac fermement arrimé à ses frêles épaules. Brian est tout étourdi, agité d'émotions contradictoires – enthousiasme, angoisse, espoir, peur.

— Il y a un seul problème, dit-il à mi-voix.

— Et ça va être quoi, maintenant ? demande Philip.

— J'ai pas la moindre idée de la manière dont ça se conduit.

Tous éclatent d'un rire libérateur – nerveux et fragile, peut-être, mais un rire tout de même – aux dépens de Brian. Philip lui assure que cela n'a aucune importance qu'il ne soit jamais monté sur une moto : même un demeuré peut apprendre en deux minutes. Mais surtout, Philip et Nick conduisent depuis des années et comme ils ne sont que quatre, les deux non-conducteurs peuvent monter derrière.

— Plus vite on sera sortis d'Atlanta, moins ce sera difficile sans armes, déclare Philip quelques minutes plus tard. (Il est en train d'inspecter le rayon cuir du magasin et choisit un blouson Harley marron et de solides bottes noires.) Vous avez cinq minutes pour laisser vos fringues mouillées et vous changer. Brian, aide Penny.

Ils se changent tandis que la pluie se calme. Le coin de la rue est maintenant envahi de silhouettes titubantes, certaines calcinées ou déchiquetées par l'explosion, d'autres à un stade plus ou moins avancé de décomposition. Certains visages commencent à tomber en lambeaux, d'autres sont envahis de parasites et transformés en masques de chairs putréfiées. Mais aucun ne remarque leur présence dans le showroom.

— Tu as vu ces Bouffeurs, dehors ? dit Nick à mi-voix à Philip. (Il s'est déjà changé et enfile un blouson en cuir noir.) Il y en a qui sont pas mal avancés.

— Et alors ?

— Ils en ont encore pour trois ou quatre semaines maximum.

— Au moins. (Philip réfléchit un instant en enlevant son jean trempé. Son caleçon lui colle pratiquement aux fesses et il se tourne pudiquement devant sa fille.) Tout ça, ça a commencé il y a plus d'un mois… Et donc ?

— Ils pourrissent.

— Hein ?

Nick baisse encore la voix pour que la petite n'entende pas. Elle est en train d'enfiler un petit manteau d'hiver avec l'aide de Brian.

— Réfléchis, Philly. Dans la nature, un cadavre est réduit en poussière au bout d'un an. Surtout s'il est exposé à l'air libre et aux éléments.

— Qu'est-ce que tu me racontes, là ? Qu'on a juste à attendre ? À laisser les asticots faire le boulot ?

— Oui, bon, j'ai dû me dire…

— Écoute-moi, dit Philip en brandissant l'index sous son nez. Garde tes théories pour toi.

— Je voulais pas…

— Ils vont pas disparaître, Nicky. Enfonce-toi bien ça dans le crâne. Pas question que ma gosse entende tes conneries. Ils mangent les vivants, ils se reproduisent, et quand ils seront pourris, il y en aura d'autres pour prendre leur place, et si le vieux Chalmers s'est transformé sans même avoir été mordu, c'est que les jours du monde sont comptés. Alors réveille-toi, toto. Il est plus tard que tu crois.

— OK, mec, admet Nick en baissant la tête. J'ai pigé. T'énerve pas, Philly.

— On est prêts, annonce Brian en arrivant avec Penny.

— Tu as quelle heure ? demande Philip à Brian, qui a l'air un peu ridicule avec son blouson Harley deux tailles trop grand pour lui.

— Presque midi.

— Bon… Ça nous donne six ou sept heures de lumière pour foutre le camp d'ici.

— Vous choisissez les motos ? demande Brian.

Philip le regarde avec un sourire glacial.

Ils choisissent deux des plus gros modèles disponibles – des Electra Glide Harley-Davidson, l'une bleu ciel et l'autre noire – pour la puissance de leur moteur, le confort de la selle et l'espace disponible dans le coffre. Et puis aussi parce que ce sont des Harley. Philip décide de prendre Penny avec lui et confie Brian à Nick. Les réservoirs sont vides, mais plusieurs motos dans le garage ont de l'essence qu'ils siphonnent. Durant le quart d'heure nécessaire pour préparer les motos, prendre des casques et charger leurs affaires, la rue a le temps de grouiller de morts-vivants. Des centaines de Bouffeurs massés au carrefour errent au hasard sous la bruine, cognant la vitrine en gémissant et en bavant leur bile noirâtre, leurs yeux laiteux fixés sur les ombres qui s'agitent dans le Champion Cycle Center.

— Ça s'anime, dehors, murmure Nick en coiffant son casque et en poussant l'énorme moto vers la sortie, une petite porte de garage donnant sur un parking.

— On bénéficie de l'effet de surprise, dit Philip en poussant sa Harley noire. (Son estomac gargouille. Il n'a pas mangé depuis presque vingt-quatre heures, comme les autres. Il fourre la tige d'acier sur le guidon afin de pouvoir la prendre facilement.) Allez, ma puce, monte ! dit-il à

Penny qui attend avec son casque d'enfant. On va faire un petit tour et ficher le camp d'ici.

Brian aide l'enfant à monter sur le siège arrière surélevé et adossé au coffre, puis il lui met sa ceinture de sécurité.

— Ne t'inquiète pas, ma chérie, lui souffle-t-il.

— On va prendre direction sud, et ensuite ouest, annonce Philip en montant sur son engin. Nicky, tu me suis.

— Reçu.

— Tout le monde est prêt ?

— Prêt, répond Brian depuis la porte.

Philip démarre sa moto et le moteur rugissant remplit la salle de fumée. Nick l'imite et le grondement de son moteur vient se joindre au premier. Philip fait signe à Brian, qui ouvre la porte, laissant entrer un vent humide. Philip accélère et s'ébranle. Brian saute derrière Nick et ils s'élancent à sa suite.

— Oh, merde ! Bon Dieu, Philip ! Regarde en bas, Philip ! En bas !

Le cri frénétique de Brian est étouffé par son casque et le grondement des motos.

Cela se produit quelques instants après qu'ils ont traversé un carrefour en renversant au passage un groupe de Bouffeurs. Après avoir tourné sur les chapeaux de roue et filé vers le sud sur Water Street, Brian aperçoit le cadavre mutilé que traîne la moto de Philip sur la chaussée.

Le bas du corps a été emporté et ses intestins flottent dans le vent comme une poignée de câbles électriques, mais le torse a encore un peu de vie en lui et sa tête rongée de moisissures est toujours intacte. De ses deux bras morts, il s'est accroché au garde-boue arrière et commence à se hisser sur le côté de la moto. Le pire, c'est que ni Philip ni Penny ne semblent s'en rendre compte.

— Remonte à sa hauteur, Nick ! Accélère ! crie Brian, cramponné à Nick.

— Je fais ce que je peux !

Alors qu'ils descendent la large rue déserte et que la moto glisse littéralement sur la chaussée trempée, Penny remarque le monstre accroché qui commence à se hisser au-dessous d'elle et elle pousse un hurlement. Brian la voit s'agiter sans l'entendre, comme une actrice dans un film muet. Nick est à fond. Sa Harley rattrape Philip.

— Prends la batte ! crie-t-il à Brian, qui essaie de la récupérer sous le coffre.

Soudain, devant eux, Philip remarque la créature agrippée à l'arrière de sa moto et s'empare de son arme. Nick n'est plus qu'à deux mètres derrière, mais avant que Brian puisse agir avec sa batte, il voit Philip brandir sa tige d'acier. D'un geste vif et brutal, qui fait faire une embardée à la Harley, Philip se retourne sur son siège et enfonce la pointe dans la gueule ouverte du monstre. La tête embrochée reste coincée à quelques centimètres au-dessous de Penny, la tige s'étant logée entre les pots d'échappement chromés. Philip lève la jambe droite et, avec un coup de pied de la violence d'un bélier, fait valser la tête et la tige, qui roulent derrière eux et que Nick évite de justesse. Philip accélère de nouveau et reprend sa route vers le sud, sans prendre la peine de jeter un regard derrière lui.

Ils continuent ainsi, zigzaguant à travers la partie sud d'Atlanta, évitant les zones les plus encombrées. Au bout de deux kilomètres, Philip réussit à trouver une artère principale relativement dégagée d'épaves et de zombies, et il s'y engage. Ils ne sont plus désormais qu'à cinq kilomètres de la sortie de la ville.

L'horizon est clair et le ciel commence à s'éclaircir vers l'ouest. Ils ont assez d'essence pour faire près de sept cents kilomètres sans avoir besoin de refaire le plein. Ce qui les attend là-bas dans la grisaille rurale est forcément mieux que ce qu'ils ont subi à Atlanta.

Il le *faut*.

TROISIÈME PARTIE

La théorie du chaos

Nul homme ne choisit le mal parce que c'est le mal ;
c'est simplement qu'il le prend pour le bonheur,
pour le bien qu'il recherche.

Mary Wollstonecraft.

17

Aux alentours de l'aéroport de Hartsfield, la pluie s'arrête, laissant derrière elle un ciel plombé de nuages bas et un froid épouvantable. En revanche, c'est merveilleux d'être arrivé aussi loin en à peine une heure. Beaucoup moins d'épaves bloquent l'autoroute 85 que la 20 et la population de morts-vivants s'est considérablement clairsemée. La plupart des bâtiments de bord de route sont encore intacts, portes et fenêtres barricadées. Les rares zombies qu'ils croisent de temps en temps font presque partie du paysage, à présent, se fondant entre les arbres nus comme un ignoble champignon qui infecterait les bois. La terre elle-même semble s'être transformée. Les villes sont *mortes*. Traverser cette région laisse plus une impression de *désolation* que de fin du monde.

Le seul problème immédiat, c'est que les moindres stations-service ou restaurants routiers sont infestés de Bouffeurs, et Brian est très inquiet pour Penny. À chaque petit arrêt – pour se soulager ou rechercher de l'eau et des vivres –, ses traits sont de plus en plus tirés et ses lèvres gercées. Brian craint qu'elle se déshydrate. D'ailleurs, il a peur qu'ils finissent tous dans la même situation.

Un ventre vide, c'est une chose – on peut se passer de nourriture pendant un certain temps –, mais le manque d'eau est un problème autrement plus grave.

À une quinzaine de kilomètres au sud de Hartsfield, le paysage laisse la place à des forêts de sapins et des champs de soja. Brian se demande s'ils ne pourraient pas boire l'eau des radiateurs des motos, lorsqu'il aperçoit un panneau routier vert indiquant : AIRE DE REPOS – 1,5 KM. Philip leur fait signe de prendre la bretelle de sortie. Alors qu'ils arrivent en trombe en haut de la côte sur le terrain où se trouve un centre d'information, Brian est soulagé : l'endroit est heureusement désert, sans la moindre présence d'êtres vivants ou morts.

— Qu'est-ce qui s'est vraiment passé à Atlanta, Philip ?

Brian est assis à une table de pique-nique sur une petite éminence herbeuse derrière le chalet des toilettes. Philip fait les cent pas en buvant une bouteille d'eau minérale qu'il a arrachée de haute lutte à un distributeur. À une cinquantaine de mètres, Nick fait tourner Penny sur un petit manège près d'un chêne de Virginie malade. L'enfant tourne et tourne, assise sans joie, comme une gargouille, le regard fixe.

— Je t'ai dit de pas t'en occuper, grommelle Philip.

— Je crois que tu me dois une réponse.

— Je te dois que dalle.

— Il s'est passé quelque chose ce soir-là, insiste Brian. (Il n'a plus peur de son frère. Il sait que Philip pourrait lui flanquer une dérouillée – des violences entre les deux hommes sont de plus en plus envisageables – mais Brian s'en moque. Quelque chose en lui a changé, profondément. Si Philip a envie de lui tordre le cou, eh bien, soit.) Quelque chose entre toi et April ?

— Qu'est-ce que ça peut foutre, ça change rien, dit Philip qui s'immobilise en contemplant le sol.

— Ça change beaucoup de choses – pour moi, en tout cas. Nos vies sont en jeu, là. On avait des chances de survie là-bas et puis, du jour au lendemain, plus rien ?

Philip relève la tête. Il pose son regard sur Brian et quelque chose de très noir passe entre les deux frères.

— Laisse tomber, Brian.

— Dis-moi juste un truc. Tu avais l'air tellement pressé de foutre le camp : tu as un plan ?

— De quoi tu parles ?

— Est-ce que tu as un genre de stratégie ? Une idée de l'endroit où on va ?

— Tu me joues quoi, là ? Le guide touristique ?

— Et si les Bouffeurs se multiplient de nouveau ? En gros, on a un bout de bois en tout et pour tout pour se battre.

— On trouvera autre chose.

— Où est-ce qu'on va, Philip ?

Philip se détourne et relève le col de son blouson de cuir en fixant le ruban de la route qui disparaît à l'horizon.

— Dans à peu près un mois, ce sera l'hiver. À mon avis, il faut qu'on continue vers le sud-ouest. Le Mississippi.

— Et ça va nous apporter quoi ?

— C'est la route la plus facile pour le Sud.

— Et ?

Philip se retourne. Son visage creusé de rides arbore une expression entre détermination et incertitude, comme s'il ne croyait pas vraiment à ce qu'il raconte.

— On trouvera un endroit où s'installer au soleil. Genre Mobile ou Biloxi. La Nouvelle-Orléans, peut-être… J'en sais rien. Un endroit où il fait chaud. Et on y habitera.

— Ça a l'air tellement simple, soupire Brian. On va dans le Sud, et voilà.

— Si tu as une meilleure idée, je t'écoute.

— Les plans à long terme, c'est un luxe auquel je songe même pas.

— On y arrivera.

— Il faut qu'on trouve à manger, Philip. Je suis vraiment inquiet pour Penny, il faut la nourrir.

— C'est à moi de m'inquiéter pour ma fille.

— Elle refuse même de manger un gâteau. Tu imagines ? Une gosse qui ne veut pas manger un gâteau.

— C'est de la bouffe pour cafards, grogne Philip. Je peux pas lui en vouloir. On trouvera quelque chose. Elle s'en remettra, c'est une dure à cuire. Comme sa mère.

Brian ne peut pas dire le contraire. Dernièrement, la petite a fait montre d'un courage surprenant. D'ailleurs, Brian se demande si ce n'est pas elle qui leur permet de rester tous soudés et de ne pas s'entretuer. Il jette un coup d'œil du côté du manège et voit Penny tourner, indifférente. Nick a perdu son entrain et se contente de donner un petit coup du bout du pied de temps en temps. Derrière, le terrain remonte vers une petite colline boisée où se trouve un cimetière balayé par le vent. Brian remarque que Penny parle à Nick, qu'elle le questionne sur quelque chose et il se demande si c'est leur conversation qui donne à la petite cet air aussi préoccupé.

— Oncle Nicky ? demande Penny, le front plissé, tandis qu'elle tourne lentement.

Elle l'appelle ainsi depuis des années, alors qu'elle sait très bien que ce n'est pas vraiment un oncle. Cela a toujours secrètement donné envie à Nick d'être réellement l'oncle de quelqu'un.

— Oui, ma chérie ?

Nick pousse le manège distraitement, inquiet en voyant du coin de l'œil les deux frères Blake qui se disputent manifestement.

— Mon papa est fâché contre moi ? demande-t-elle.

Nick ouvre de grands yeux. Penny baisse la tête.

— Bien sûr que non, répond-il prudemment. Il n'est pas fâché, voyons. Pourquoi tu t'imagines une chose pareille ?

— Il ne me parle plus autant qu'avant.

Nick arrête doucement le manège et lui tapote gentiment l'épaule.

— Écoute, je te jure que ton papa t'aime plus que tout au monde.

— Je sais.

— Il a beaucoup de soucis en ce moment. C'est tout.

— Tu penses qu'il n'est pas fâché ?

— Sûrement pas. Tu imagines pas comment il t'aime, Penny. Crois-moi. Il est juste… préoccupé.

— Oui.

— On l'est tous.

— Oui.

— Je suis sûr que personne ne parle plus beaucoup, en ce moment.

— Oncle Nick ?

— Oui, ma chérie ?

— Tu crois qu'Oncle Brian est en colère contre moi ?

— Mais non, voyons. Pourquoi il le serait ?

— Parce qu'il est obligé de me porter tout le temps ?

Nick sourit tristement. Il scrute la petite qui le regarde d'un air grave et il lui caresse la joue.

— Écoute-moi. Je connais pas de petite fille plus courageuse que toi. Je te jure. Tu es une fille Blake… Et il y a de quoi en être fière.

Elle réfléchit, puis elle sourit.

— Tu sais ce que je vais faire ?

— Non, ma chérie, dis-moi.

— Je vais réparer toutes les poupées cassées.

— Ça, c'est une bonne idée, l'encourage Nick.

Mais il se demande s'il aura encore l'occasion de voir la petite sourire à nouveau.

Un peu plus tard, de l'autre côté de l'aire de repos, entre les tables de pique-nique, il semble à Brian apercevoir quelque chose du coin de l'œil. À une centaine de mètres, derrière le terrain de jeux, entre les pierres tombales écroulées et les fleurs en plastique, quelque chose bouge.

Brian voit trois silhouettes apparaître sous le couvert des arbres et approcher en vacillant comme des chiens de chasse qui flairent une proie. C'est difficile à dire à cause de la distance, mais leurs vêtements sont en lambeaux, et leurs bouches ouvertes dans une grimace douloureuse.

— Il est temps de nous bouger le cul, dit Philip sans trop s'émouvoir.

Il se dirige vers le terrain de jeux d'une démarche lourde et mécanique. Brian s'élance derrière lui en songeant, juste un instant, que de loin, avec cette démarche pesante, ses bras qui pendent et ses épaules basses comme chargées du poids du monde, on pourrait très facilement prendre son frère pour un zombie.

Ils reprennent la route. Passent aux abords de petites villes aussi désertes et immobiles que des dioramas dans des musées. La lumière bleutée du crépuscule commence à envahir le ciel couvert et le vent fraîchit, tandis qu'ils contournent des épaves de voitures et de camions en poursuivant vers l'ouest sur la 85. Brian commence à songer qu'il va falloir trouver un gîte pour la nuit.

Perché sur la selle derrière Nick, les yeux larmoyants, assourdi par le vent et le rugissement de la Harley, Brian a amplement le temps de rêver à l'endroit idéal pour les voyageurs épuisés dans leur traversée du pays des morts. Il imagine une immense et imposante forteresse avec des jardins, et des promenades, protégée par d'infranchissables douves, des clôtures et des miradors. Il donnerait un œil pour un steak-frites. Ou une bouteille de Coca. Ou même un peu de la vieille viande séchée qu'il avait mangée chez les Chalmers...

Un reflet dans l'intérieur de sa visière interrompt le cours de ses pensées. Il jette un coup d'œil par-dessus son épaule. Curieux. Durant une fraction de seconde, au moment même où il lui a semblé voir une tache floue et furtive, il a senti quelque chose dans sa nuque, une sensation fugitive, comme le baiser de lèvres glacées. C'est peut-être son imagination, mais il lui a aussi semblé voir quelque chose dans le rétroviseur. Un bref instant. Juste avant qu'ils obliquent vers le sud.

Il regarde de nouveau par-dessus son épaule et ne distingue rien derrière eux que la chaussée qui s'étend au loin et disparaît dans un virage. Il hausse les épaules et revient à ses pensées décousues.

Ils s'enfoncent de plus en plus dans les régions rurales, jusqu'à ce qu'ils ne croisent rien d'autre que des fermes délabrées et des kilomètres de champs vallonnés qui ondoient de part et d'autre. Ils sont au cœur de la terre originelle, épuisée, travaillée jusqu'à la mort depuis des générations. Partout, des carcasses de vieilles machines agricoles sommeillent, enfouies sous la boue et la végétation.

Le crépuscule laisse la place à la nuit et le ciel vire du gris pâle à l'indigo. Il est 19 heures passées et Brian a totalement oublié ce reflet fugitif à l'intérieur de sa visière. Ils doivent trouver un abri. Philip allume son phare, qui balaie la nuit de son faisceau argenté, puis il agite la main et pointe l'index sur sa droite. Brian se tourne et voit ce que son frère indique. Par-delà les champs, au-dessus d'une ligne d'arbres, il distingue la silhouette d'une maison, tellement loin qu'on dirait un découpage dans du papier noir. Si son frère n'avait pas tendu le bras, Brian ne l'aurait jamais remarquée. Mais il comprend pourquoi elle a attiré l'attention de Philip : on dirait un grandiose vestige du XIXe siècle, sans doute plus vieux encore. C'est peut-être une ancienne plantation.

Brian voit de nouveau du coin de l'œil quelque chose passer dans le rétroviseur, derrière eux. Lorsqu'il se retourne, tout a disparu.

Ils prennent la première sortie et dévalent une route en terre. Alors qu'ils approchent de la maison – solitaire au sommet d'une vaste colline à un kilomètre de l'autoroute –, Brian frissonne dans le froid. Il a soudain un horrible pressentiment, alors que la maison paraît de plus en plus accueillante à mesure qu'ils approchent. Cette partie de la Géorgie est connue pour ses vergers de pêchers, figuiers et pruniers, et comme ils montent la route en lacets vers la maison, ils constatent qu'elle est splendide.

Entouré de pêchers qui s'étendent jusqu'au loin, le bâtiment principal est une imposante demeure en brique de deux étages avec des mansardes aménagées. On dirait une vieille villa italienne. Les quinze mètres de la façade, entourée d'un portique à balustrade et colonnade, croulent sous le lierre et les bougainvillées qui encadrent des fenêtres à meneaux. Dans la lumière déclinante, elle ressemble au navire amiral fantôme d'une armada d'avant la guerre de Sécession.

Dans un tourbillon de fumée et de grondements, Philip les entraîne dans la cour ornée d'une énorme fontaine en marbre apparemment inutilisée, car l'eau est recouverte d'une pellicule verdâtre. Des dépendances – peut-être des écuries – se dressent sur la droite. Un tracteur disparaît sous les herbes. À gauche s'ouvre une vaste remise assez grande pour accueillir six voitures.

Brian ne remarque rien de cette opulence de l'ancien temps alors qu'ils roulent jusqu'à une porte secondaire entre la remise et le bâtiment principal.

Philip freine dans un nuage de poussière et fait gronder un moment son moteur. Puis il coupe le contact et reste immobile, le regard levé vers ce mastodonte de brique rose. Nick s'arrête à côté de lui et sort sa béquille. Pendant un long moment, personne ne pipe mot. Puis Philip sort sa béquille à son tour et descend de la moto.

— Bouge pas de là, ma puce, dit-il à Penny.

Nick et Brian l'imitent.

— Tu as ta batte à portée de main ? demande Philip sans même se retourner.

— Tu crois qu'il y a quelqu'un ? réplique Nick.

— Il y a qu'un seul moyen de le savoir.

Philip attend que Nick ait pris la batte qu'il a glissée dans l'une des sacoches et la lui apporte.

— Toi, tu restes avec Penny, dit-il à Brian en s'avançant vers le portique.

Son frère l'arrête en l'empoignant par le bras.

— Philip…

Il s'apprête à lui parler des formes qu'il a aperçues dans sa visière, mais il se retient. Il n'est pas sûr de vouloir que Penny l'entende.

— Putain, mais qu'est-ce que tu as ? interroge Philip.

— Je crois qu'il y a quelqu'un qui nous suit, répond Brian.

Les anciens occupants de la maison sont partis depuis longtemps. En fait, l'endroit semble être inoccupé depuis bien avant le début de la peste. Des draps jaunis recouvrent les meubles anciens. Les nombreuses pièces vides et poussiéreuses sont figées dans le temps. Dans un salon, une horloge à balancier s'obstine à fonctionner. Des raffinements d'un autre âge parsèment la maison : moulures compliquées, portes-fenêtres, escaliers circulaires, ainsi que deux cheminées grandes comme des vestiaires. Sous un drap trône un piano à queue, sous un autre un phonographe, et sous un troisième un poêle à bois.

Philip et Nick inspectent les étages et ne trouvent rien d'autre que des vestiges poussiéreux du vieux Sud : une bibliothèque, un couloir où sont accrochés des portraits de généraux confédérés dans des cadres dorés, une nursery avec un vieux berceau datant de l'époque coloniale. La cuisine est étonnamment petite – une autre survivance du XIXe siècle, où seuls les domestiques se salissaient les mains – mais l'immense office est rempli de rayonnages qui regorgent de denrées en conserve. Les céréales et les fruits secs sont tous réduits en poussière et grouillent de vers, mais les quantités de fruits et légumes sont stupéfiantes.

— Tu as des hallus, vieux, murmure Philip cette nuit-là devant un feu qui ronronne dans la cheminée du salon.

(Ils ont trouvé du bois dans la cour auprès de la grange et réussissent à se réchauffer pour la première fois depuis Atlanta. La chaleur et le confort des lieux – ainsi que les pêches et légumes en conserve – assoupissent immédiatement Penny. Elle sommeille à présent sous un luxueux édredon dans la nursery à l'étage. Nick dort dans la chambre voisine. Mais les deux frères sont insomniaques.) Qui se ferait chier à nous suivre ? ajoute-t-il en buvant une gorgée du coûteux porto qu'il a trouvé dans l'office.

— Je te dis ce que j'ai vu, répond Brian. (Il se balance nerveusement dans un fauteuil face à son frère. Il a enfilé une chemise sèche et un jogging et se sent de nouveau presque humain. Il jette un coup d'œil à Philip, qui fixe le feu comme s'il détenait un message secret à déchiffrer. Pour une raison inconnue, le spectacle du visage émacié et inquiet de son frère à la lueur des flammes fend le cœur de Brian. Il repense à leurs épiques expéditions d'enfance dans les bois, quand ils campaient ou séjournaient dans des cabanes. Il se rappelle avoir bu sa première bière avec son frère, quand Philip n'avait que dix ans et lui-même treize. Même à cette époque, Philip tenait déjà mieux l'alcool que lui.) Peut-être que c'était une voiture, reprend-il. Ou une camionnette, j'en sais rien. Mais je te jure que j'ai vu quelque chose et que c'était clair qu'on nous suivait.

— Bon, et si on nous suit, qu'est-ce que ça peut foutre ?

— Le seul truc, c'est… si c'est des gens avec des intentions amicales… ils devraient plutôt nous rattraper ou nous faire signe, non ?

— Comment tu veux savoir… répond Philip en contemplant pensivement le feu. Je sais pas qui c'est, mais s'ils traînent sur la route, il y a des chances qu'ils soient dans la même situation que nous.

— Oui, sûrement, concède Brian. Peut-être qu'ils ont juste… peur. Peut-être qu'ils nous jaugent ?

— Personne peut nous prendre par surprise ici, je vais te dire.

— Oui, probablement.

Brian voit très bien de quoi parle son frère. La situation de la maison est idéale. Perchée comme elle est sur une crête qui domine des kilomètres d'arbres, cela leur donne le temps de voir venir. Même par une nuit sans lune, les vergers sont si silencieux et immobiles que personne ne pourrait les surprendre. Et Philip en est déjà à parler d'installer des pièges tout autour. En plus, l'endroit présente toutes sortes d'avantages qui peuvent leur permettre de tenir un moment, peut-être même jusqu'à la fin de l'hiver. Il y a un puits derrière, de l'essence dans le tracteur, un garage pour les Harley, des kilomètres d'arbres fruitiers qui portent des fruits comestibles, même s'ils ont subi le gel, et assez de bois pour remplir poêles et cheminées pendant des mois. Le seul problème est le manque d'armes. Ils ont fouillé la maison et n'ont trouvé dans la grange qu'une vieille faux et une fourche, mais pas d'armes à feu.

— Ça va ? demande Brian après un long silence.

— En pleine forme.

— Tu es sûr ?

— Oui, Mamie, répond Philip en fixant le feu. Et on sera tous en pleine forme après avoir passé quelques jours ici.

— Philip ?

— Quoi encore ?

— Je peux dire un truc ?

— Nous y voilà.

Philip ne quitte pas la cheminée des yeux. Il porte son débardeur et un jean sec. Ses chaussettes sont trouées et son orteil dépasse. En le voyant ainsi, Brian, peut-être pour la première fois de toute sa vie, le trouve presque vulnérable. Mais il ravale son émotion : sans Philip, aucun d'eux n'aurait survécu jusqu'ici.

— Je suis ton frère, Philip.

— Je sais ça, Brian.

— Non, ce que je veux dire, c'est que je te juge pas. Jamais je ferai ça.

— Où tu veux en venir ?

— Eh bien… Je suis conscient de tout ce que tu fais, je sais que tu risques ta vie pour nous protéger et je voulais que tu le saches. (Philip ne répond pas, mais la manière dont il fixe le feu change un peu. À présent, il regarde comme *au-delà* des flammes et ses yeux sont brillants d'émotion.) Je sais que tu es quelqu'un de bien, continue Brian. Je le sais. Et je vois bien que quelque chose te ronge.

— Brian…

— Attends, laisse-moi finir. (La conversation a franchi un point de non-retour. Brian doit continuer.) Si tu veux pas me dire ce qui s'est passé l'autre soir entre toi et April, très bien. Je te reposerai jamais la question. (Un long silence.) Mais tu peux me le dire, Philip. Tu peux, parce que je suis ton frère.

Philip se tourne vers Brian. Une larme unique roule sur son visage tanné et anguleux. Brian en a le cœur serré. Jamais il n'a vu son frère pleurer, même quand ils étaient enfants. Un jour, leur père a corrigé Philip, âgé de douze ans, avec une baguette en chêne, lui laissant de telles marques qu'il a dû dormir sur le ventre pendant des nuits, mais jamais il n'a pleuré. Comme par défi, il refusait de pleurer. Pourtant, en croisant le regard de son frère dans les ombres dansantes, il répond d'une voix épuisée :

— J'ai merdé, vieux. (Brian hoche la tête sans rien dire et attend. Le feu crépite. Philip baisse la tête. La larme roule mais sa voix reste sans émotion.) J'ai eu un faible pour elle, quoi. Je vais pas dire que c'était de l'amour, parce que c'est quoi, l'amour, de toute façon ? C'est rien qu'une saloperie de maladie. (Il se débat contre un démon intérieur.) J'ai merdé, Brian. Elle et moi, on aurait pu vivre un truc ensemble. Ça aurait été du solide pour Penny, ça lui aurait fait du bien. (Les larmes lui montent aux yeux et coulent sur ses joues.) J'ai pas pu me retenir. Elle m'a demandé d'arrêter, mais j'ai pas pu. J'ai pas pu. Tu vois… c'est parce que… ça me faisait du bien. Même quand elle me repoussait, ça me faisait du bien. (Silence.) Putain, mais qu'est-ce qui cloche, chez moi ? (Silence.) Je sais que j'ai pas d'excuse. (Silence.) Je suis pas con. C'est juste que je pensais pas que… Je pensais pas…

Il n'achève pas. Seuls les crépitements du feu troublent l'immense silence. Puis, après un moment interminable, Philip lève les yeux vers son frère. Dans la lumière dansante du feu, Brian voit qu'il n'a plus de larmes à pleurer. Seule demeure sur le visage de Philip Blake l'expression de son tourment intérieur. Sans prononcer un mot, Brian hoche la tête.

Quelques jours s'écoulent, puis c'est le mois de novembre. Ils décident de rester sur place et de voir ce qu'il en sera du temps.

Un matin, une pluie verglaçante s'abat sur les vergers. Un autre jour, un gel implacable s'empare des champs et abat une bonne partie des fruits. Mais malgré tous ces signes annonciateurs de l'hiver, ils n'éprouvent aucun besoin de partir. La maison est encore ce qu'ils ont de mieux en attendant les jours les plus rigoureux qui se profilent à l'horizon. Ils ont assez de conserves de fruits et de légumes pour tenir des mois, s'ils font attention. Et assez de bois pour se chauffer. Et les environs semblent abriter relativement peu de Bouffeurs.

D'une certaine manière, Philip semble aller mieux maintenant qu'il s'est soulagé de son fardeau de culpabilité. Brian garde le secret, y pense souvent, mais n'aborde jamais le sujet. Les deux frères sont moins agressifs l'un avec l'autre et même Penny semble bien s'accommoder de ces nouvelles habitudes qu'ils sont en train de se forger.

Elle déniche une maison de poupées ancienne dans un salon à l'étage et se fabrique un petit coin pour elle et tous ses jouets cassés au bout du couloir. Brian y monte un jour et trouve toutes les poupées disposées sur le sol avec les membres manquants posés à côté des corps correspondants. Il contemple un long moment cette morgue miniature, avant que Penny le tire de sa torpeur.

— Allez, oncle Brian, dit-elle. Tu sais faire le docteur. Aide-moi à les réparer.

— Oui, bonne idée, répond-il. On va les réparer.

Une autre fois, tôt le matin, Brian entend du bruit en bas. Il descend dans la cuisine et trouve Penny debout sur une chaise, couverte de farine, en train de manipuler des casseroles et des poêles, de la pâte à crêpe dans les cheveux. La cuisine est un champ de bataille. Les autres arrivent et tous restent ébahis sur le seuil de la cuisine.

— Ne vous mettez pas en colère, dit Penny. Je vais tout nettoyer, je le jure.

Les trois hommes échangent des regards.

— Qui est en colère ? Personne, répond Philip, souriant pour la première fois depuis des semaines. On a juste faim. Quand est-ce que le petit déjeuner sera prêt ?

À mesure que passent les jours, ils prennent des précautions. Ils décident de ne faire du feu que la nuit, quand on ne peut pas voir la fumée depuis l'autoroute. Philip et Nick édifient une clôture de barbelés et de piquets où ils accrochent des boîtes de conserve pour être alertés en cas d'intrusion – Bouffeurs comme humains. Ils trouvent même un vieux fusil dans le grenier de la maison.

Couvert de poussière et gravé d'angelots, il donne l'impression de risquer de leur exploser au visage s'ils s'en servent. Ils n'ont même pas de cartouches et on dirait plutôt le genre d'arme qu'on accroche dans son salon en compagnie de vieilles photos d'Hemingway, mais Philip voit un certain intérêt à l'avoir à portée de main. Il paraît assez menaçant – dans le noir et de loin, comme disait son père.

— On sait jamais, déclare-t-il un soir, en posant l'arme contre la cheminée et en s'installant pour siroter du porto de cuisine.

Les jours s'écoulent sans beaucoup de changements. Ils rattrapent le sommeil qui leur manquait, explorent les vergers et récoltent des fruits. Ils installent des pièges et un jour, ils prennent même un lapin maigrichon. Nick se porte volontaire pour le préparer et leur sert au final un lapin braisé à peu près convenable.

Durant cette période, ils ne croisent que rarement des Bouffeurs. Un jour, Nick grimpe dans un prunier pour cueillir quelques fruits ridés quand il en voit un en salopette de fermier errer entre les arbres. Calmement, il descend de l'arbre, s'empare de sa fourche et lui embroche la tête comme on fait exploser un ballon. Une autre fois, alors que Philip siphonne le réservoir d'un tracteur, il remarque un cadavre mutilé près d'un fossé. Les jambes cassées et tordues, la femme a l'air de s'être traînée sur des kilomètres pour arriver là. Philip la décapite d'un coup de faux et brûle les restes après les avoir arrosés d'un peu d'essence. Du gâteau.

Pendant ce temps, la maison semble les adopter autant qu'ils se sont habitués à elle. Une fois les draps enlevés des meubles anciens, on pourrait presque qualifier l'endroit de chez-soi. Chacun a sa chambre. Et bien qu'ils souffrent toujours de cauchemars, il n'y a rien de plus apaisant que de descendre dans la vieille et élégante cuisine avec le soleil de novembre qui filtre par les portes-fenêtres et le parfum d'une cafetière qui est restée à réchauffer toute la nuit. D'ailleurs, s'ils n'avaient pas régulièrement la sensation d'être épiés, ce serait proche de la perfection.

Cette sensation commence à s'intensifier pour Brian dès leur deuxième nuit sur les lieux. Il vient de s'installer dans sa chambre à l'étage – une pièce austère meublée d'un ravissant petit lit à baldaquin et d'une armoire du XVIIIe siècle – quand il se réveille en sursaut en plein milieu de la nuit.

Il était en train de rêver qu'il était naufragé, dérivant sur un radeau de fortune au milieu d'une mer de sang et qu'il apercevait un éclair. Dans son rêve, il pensait que c'était un phare lointain près d'un rivage, mais en se réveillant, il se rend compte qu'il a en fait vu une *vraie* lumière dans la *réalité* – juste l'espace d'une seconde, un mince rectangle de lumière glisser au plafond. Et disparaître immédiatement.

Il n'est même pas sûr de l'avoir vu, mais chaque fibre de son être lui souffle de se lever et d'aller à la fenêtre. Ce qu'il fait et, dans le vide obscur de la nuit, il jurerait avoir entraperçu une voiture, à cinq cents mètres de là, en train de tourner à l'endroit où l'autoroute rejoint la route de la ferme. Puis elle disparaît dans le néant.

Brian a énormément de mal à retrouver le sommeil cette nuit-là.

Quand il en parle le lendemain matin à Philip et Nick, ils lui répondent que ce n'est rien de plus qu'un rêve. Qui irait quitter l'autoroute pour venir jusqu'ici, faire demi-tour et repartir ?

Mais le doute s'installe en Brian durant les jours qui suivent. La nuit, il continue d'apercevoir des lumières qui se déplacent sur l'autoroute ou de l'autre côté du verger. Certaines fois, au petit matin, il jurerait qu'il entend le crissement de pneus sur le gravier. Le pire, c'est que ces bruits sont furtifs, infimes. Brian a l'impression que quelqu'un est en train de faire une *reconnaissance* des lieux. Mais il se lasse tant de voir ses soupçons écartés par ses compagnons qu'il cesse tout bonnement d'en parler. Peut-être qu'il l'a vraiment imaginé.

Il n'en pipe pas mot jusqu'au quinzième jour de leur arrivée dans la maison, quand, juste avant l'aube, le tintement des boîtes de conserve le tire d'un profond sommeil.

18

— Putain, c'est quoi ?

Brian se réveille en sursaut dans la chambre plongée dans l'obscurité. À tâtons, il cherche la lampe au kérosène posée sur sa table de chevet et la renverse, répandant un peu du liquide. Il se lève et se précipite à la fenêtre, pieds nus sur le sol glacé.

Le clair de lune qui illumine le ciel froid et cristallin d'automne nimbe tous les contours d'un halo argenté. Brian entend encore les boîtes de conserve qui tintent quelque part. Il entend aussi les autres s'agiter dans leurs chambres le long du couloir. Tout le monde est réveillé, à présent, alerté par le bruit.

Le plus étrange – et Brian se demande s'il n'est pas en train de se faire des idées –, c'est que les bruits métalliques viennent de toutes les directions, dans les vergers derrière la maison comme devant. Brian se dévisse le cou pour essayer de mieux voir quand la porte de sa chambre s'ouvre soudainement.

— Tu es levé, vieux ? (Philip est torse nu, en jean et chaussures qu'il n'a pas encore eu le temps de lacer. Il porte le fusil et ouvre de grands yeux inquiets.) Faut que tu ailles chercher la fourche dans le couloir du fond. Vite !

— C'est des Bouffeurs ?

— Vas-y, c'est tout !

Brian acquiesce et part en courant, submergé de panique, en jogging et t-shirt. Alors qu'il descend l'escalier dans le noir, traverse le salon et gagne le couloir, il perçoit des mouvements derrière les fenêtres et la présence d'intrus qui se rapprochent.

Il empoigne la fourche posée contre la porte, fait volte-face et retourne dans le salon.

Entre-temps, Philip, Nick et Penny ont descendu l'escalier. Ils courent vers les fenêtres qui donnent sur la cour, la côte qui descend vers la route et même le verger le plus proche. Immédiatement, ils distinguent des formes sombres qui se glissent furtivement vers la maison de trois directions différentes.

— C'est des voitures ? chuchote Nick.

Alors que leurs yeux s'habituent à l'obscurité, ils se rendent compte qu'il s'agit en effet de *voitures* qui traversent lentement le domaine dans leur direction. L'une monte par la route en lacets, une autre arrive par le nord du verger et une troisième apparaît tout juste au sud, roulant lentement sur l'allée de graviers qui sort du couvert des arbres. Dans une synchronisation quasi parfaite, elles s'arrêtent brusquement à une distance égale de la maison. Elles restent là à une quinzaine de mètres, leurs vitres trop sombres pour révéler leurs occupants.

— C'est pas un comité de bienvenue, murmure Philip.

Une fois de plus, en même temps, les phares s'allument. L'effet est assez théâtral, presque exagéré, même. Leurs faisceaux frappent les fenêtres de la maison et remplissent l'intérieur d'une lumière froide. Philip s'apprête à sortir pour résister en brandissant l'inutile fusil, quand ils entendent un grand fracas à l'arrière de la maison.

— Reste avec Brian, ma puce, dit Philip à Penny. Nicky, va voir si tu peux sortir par une fenêtre sur le côté avec la machette pour les prendre à revers. Tu me suis ?

Nick a parfaitement compris et s'en va par le couloir.

Prudemment, mais avec détermination, Philip s'avance vers le bruit de chaussures qui écrasent des débris de verre dans la cuisine.

— Doucement, doucement, mon pote, dit l'intrus d'un ton enjoué avec un fort accent du Tennessee, en levant son Glock 9 mm lorsque Philip entre dans la cuisine.

Avant d'être interrompu si brutalement, l'intrus était en train de fureter dans la cuisine comme s'il venait de descendre de sa chambre prendre un petit en-cas dans la nuit. De l'extérieur, des lampes frontales balaient la pièce. La vitre au-dessus de la clenche a été brisée et les premières lueurs de l'aube commencent à poindre.

Avec son mètre quatre-vingt-deux, son treillis usé, ses bottes boueuses et un gilet pare-balles en kevlar taché de sang, leur visiteur est totalement chauve, la tête en forme d'obus, un visage balafré et des yeux profondément enfoncés dans leurs orbites. De près, il paraît malade, comme s'il avait été exposé à des radiations, et sa peau cireuse est couverte de pustules.

Philip braque le vieux fusil inutile sur le crâne de l'homme qui se tient à deux mètres de lui. Il fait mine qu'il est chargé.

— Je vais te laisser le bénéfice du doute, dit-il. Sûrement que tu as dû croire qu'il y avait personne ici.

— Exactement, mon pote, répond le chauve, d'une voix rêveuse, comme s'il était sous tranquillisants.

Ses dents recouvertes d'or luisent faiblement dans son sourire reptilien.

— Alors on te remercie de nous laisser en paix – pas de mal, pas de rancune.

— C'est pas une façon d'agir en voisin, répond l'homme en faisant mine d'être vexé. (L'homme est agité par un léger tremblement, un tic qui indique une violence latente.) Je vois que vous avez une petit mignonne, là-bas.

— T'occupe pas de ça, répond Philip. (Il entend la porte d'entrée grincer, des pas qui traversent le salon. Il est assailli par la panique et une envie meurtrière. Il sait que les prochaines secondes sont critiques, peut-être même une question de vie ou de mort. Mais il ne voit d'autre solution que de gagner du temps.) On veut pas répandre le sang, et je peux t'assurer que quoi qu'il arrive, ça sera le tien et le mien qui couleront en premier.

— Quel beau parleur. (L'homme appelle brusquement l'un de ses compagnons restés dehors.) Shorty ?

— Je l'ai, Tommy ! répond une voix.

Au même instant, Nick apparaît devant la fenêtre cassée, un couteau sous la gorge. Celui qui le retient prisonnier, un jeune type maigrichon avec des boutons et une coupe de cheveux de Marine, ouvre la porte et pousse Nick dans la cuisine.

— Désolé, Philly, dit Nick qui se retrouve plaqué contre le mur, si violemment qu'il en a le souffle coupé.

Une machette à la ceinture, le jeune continue de tenir Nick en respect avec son couteau. Agité, osseux, avec ses mitaines, il porte un blouson de camouflage aux manches arrachées et ses longs bras nus sont couverts de tatouages de taulard.

— Du calme, là, dit Philip au chauve. Il y a pas de raison de…

— Sonny ! appelle l'homme.

Au même instant, Philip entend grincer le parquet dans le salon. Il garde toujours son fusil pointé, mais il jette un bref coup d'œil par-dessus son épaule. Brian et Penny sont juste derrière lui. Et deux autres silhouettes viennent de faire leur apparition sur le seuil, faisant sursauter la petite.

— Je m'en occupe, Tommy, dit l'un d'eux en posant le canon d'un gros calibre – peut-être un Magnum .357 – sur la nuque de Brian, qui se raidit comme un animal pris au piège.

— Arrêtez, dit Philip.

Du coin de l'œil, il prend conscience que les deux individus qui tiennent en joue Brian et Penny sont en fait un homme et une femme – bien que le terme *femme* soit un peu vague en l'occurrence. La fille qui tient Penny par le col est une marionnette androgyne qui n'a que la peau sur les os, vêtue d'un pantalon en cuir et de couches superposées de t-shirts en résille, avec une tonne de mascara noir, des cheveux hérissés et le teint verdâtre d'une junkie. Elle tape nerveusement le canon d'un calibre .38 spécial de la police sur sa cuisse maigre.

Son compagnon – celui qui doit s'appeler Sonny – a l'air lui aussi d'un familier de la seringue. Décharné, il porte des vêtements de surplus militaire et ses yeux enfoncés dans leurs orbites brillent dans un masque d'ignorance et de cruauté.

— Faut que je te remercie, frangin, dit le chauve en glissant son 9 mm dans son étui de ceinture, comme si l'affrontement était officiellement terminé. Tu nous as dégoté un sacré coin. Bravo. (Il s'approche de l'évier et se sert un grand verre du pichet d'eau posé sur le côté.) Ça sera parfait comme camp de base.

— C'est très bien, répond Philip sans baisser son fusil. Sauf qu'on peut pas prendre plus de monde.

— Ça fait rien, mon gars.

— Alors qu'est-ce que vous comptez faire ? C'est quoi, vos intentions ?

— Nos *intentions* ? répète le chauve d'un ton moqueur. C'est de vous prendre la baraque.

Quelqu'un que Philip ne voit pas ricane, apparemment très amusé. Philip réfléchit rapidement. Il sait qu'il est probable que ces charognards aient l'intention de les tuer tous. Que ce sont des parasites et qu'ils doivent rôder dans les parages depuis des semaines comme des vautours. Finalement, Brian ne s'était pas trompé.

Philip entend d'autres personnes dehors – des voix, des brindilles qui craquent – et il fait un rapide calcul mental. Ils sont au moins six, peut-être plus, et ils ont au moins quatre véhicules. Chacun paraît lourdement armé, avec une abondance de munitions – il repère les chargeurs attachés aux ceintures –, mais la seule chose qui paraît leur manquer et sur laquelle Philip peut – peut-être – compter, c'est l'intelligence. Même le grand chauve, qui a l'air d'être le chef, a un regard bovin. Ce n'est pas la peine d'implorer leur pitié ou leur grandeur d'âme. Philip n'a qu'une seule chance de s'en sortir.

— Ça t'embête si je dis quelque chose ? demande-t-il. Avant que vous fassiez une connerie.

— Te gêne pas, l'ami, dit le chauve en levant son verre.

— Ça peut finir que de deux manières, c'est tout ce que je veux te faire comprendre.

Cela semble piquer la curiosité de l'homme, qui pose son verre et se tourne vers lui.

— Seulement deux ?

— Soit on se met à tirer et je peux te dire comment ça se termine.

— Fais donc.

— Ta bande aura le dessus et ce sera réglé, mais la seule chose dont je suis sûr – et là, je te promets que j'ai jamais été aussi sûr de ma vie.

— Et c'est quoi ?

— Quoi qu'il arrive, je sais que je pourrai tirer qu'un seul coup, et je veux pas te manquer de respect, mais je ferai tout ce qu'il faut pour que ça soit sur toi, au-dessus de la ceinture. Maintenant, est-ce que tu veux entendre l'autre solution ?

— Continue, dit le chauve, qui a perdu tout son sens de l'humour.

— L'autre solution, c'est de nous laisser partir sains et saufs. On vous laisse notre maison de bonne grâce, personne aura à payer de pots cassés et tu resteras intact.

Pendant un certain temps, tout se déroule d'une manière très ordonnée selon les ordres du chauve. Le couple de junkies – que Philip a mentalement baptisés Sonny et Cher – recule lentement, permettant à Brian de prendre Penny dans ses bras et de traverser le salon jusqu'à la porte.

Selon l'accord – si tant est qu'on puisse le qualifier de tel –, Philip et sa bande partent simplement à pied de la maison en laissant toutes leurs affaires, et c'est tout. Brian regarde Philip sortir de la maison, son fusil toujours levé. *Dieu soit loué pour cette saloperie d'antiquité*. Nick le suit. Ils retrouvent sur le seuil Brian qui sort avec Penny dans les bras, puis ils s'éloignent, sans cesser de mettre en joue les envahisseurs. Brian a juste le temps de percevoir le vent glacé, la pâle lueur de l'aube qui se lève derrière les vergers, les silhouettes de deux autres hommes armés de part et d'autre de la maison, les voitures aux phares toujours braqués sur la maison comme des projecteurs sur la scène d'un théâtre cauchemardesque.

— Les gars ! Laissez passer ! crie le chauve depuis la maison.

Les deux hommes, vêtus de treillis militaires et armés de fusils à canon scié regardent comme des oiseaux de proie Brian qui hisse Penny sur ses épaules.

— Restez groupés et suivez-moi, chuchote Philip. Ils vont vouloir nous tuer quand même. Faites juste ce que je dis.

Brian suit Philip, toujours torse nu, qui brandit son fusil comme un commando. Ils traversent la cour, passent devant l'un des hommes et se dirigent vers le verger de pêchers.

Il faut un temps interminable à Philip pour que tout le monde traverse la propriété et atteigne le verger le plus proche. En réalité, cela ne prend que quelques secondes, mais c'est une éternité pour Brian, car cette méthodique cession de propriété déraille totalement. Il entend des bruits inquiétants derrière lui alors qu'il se hâte vers les arbres. Il est toujours pieds nus et se blesse sur les cailloux et les ronces. Des voix furieuses puis des pas s'élèvent de la maison, et on s'agite sur le seuil.

Le premier coup de feu retentit lorsque Philip et son groupe plongent sous les arbres. La détonation déchire l'air et déchiquète une branche à vingt centimètres de l'épaule de Brian. Des fragments d'écorce jaillissent et Penny laisse échapper un cri. Philip pousse Brian plus avant sous le couvert des arbres.

— Cours ! ordonne-t-il. Cours, Brian ! Vite !

Les cinq minutes qui suivent se passent comme dans le tumulte flou d'un rêve pour Brian. Il entend d'autres coups de feu derrière lui et des balles siffler dans les feuillages tandis qu'il fonce entre les arbres que la faible lumière de l'aube n'atteint pas encore. Ses pieds nus le font de plus en plus souffrir et s'enfoncent dans le tapis visqueux de feuilles et de fruits pourris. Penny tressaute sur son dos, aussi paniquée que lui. Brian ne sait absolument pas jusqu'où il faut aller, dans quelle direction ni combien de temps. Il continue de s'enfoncer de plus en plus dans le verger.

Il a parcouru environ deux cents mètres quand il parvient à un arbre abattu et se réfugie derrière l'énorme tronc. Hors d'haleine, le cœur battant, il descend Penny de son perchoir et l'assoit à côté de lui dans les herbes.

— Reste baissée, ma chérie, chuchote-t-il. Et ne fais pas le moindre bruit. Comme une petite souris.

On s'agite de toutes parts dans le verger ; les coups de feu ont momentanément cessé et Brian risque un œil pardessus le tronc. Entre les troncs des pêchers, il voit une silhouette à une centaine de mètres qui vient vers lui. Il a eu le temps de s'habituer à la pénombre pour comprendre que c'est l'un des types qui montaient la garde devant la maison, son fusil au poing, prêt à tirer. D'autres se profilent derrière lui.

Brian s'aplatit derrière le tronc en pesant ses différentes options. S'il prend la fuite, ils l'entendront. S'il ne bouge pas, ils finiront par tomber sur lui. Et où sont Philip et Nick, bon sang ?

Au même instant, il entend des brindilles craquer : une ombre s'avance rapidement dans la direction du tueur. Brian redresse la tête et voit son frère qui file sous les arbres à une cinquantaine de mètres. Le ventre noué, Brian est saisi d'effroi. Nick apparaît de l'autre côté, une pierre de la taille d'un pamplemousse à la main. Il s'immobilise et la lance à une trentaine de mètres dans le verger. Elle cogne un arbre avec un tel fracas que le tueur sursaute, fait volte-face et tire à l'aveuglette dans la direction du bruit. Juste avant de se baisser à nouveau, Brian a le temps d'apercevoir une forme qui fond sur l'homme avant qu'il ait eu le temps de recharger. Philip surgit du feuillage en brandissant son fusil. La crosse s'abat sur la nuque de l'homme avec une telle violence qu'il en lâche son arme et s'écroule dans la mousse. Brian se détourne et couvre les yeux de Penny pendant que Philip achève l'homme avec quatre autres féroces coups de crosse sur le crâne.

L'équilibre des forces s'est subtilement modifié. Philip et Nick récupèrent également sur le cadavre un calibre .38, une poignée de cartouches et un chargeur. Brian, qui regarde la scène depuis sa cachette, entrevoit une lueur d'espoir. À présent, ils peuvent s'échapper. Tout recommencer. Survivre encore un peu. Mais quand Brian fait signe à ses compagnons et qu'ils viennent le rejoindre à sa cachette, l'expression de Philip le submerge de panique.

— Faut qu'on dégomme ces enfoirés, dit son frère. Jusqu'au dernier.

— Mais Philip, si on…

— On va reprendre cette baraque, elle est à nous et ils vont le payer.

— Mais…

— Écoute-moi, répond Philip avec un regard qui lui donne la chair de poule. Tu vas tenir Penny à l'écart du danger, quoi qu'il arrive. C'est pigé ?

— Oui, mais…

— C'est tout ce que tu as à faire.

— OK.

— Garde-la en sûreté. Regarde-moi. Tu t'en sens capable ?

— Oui, pas de problème, Philip. Je vais le faire. Mais ne va pas là-bas te faire tuer.

Sans répondre, le regard fixe, Philip glisse une cartouche dans le fusil à canon scié, puis il fait signe à Nick.

Peu après, les deux hommes se jettent dans l'action et disparaissent entre les arbres, laissant Brian dans les herbes, sans armes, pétrifié de terreur et d'incertitude, les pieds en sang. Philip lui a bien dit de ne pas bouger ? Quel était le plan ? Un coup de feu retentit. Brian sursaute. Un autre y répond et l'écho se répercute au-dessus des arbres. Brian serre les poings. Et il faudrait qu'il reste ici ? Il attire Penny contre lui alors qu'un autre coup de feu résonne, plus près, suivi d'un cri étranglé. Brian s'interroge fébrilement de nouveau. Des pas crissent vers sa cachette. Il risque un œil par-dessus le tronc et aperçoit l'horrible chauve avec son Glock qui zigzague rapidement entre les arbres dans sa direction, son visage couturé de cicatrices tordu par une grimace sanguinaire. Le corps recroquevillé du maigrichon qu'il appelait Shorty gît dans la boue à une trentaine de mètres au nord, le crâne à moitié explosé. Un autre coup de feu le force à se baisser, le cœur au bord des lèvres. Il ne sait pas si le chauve a été abattu ou si c'est lui qui vient de tirer.

— Viens, ma chérie, dit-il à Penny, pétrifiée, qui se couvre la tête. Il faut qu'on file d'ici. Il la sort des herbes et lui prend la main – c'est trop dangereux de la porter – pour l'entraîner loin des coups de feu.

Ils se faufilent dans l'ombre des arbres, entre les taillis, en évitant les sentiers qui les traversent. Brian a la plante des pieds presque anesthésiée par le froid. Il entend encore des voix derrière lui, des coups de feu épars, puis plus rien.

Pendant un long moment, il n'y a plus que le vent dans les branches, et peut-être des pas précipités de temps à autre, mais il n'en est pas sûr, tellement le sang bourdonne dans ses oreilles. Pourtant il continue d'avancer. Il parcourt encore une centaine de mètres avant de se tapir derrière une charrette à foin renversée.

— Ça va, ma chérie ? demande-t-il à Penny en reprenant son souffle.

L'enfant réussit à hocher la tête, mais elle a l'air terrorisée. Il l'inspecte sous toutes les coutures ; elle paraît indemne. Il essaie de la réconforter, mais l'effort et la panique le font tellement trembler qu'il n'est guère efficace. Soudain, il entend un bruit et se fige. Il se baisse et jette un coup d'œil entre les fentes de la charrette. À une cinquantaine de mètres, une silhouette est terrée dans un fossé. L'homme, grand et mince, porte un fusil à canon scié, et il est trop loin pour être reconnaissable.

— *Papa ?*

La voix de Penny fait sursauter Brian. Elle a tout juste chuchoté, mais cela pourrait les trahir tout de même. Brian lui met la main devant la bouche, puis il hausse la tête par-dessus la charrette. Il aperçoit la silhouette qui sort du fossé. Malheureusement, ce n'est pas le père de la petite.

Le coup de feu emporte la moitié de la charrette et Brian est projeté à terre dans une pluie de poussière et de débris. Il cherche l'enfant à tâtons et réussit à empoigner son t-shirt et à l'entraîner plus loin dans les arbres. Il rampe sur plusieurs mètres en traînant Penny, mais quelque chose cloche. La petite est inerte, comme si elle s'était évanouie.

Brian entend le crissement de pas derrière lui, puis le déclic du fusil à pompe du tueur qui s'apprête à leur régler leur compte. Il hisse Penny sur son épaule et clopine comme il peut vers les arbres, pour se rendre rapidement compte qu'il est couvert de sang. Du sang qui coule sur le devant de sa chemise.

— Oh, mon Dieu, non, pas ça.

Il dépose Penny sur le sol. Son visage exsangue est blême comme un linge. Ses yeux vitreux fixent le ciel et, dans un hoquet, elle laisse échapper un filet de sang au coin de sa bouche.

Brian n'entend plus le tueur qui s'avance vers lui ni le bruit de la cartouche qu'on charge. Le petit t-shirt en coton est trempé de sang et l'impact de la balle fait une quinzaine de centimètres de diamètre. Des plombs de chasse tirés par un fusil à pompe peuvent pénétrer l'acier et il semble bien que l'enfant a été transpercée du dos au ventre. Le tueur se rapproche. Brian soulève l'étoffe et pousse un long gémissement. Sa main ne suffit pas à arrêter l'hémorragie. Il arrache un morceau de sa chemise et essaie de colmater la plaie béante, mais il y a du sang partout, à présent.

— Ça va, ça va, ne t'inquiète pas, bafouille-t-il tandis que le tueur n'est plus qu'à quelques pas. On va te soigner, tout ira bien…

— ... *Loin*… murmure faiblement l'enfant.

— Non, Penny, non ! Ne fais pas ça ! Ne t'en va pas, reste avec moi !

Au même instant, Brian entend une branche craquer juste derrière lui. Une ombre se dessine sur Penny.

— Putain de merde, grasseye une voix derrière lui tandis que l'acier froid d'une arme se plaque sur sa nuque. Regarde-la bien. (Brian se retourne et lève les yeux vers le tueur, un gros barbu tatoué qui braque son fusil sur son visage.) Regarde-la bien, répète l'homme. C'est la dernière chose que tu verras.

Brian laisse sa main sur la blessure de Penny, mais il sait qu'il est trop tard. Elle ne s'en sortira pas. À présent, Brian est prêt. Prêt à mourir.

La détonation retentit comme dans un rêve, comme s'il était brusquement sorti de son corps et planait au-dessus du verger, et qu'il contemplait la scène du point de vue d'un esprit désincarné. Mais presque immédiatement, Brian – qui s'est instinctivement jeté en avant au moment du coup de feu – recule. Ses bras et Penny sont recouverts de sang. L'impact de la décharge à bout portant a-t-il été si violent qu'il n'a rien senti ? Brian est-il déjà mort sans s'en rendre compte ? L'ombre du tueur continue de tomber, presque au ralenti, comme un vieux séquoia qui finit par rendre l'âme.

Brian se retourne et voit que le barbu a pris une balle par-derrière, et que la moitié de son crâne n'est plus qu'une bouillie rouge qui ruisselle sur sa barbe. Les yeux révulsés, il s'effondre. Comme un rideau qui s'ouvre, dans sa chute, l'homme découvre deux silhouettes derrière lui.

— Nom de Dieu, non ! s'exclame Philip en jetant son fusil encore fumant et en se précipitant vers Brian et Penny à travers les arbres, suivi de Nick. Non ! Non ! répète-t-il en l'écartant.

Il tombe à genoux à côté de l'enfant mourante qui suffoque, noyée dans son sang. Il la soulève dans ses bras et touche la blessure comme si ce n'était qu'un bobo, une égratignure, une petite bosse, puis il l'étreint.

Brian est affalé sur le sol à quelques mètres, sous le choc. Nick s'est approché.

— On peut arrêter l'hémorragie, hein ? dit-il. On peut la soigner ?

Philip serre contre lui le petit corps ensanglanté. Penny expire dans ses bras dans un faible râle rauque, son petit visage blanc et froid comme de la porcelaine. Philip la secoue.

— Allons, ma puce… Reste avec moi… Reste avec moi… Ma puce. Ma puce ?

Un silence terrible s'abat sur le verger.

— Mon Dieu, murmure Nick en baissant la tête.

Pendant un long, très long moment, Philip garde l'enfant sur sa poitrine tandis que Nick fixe le sol en priant silencieusement. Pendant ce temps, Brian, toujours allongé par terre, pleure dans les feuilles en murmurant tout seul :

— J'ai essayé… Ça s'est passé si vite… Je pouvais pas… J'étais… J'arrive pas à le croire… Je… Penny était…

Brusquement, une grosse main noueuse l'agrippe par l'arrière de sa chemise.

— Qu'est-ce que j'avais dit ? gronde Philip d'une voix rauque en soulevant sans ménagement son frère et en le plaquant contre un arbre.

Brian retombe, inerte.

— Non, Philly ! s'écrie Nick.

Il essaie de s'interposer, mais Philip, une main toujours à la gorge de son frère, repousse si brutalement Nick qu'il tombe à la renverse.

— Qu'est-ce que j'avais dit ? répète Philip en le cognant contre le tronc.

Le choc irradie le dos de Brian, mais il ne fait aucun effort pour se défendre ou s'enfuir. Il a envie de mourir. De mourir des mains de son frère.

— *Qu'est-ce que j'avais dit ?*

Philip soulève Brian et le jette violemment sur le sol, lui brisant une épaule et lui entaillant la moitié du visage, puis c'est une avalanche de coups de pieds qui le font rouler. Le bout coqué d'acier de la botte lui brise la mâchoire. Un autre coup lui fracture trois côtes et l'aveugle d'une douleur fulgurante. Puis un autre dans le dos lui déplace des vertèbres et lui perfore presque un rein. Et d'autres coups pleuvent ; au bout d'un moment, Brian ne sent plus la douleur, il ne peut que la subir et la contempler au-dessus de son corps mutilé, alors qu'il s'abandonne aux coups comme un suppliant se livre au grand prêtre.

19

Le lendemain, Philip passe une heure dans la cabane à outils derrière la maison pour trier la collection d'armes qu'il a prises aux envahisseurs ainsi que tous les outils tranchants laissés par les précédents occupants. Il sait ce qu'il a à faire, mais choisir le mode d'exécution est insoutenable. D'abord, il opte pour le semi-automatique 9 mm, qui sera le plus rapide et le plus propre. Mais ensuite, il hésite à utiliser une arme à feu. D'une certaine manière, cela lui paraît injuste. Trop froid et impersonnel. Il ne peut pas davantage se résoudre à recourir à la hache ou la machette. Trop imprécis. Et s'il manque son coup d'un centimètre et que cela finit en boucherie ?

Il se rabat donc sur le Glock 9 mm, glisse un nouveau chargeur et rabat le chien. Il prend une profonde inspiration, puis il s'apprête à sortir. Il s'arrête et se prépare. Des grattements se font entendre sporadiquement sur les parois. Les environs de la maison bourdonnent de la rumeur des Bouffeurs, attirés par dizaines par les échanges de coups de feu de la veille. Philip ouvre la porte d'un coup de pied. Le battant cogne une zombie entre deux âges en robe à fleurs souillée venue renifler autour de la cabane. Sous le choc, elle tombe à la renverse en battant des ailes, tandis qu'un geignement s'élève de son visage décomposé. Philip passe à côté d'elle, lève nonchalamment son Glock et, sans ralentir, lui loge une balle dans le crâne.

La femme est secouée de soubresauts, puis elle retombe sur le sol dans une mare de sang.

Philip passe derrière la maison et abat deux Bouffeurs égarés. L'un est un vieil homme seulement vêtu d'un caleçon jauni, peut-être échappé d'une maison de retraite. L'autre est probablement un ancien cultivateur, car son corps noirci et gonflé porte encore une salopette. Philip les abat sans faire d'excès – une balle chacun – en notant qu'il faudra évacuer les restes dans la journée avec l'accessoire chasse-neige de la tondeuse à gazon.

Presque une journée a passé depuis que Penny est morte dans ses bras et, à présent, une aube nouvelle se lève, limpide et bleue dans le ciel d'automne sans nuages. Il a fallu presque vingt-quatre heures à Philip pour rassembler son courage et se résoudre à faire cela. À présent, il entre dans le verger en tenant le revolver d'une main moite. Il lui reste cinq balles dans le barillet.

Dans les ombres du verger, une silhouette se tortille et gémit auprès d'un arbre. Ligoté avec de la corde et du Gaffer, le prisonnier se débat inutilement. Philip s'approche et lève son arme. Il braque le canon du revolver entre les deux yeux et se répète qu'il faut en finir rapidement : *percer l'abcès, enlever le mal, faire le travail.*

L'arme tremble dans sa main, son doigt se fige sur la détente et il laisse échapper un soupir douloureux.

— Je peux pas, murmure-t-il.

Il baisse son arme et regarde sa fille. À deux mètres de lui, ligotée à l'arbre, Penny hurle avec la férocité avide d'un chien enragé. Son petit visage de poupée de porcelaine s'est fripé et décoloré comme une courge pourrie, ses yeux d'enfant sont devenus de minuscules boutons couleur de plomb et ses petites lèvres innocentes, maintenant noircies, se retroussent sur des dents jaunes. Elle ne reconnaît pas son père.

C'est cela qui arrache le cœur de Philip. Il ne peut s'empêcher de se rappeler le regard de Penny chaque fois qu'il allait la chercher à la crèche ou chez sa tante Nina à la fin d'une longue et rude journée de travail. Son regard qui s'éclairait, rempli d'enthousiasme et d'amour, ses grands yeux bruns lui donnaient la force de continuer. À présent, cette étincelle s'est éteinte pour toujours, enfouie sous la taie grise des zombies. Philip sait ce qu'il a à faire. Penny gronde. Les yeux de Philip se remplissent de larmes.

— Je peux pas, murmure-t-il à nouveau en baissant la tête.

La voir ainsi le rend fou de douleur et de rage. Il entend la voix : *Fends le monde en deux, éventre-le, arrache-lui sa saloperie de cœur... Maintenant.*

Tremblant de fureur, il recule et fuit l'horreur dans le verger.

La propriété qui baigne à présent dans la lumière matinale de l'automne est en forme de demi-lune, avec la maison en son centre. Des dépendances se dressent sur le pourtour circulaire : la remise pour les attelages, un petit appentis pour la tondeuse et le tracteur, un autre pour les outils, une maison d'amis surélevée et une vaste grange en planches délavées par le soleil et les intempéries, surmontée d'un dôme et d'une énorme girouette. C'est vers elle que se dirige à présent Philip. Il a besoin d'évacuer le poison qui court dans ses veines. De se soulager.

Il soulève la grosse barre de bois qui ferme la double porte et l'ouvre. Dans la lumière, des poussières voltigent. Philip entre et referme les portes. L'endroit sent la pisse de cheval et la paille moisie.

Deux autres silhouettes se contorsionnent dans un coin, en proie à leur propre tourment, attachées et bâillonnées : *Sonny et Cher*.

Adossé à la porte d'une stalle vide, le couple s'agite sur le sol, comme sous l'emprise du manque. Peu importe à Philip qu'il s'agisse de crack ou d'héroïne. La seule chose qui compte à présent, c'est que ces deux-là n'imaginent même pas quel cauchemar la vie va être pour eux. La fille est agitée de spasmes et son maquillage a coulé avec ses larmes. L'homme respire bruyamment. Debout dans un étroit rayon de lumière où dansent des poussières, Philip les regarde comme un dieu en colère.

— Toi, dit-il à Sonny. Je vais te poser une question… Je sais que c'est dur de répondre quand on a la tête attachée et qu'on est bâillonné, alors tu vas juste cligner des yeux. Une fois pour oui, deux pour non.

L'homme le regarde avec ses yeux rougis. Il cligne une fois.

— Tu aimes bien regarder ?

Deux fois.

Philip baisse la main vers sa ceinture et entreprend de la défaire.

— C'est bête, parce que je vais te faire un sacré numéro.

Deux fois.

Deux fois encore.

Deux fois. Deux fois. Deux fois.

— Doucement, pas si vite, dit Nick à Brian le lendemain soir dans le salon à l'étage. (À la lumière des lampes à kérosène, Nick l'aide à boire de l'eau avec une paille. Il a encore les lèvres enflées et il se bave dessus. Nick fait tout ce qu'il peut pour qu'il se remette, et le faire manger est capital.) Essaie encore quelques cuillerées de soupe aux légumes, lui propose-t-il.

— Merci, Nick, répond Brian d'une voix étranglée et douloureuse après avoir mangé un peu. Merci pour tout.

Il a du mal à articuler correctement. Les mots sortent par saccades. Allongé dans un lit, il a les côtes enveloppées de linges, des pansements sur le visage et le cou, l'œil gauche gonflé et violacé. Sa hanche a l'air mal en point, mais ils ne sont pas sûrs.

— Tu vas te remettre, mec, dit Nick. Ton frère, c'est une autre histoire.

— Comment ça ?

— Il a perdu la tête.

— Il en a vu de toutes les couleurs.

— Comment tu peux dire ça ? soupire Nick. Regarde ce qu'il t'a fait. Et dis pas que c'est à cause de Penny. On a tous perdu des gens qu'on aime. Il a failli te tuer.

Brian regarde ses pieds meurtris qui dépassent des couvertures.

— Je mérite tout ce qu'il m'a fait, parvient-il péniblement à répondre.

— Dis pas ça ! C'était pas ta faute. Là, ton frère a basculé. Il m'inquiète vraiment.

— Il se remettra, dit Brian. Qu'est-ce que tu as ? Quelque chose te tracasse.

Nick respire un bon coup en se demandant s'il devrait se confier à Brian. Les frères Blake ont toujours eu une relation difficile et avec les années, Nick a souvent eu l'impression que c'était *lui* que Philip Blake considérait comme son frère et non pas Brian. Mais il y a toujours eu une inconnue dans l'équation des Blake, un lien du sang plus profond.

— Je sais que tu es pas vraiment du genre croyant. Que tu me prends pour un cul-bénit.

— Pas du tout, Nick.

— Pas grave… Ma foi est inébranlable et je juge pas un homme à sa religion.

— Où tu veux en venir ?

— Il la garde en vie, Brian… enfin, je suis pas sûr que ça soit le bon terme, *en vie*.

— Penny ?

— Il est avec elle, en ce moment.

— Où ça ?

Nick lui explique ce qui se passe depuis les deux jours qui ont suivi la bataille. Pendant que Brian se remettait de sa dérouillée, Philip était occupé. Il garde deux des envahisseurs – ceux qui ont survécu – enfermés dans la grange. Il prétend qu'il veut les interroger sur d'autres colonies de survivants. Nick a peur qu'il les torture. Mais c'est le cadet de leurs soucis. Le sort de Penny Blake l'inquiète bien plus.

— Il l'a enchaînée à un arbre comme un chien, explique-t-il. Dans le verger. Il y va la nuit. Il passe du temps avec elle.

— Mon Dieu.

— Écoute, je sais que tu considères ça comme des conneries, mais selon mon éducation, dans l'univers, il y a une force qui s'appelle le Bien et une autre qui s'appelle le Mal.

— Nick, je crois pas que…

— Attends. Laisse-moi finir. Je crois que tout ça – la peste ou appelle ça comme ça te chante –, c'est l'œuvre de ce qu'on appellerait Dieu ou Satan.

— Nick…

— Laisse-moi finir. J'ai pas mal réfléchi.

— Vas-y, j'écoute.

— C'est quoi, ce que Satan déteste le plus ? La force de l'amour ? Peut-être. Que quelqu'un renaisse ? Oui, sûrement. Mais je crois que c'est quand quelqu'un meurt et que son âme s'envole au paradis.

— Je te suis pas.

Nick plonge son regard dans celui de Brian.

— C'est ce qui se passe, là. Le Diable a trouvé le moyen de garder les âmes des gens prisonnières sur la terre.

Un moment passe, le temps que Brian digère cela. Nick n'imagine pas qu'il va croire ce qu'il raconte, mais peut-être qu'il comprendra.

Dans le silence, le vent siffle dans les volets. Le temps se couvre. La villa gémit et grince. Nick relève le col de son pull qui empeste la naphtaline – il y a quelques jours, ils ont trouvé des vêtements dans le grenier – et frissonne dans l'air glacé.

— Ce que fait ton frère, c'est mal, ça va à l'encontre de Dieu, dit-il finalement.

Et la phrase reste en suspens dans la pénombre.

Au même moment, dans l'obscurité du verger, un petit feu crépite sur le sol. Philip est assis devant, son fusil à côté de lui, un petit livre moisi qu'il a trouvé dans la maison ouvert sur ses genoux.

— « Laisse-moi entrer, laisse-moi entrer », chantonne-t-il laborieusement. « Sinon, je vais souffler et souffler et ta maison va s'envoler ! »

À un mètre de lui, Penny Blake gronde et bave à chaque mot en claquant vainement des mâchoires.

— « Non, Non ! Par le poil de mon menton ! » poursuit Philip en tournant la page.

Il s'interrompt et lève les yeux vers la créature qui a autrefois été sa fille.

À la lueur des flammes, le petit visage de Penny se convulse d'une fureur avide, ridé et enflé comme un potiron. Retenue à hauteur du ventre par du fil de fer barbelé, elle s'arc-boute contre le tronc et tend ses petites mains pour griffer le vide, cherchant à se libérer pour se repaître de son père.

— « Mais bien sûr », continue Philip d'une voix étranglée, « le loup souffla de toutes ses forces, et la maison de paille s'envola ». (Il s'interrompt, puis il termine d'une voix brisée par le chagrin et la folie :) « Et le loup dévora le petit cochon. »

Durant le reste de la semaine, le sommeil ne vient pas facilement à Philip. Il essaie de dormir quelques heures chaque nuit, mais il est trop agité et à force de se retourner, il finit par être obligé de se lever et de s'occuper. La plupart du temps, il se rend dans la grange et passe sa colère sur Sonny et Cher. Ils sont la raison la plus évidente de la transformation de Penny et il revient à Philip de les faire souffrir comme personne n'a jamais souffert. Ce n'est pas très facile de les garder en vie. De temps en temps, Philip doit leur donner de l'eau pour s'assurer qu'ils ne lui claquent pas entre les mains. Il doit aussi veiller à ce qu'ils ne s'entretuent pas pour mettre fin à leur supplice. Et en bon geôlier, Philip serre bien leurs liens et éloigne tout objet coupant.

Cette nuit-là – un vendredi, lui semble-t-il –, il attend que Brian et Nick soient endormis pour sortir de sa chambre, enfiler son blouson et ses bottes, puis gagner la grange. Il aime annoncer son arrivée.

— Papa est rentré, murmure-t-il aimablement en ouvrant la double porte et en allumant sa lanterne sur batterie.

Sonny et Cher sont affalés dans la pénombre, là où il les a laissés. Les deux pauvres créatures sont ligotées comme des cochons de lait, côte à côte, dans une mare de sang, de pisse et de merde. Sonny est à peine éveillé, la tête ballante sur le côté, ses lourdes paupières de junkie rougies et mi-closes. Cher est dans les vapes. Elle est allongée à côté de lui, son pantalon de cuir encore au bas de ses jambes, mais elle a réussi à remonter sa petite culotte ensanglantée.

L'un et l'autre portent les marques infectées des châtiments de Philip – pinces, barbelés, planches où sont enfoncés des clous rouillés, et tout objet contondant qui lui tombe sous la main dans le feu de l'action.

— Réveille-toi, poupée ! dit Philip.

Il retourne sur le dos la fille qui a les poignets meurtris par ses liens et qui ne peut guère bouger avec la corde qu'elle a au cou. Il la gifle. Elle papillonne des paupières. Il la gifle de plus belle. Elle reprend conscience en pleurnichant, la voix étouffée par le Gaffer.

— Je vais te le rappeler encore une fois, reprend Philip en baissant la petite culotte jusqu'aux genoux. (Il se dresse devant elle en lui écartant les cuisses avec les pieds comme pour se frayer un chemin. Elle se tortille et gigote vainement.) C'est vous qui m'avez pris ma gosse. Alors on va aller en enfer ensemble !

Philip déboucle sa ceinture, baisse son pantalon et s'agenouille entre les cuisses de la femme. Sa fureur est telle qu'elle suffit à l'exciter. À chaque fois, quand il viole cette femme inerte, lui reviennent des fragments des sottises bibliques que marmonnait son père quand il était saoul : *La vengeance est mienne, la vengeance est mienne, dit le Seigneur !* Mais ce soir, Philip s'interrompt.

Plusieurs choses le déconcentrent. Il entend des pas à l'extérieur à l'arrière de la propriété, et il distingue même entre les planches l'ombre d'une silhouette qui passe devant la grange. Mais ce qui le force à se retirer et se rhabiller précipitamment, c'est que la silhouette se dirige vers le verger. Vers l'endroit où se trouve Penny.

Philip quitte la grange et aperçoit immédiatement la silhouette qui s'enfonce dans la pénombre du verger. C'est un homme râblé, la trentaine, en pull et jean, qui porte une grosse pelle rouillée sur l'épaule.

— Nick !

Philip a crié en vain : Nick a déjà disparu sous les arbres. Tirant son 9 mm de sa ceinture, Philip court vers le verger et arme le pistolet. L'obscurité est trouée par le faisceau d'une torche.

À une douzaine de mètres, Nick éclaire le visage marbré de Penny.

— Nick !

Nick fait brusquement volte-face en levant sa pelle et lâche sa torche.

— C'est allé trop loin, Philip, trop loin.

— Pose cette pelle, répond Philip en s'avançant l'arme au poing.

La torche éclaire les feuilles, projetant une pâle lumière irréelle sur la scène, comme dans un vieux film en noir et blanc.

— Tu peux pas faire ça à ta fille, tu te rends pas compte.

— Pose-la.

— Tu empêches son âme d'entrer au paradis, Philly.

— Ferme-la !

Derrière eux, dans la pénombre, la créature qui a été Penny s'arc-boute contre ses liens. Le faisceau de la torche éclaire son visage monstrueux par en dessous et se reflète dans ses yeux vides.

— Philly, écoute-moi, dit Nick en reposant la pelle. Faut que tu la laisses mourir… C'est un des enfants de Dieu. S'il te plaît… Je t'en supplie en chrétien… laisse-la mourir.

— Si elle meurt, répond Philip en visant le front de Nick, tu seras le suivant.

Un instant, Nick est absolument effondré. Puis il ramasse la pelle et, la tête basse, retourne vers la maison.

Pendant tout ce temps, le monstre n'a cessé de fixer l'homme qu'il appelait naguère son père.

Brian se remet progressivement. Six jours après les coups, il se sent assez bien pour se lever et clopiner dans la maison. Sa hanche le lance à chaque pas, et il a des vertiges dès qu'il monte ou descend l'escalier, mais d'une manière générale, il s'en sort bien. Ses bleus se sont estompés, les gonflements ont diminué, et il sent son appétit revenir. Il a une bonne discussion avec Philip.

— Elle me manque horriblement, dit-il à son frère une nuit où leur insomnie les a réunis dans la cuisine. J'échangerais ma place avec elle si ça pouvait te la rendre.

Philip baisse les yeux. Depuis quelque temps, il est accablé de petits tics qui apparaissent quand il est tendu – il renifle, fait la moue, se racle la gorge.

— Je sais, vieux. C'est pas ta faute, ce qui s'est passé. Jamais j'aurais dû te faire ça.

— J'aurais probablement réagi comme toi, rétorque Brian, ému.

— Considérons que c'est du passé.

— D'accord. Alors, c'est quoi ces gens dans la grange ?

— C'est-à-dire ?

— Tout ça, ça met Nick sur les nerfs... Et on entend des bruits, là-bas... la nuit. Nick s'imagine que tu... tu leur arraches les ongles.

— C'est malsain, comme idée, répond Philip avec un petit sourire.

Brian, lui, ne sourit pas.

— Philip, je sais pas ce que tu fais là-bas, mais ça ramènera pas Penny.

— Je sais bien, répond Philip en baissant la tête. Tu crois que je le sais pas ?

— Alors je te supplie d'arrêter. Ce que tu fais... Ça sert à rien.

— Ces saloperies dans la grange, réplique Philip, le regard brillant, ils m'ont volé ce que j'avais de plus cher... Cet enfoiré de chauve et sa bande... Ces deux junkies... Ils ont pris la vie d'une belle petite fille innocente et ils ont fait ça simplement par cupidité et par cruauté. Rien de ce que je pourrais leur faire ne suffirait. (Brian soupire. Il comprend qu'il est inutile d'insister et fixe son café.) Et tu te trompes, ça sert à quelque chose, conclut Philip après un instant de réflexion. C'est grâce à ça que je me sens mieux.

La nuit suivante, alors que les lampes sont éteintes, que les feux des trois cheminées se meurent et que le vent commence à siffler dans les volets et les bardeaux,

Brian, couché, essaie de s'endormir quand il entend sa porte s'ouvrir et voit Nick se glisser dans sa chambre. Il se redresse.

— Qu'est-ce qui se passe ?

— Chut, répond Nick en s'approchant du lit, avec un blouson, des gants et une bosse sur la hanche qui ressemble à une arme. Baisse d'un ton.

— Qu'est-ce qu'il y a ?

— Ton frère dort… enfin.

— Et alors ?

— Alors il faut qu'on… qu'on intervienne.

— De quoi tu parles ? De Penny ? Tu veux encore essayer de la tuer ?

— Non, mec, la grange ! La grange !

Brian s'assied sur le bord du lit en se frottant les yeux et en étirant ses membres endoloris.

— Je sais pas si je suis d'attaque.

Ils sortent discrètement par-derrière, chacun armé d'un revolver. Nick a le .357 du chauve et Brian celui de l'un de ses hommes. Ils traversent furtivement la cour vers la grange, soulèvent la barre et entrent sans faire un bruit, le cœur battant. L'odeur infecte de moisissure et d'urine leur monte à la gorge tandis qu'ils avancent vers le fond du bâtiment, où deux formes sombres gisent sur le sol dans des flaques de sang noirâtre. Elles ont à peine l'air humain, et lorsque le faisceau de la torche de Brian tombe sur un visage blafard, il étouffe un cri.

— Nom de Dieu.

L'homme et la femme sont encore en vie, tout juste, malgré leurs visages défigurés et tuméfiés et leurs ventres exposés comme de la viande sur un étal de boucherie. De la vapeur s'élève de leurs blessures infectées. Les deux captifs sont à demi conscients, les yeux fixés vers les poutres du toit. La femme a été violentée et ce n'est plus qu'une poupée désarticulée et ensanglantée.

— Bon Dieu, tremble Brian, qu'est-ce qu'on a… ? *Nom de Dieu…*

— Trouve-moi de l'eau au puits, dit Nick en s'accroupissant près de la femme.

Brian lui confie la torche et retourne sur ses pas. Nick balaie du faisceau de sa torche les innombrables blessures, certaines anciennes et purulentes, d'autres plus récentes dont sont couverts les deux prisonniers. L'homme a une respiration rapide et saccadée. La femme a du mal à fixer son regard sur Nick. Ses lèvres bougent sous le Gaffer. Nick le lui décolle lentement.

— Piii…ééé… Uuuééé…

Elle essaie de lui dire quelque chose mais Nick ne comprend pas.

— Vous inquiétez pas, on va vous sortir d'ici, ça ira.

— Uuuééé…

— Tu as froid ? Respire calmement, dit Nick en essayant de remonter son pantalon.

— Uuuééé…

— Quoi ? Je ne…

La femme essaie de déglutir, puis elle finit par articuler :

— Piiitiééé… T-uueeez-nous…

Nick reste paralysé. Puis il sent quelque chose qui touche sa hanche et il voit la main sanguinolente de la femme qui tripote la crosse de son pistolet. Son cœur se serre. Il sort le .357, se relève et regarde une dernière fois cette abomination dans la grange. Puis il prononce une prière : le psaume XXIII.

Brian est en train de rapporter un seau en plastique rempli d'eau quand il entend les deux détonations étouffées dans la grange. Brèves et sèches, comme des pétards dans une boîte de conserve. Il s'immobilise aussitôt, renversant un peu d'eau. Il reprend son souffle. Puis il aperçoit, du coin de l'œil, une faible lumière s'allumer dans l'une des chambres de l'étage : celle de Philip. Une torche apparaît brièvement à la fenêtre puis disparaît. Des pas dévalent l'escalier et traversent la maison, et Brian retrouve ses esprits.

Il lâche son seau, court vers la grange, franchit la porte et, dans le faisceau argenté de la torche posée au fond par terre, il voit Nick penché sur les captifs. Un ruban de fumée s'élève du canon du .357. Brian le rejoint et reste coi devant le spectacle : des fleurs de sang ruissellent sur la porte de la stalle. L'homme et la femme sont morts d'une balle en pleine tête et leurs visages sont apaisés, délivrés de leurs souffrances. Brian essaie de dire quelque chose. Mais il est incapable de parler.

Un instant plus tard, la double porte s'ouvre en grand et Philip se rue à l'intérieur, les poings serrés, le visage crispé de fureur, les yeux flamboyants. Avec son pistolet d'un côté et sa machette de l'autre, il a l'air prêt à anéantir tout le monde. Il est arrivé au milieu de la grange quand il ralentit le pas.

Nick s'est retourné et le regarde approcher. Brian recule un peu et baisse la tête, submergé par la honte, tandis que son frère s'approche avec circonspection, jetant des regards tour à tour vers Nick et Brian et vers les cadavres.

Un long moment, personne ne dit rien. Philip garde les yeux fixés sur Brian, qui essaie vainement de dissimuler sa honte. Si seulement il en avait le courage, il s'enfoncerait le canon de son arme dans la bouche et mettrait fin à ses tourments. Étrangement, il se sent responsable de ce qui est arrivé, mais il est trop lâche pour se supprimer comme un homme et reste là, humilié et accablé de honte. Et comme dans une réaction en chaîne, devant le pitoyable tableau des cadavres profanés et le silence de son frère et de son ami, Philip commence à perdre pied. Il réprime les larmes qui lui montent aux yeux et son menton tremble. On dirait qu'il s'apprête à déclarer quelque chose qui lui coûte beaucoup, mais il parvient seulement à articuler :

— Rien à foutre.

— *Rien à foutre ?* répète Nick, mortifié et incrédule.

Philip tourne les talons en sortant le Glock de sa ceinture et tire avec rage trois balles sur les parois de la grange. Les détonations assourdissantes se répercutent dans le bâtiment et des débris de bois tombent en pluie sur le sol. Puis il ouvre la porte d'un coup de pied et sort.

Le silence semble encore résonner de la colère de Philip. Durant tout ce temps, Brian a gardé les yeux baissés et il continue de fixer la paille moisie. Nick jette un dernier regard aux cadavres, puis il pousse un long et douloureux soupir en secouant la tête.

— Ça y est, dit-il d'un ton qui fait comprendre à Brian que la situation a désormais irrévocablement changé dans leur petite famille.

20

— Qu'est-ce qu'il fiche ? s'interroge Nick en regardant la cour depuis la fenêtre du salon.

De l'autre côté, en haut de l'allée, Philip tient Penny au bout d'une laisse bricolée avec ce qu'il a trouvé dans la cabane à outils : un long tuyau en cuivre terminé par un collier hérissé de pointes. Il la traîne vers un pickup garé dans l'herbe, l'un des véhicules de la bande du chauve, qu'il a chargé de conserves, armes, provisions et couchage. Penny crachote et gronde en se débattant au bout de la laisse et en mordant dans le vide. Dans la lumière diffuse du matin, son visage ressemble à un masque d'Halloween sculpté dans de l'argile grise.

— C'est ce que j'essayais de te dire, répond Brian en contemplant l'étrange scène. Il s'est levé ce matin, convaincu qu'on ne pouvait plus rester ici.

— Et pourquoi ?

— Aucune idée… Après tout ce qui s'est passé… Sans doute que l'endroit est empoisonné, pour lui, rempli de fantômes… J'en sais rien.

Brian et Nick n'ont pas dormi de la nuit et discuté de la situation en buvant du café. Nick estime que Philip a perdu la tête, qu'il a succombé au stress de la mort de Penny et de son rôle de protecteur. Bien qu'il ne l'ait pas explicitement dit, pour Nick, le Diable s'est emparé de Philip. Brian est trop épuisé pour débattre de métaphysique avec lui, mais il ne peut nier que leur existence est devenue difficile.

— Il a qu'à partir, conclut finalement Nick en se détournant de la fenêtre.

— Comment ça ? Tu veux dire qu'on va rester ?

— Oui, moi je reste. Et tu devrais faire pareil.

— Enfin, Nick…

— Comment on peut continuer à le suivre… après toutes ces conneries qu'il a faites ?

— Écoute, je vais te le répéter encore une fois. Ce qu'il a fait à ces gens c'est… *au-delà de l'horreur*. Il a perdu la tête. Et je suis pas sûr de pouvoir le regarder de la même façon. Mais c'est une question de survie, là. On peut pas se séparer. La meilleure solution pour nous, c'est de rester ensemble quoi qu'il arrive.

— Tu crois vraiment qu'on va arriver jusqu'à la côte ? demande Nick en jetant un coup d'œil par la fenêtre. Ça fait six cent cinquante kilomètres et des brouettes, quand même.

— La meilleure solution c'est d'essayer ensemble.

— Il a sa fille morte au bout d'une laisse. Il a failli te laisser pour mort quand il t'a tabassé. Il est devenu incontrôlable, Brian, il va nous péter dans les mains.

— Incontrôlable, mais c'est lui qui nous a emmenés de Waynesboro à l'autre bout de la Géorgie en un seul morceau, s'irrite Brian. D'accord, il est dingue, il est imprévisible, il est la proie des démons, c'est un foutu prince des ténèbres… Mais c'est toujours mon frère et c'est notre meilleure chance de survie.

— C'est comme ça que tu dis, maintenant ? Survie ?

— Si tu veux rester ici, te gêne pas pour moi.

— Merci, c'est ce que je vais faire.

Et Nick plante là Brian, qui continue d'observer par la fenêtre les allées et venues de son frère.

Avec un tuyau de radiateur, ils siphonnent tout le carburant qu'ils trouvent sur place – dans les tracteurs, les voitures et les motos – dans le réservoir du pickup. Au final, ils récupèrent presque soixante-dix litres. Philip aménage sur la benne un coin pour Penny garni de couvertures et entouré de cartons. Puis il attache sa chaîne pour l'empêcher de tomber ou de faire une sottise.

Depuis sa chambre à l'étage, Nick observe ces préparatifs avec inquiétude. Il commence à entrevoir la réalité de la situation. Il va se retrouver tout seul dans cette grande maison ouverte à tous les vents. La nuit. Durant tout l'hiver. Il entendra le vent du nord siffler dans les gouttières et les Bouffeurs gémir et errer dans les vergers… Et il sera tout seul. Quand il se réveillera, pendant les repas, quand il partira en quête de nourriture, qu'il rêvera de jours meilleurs et priera Dieu de le délivrer… Il sera tout seul. En voyant Philip et Brian mettre la dernière main à leur équipage, il a un pincement de cœur. Il court à son placard et il ne lui faut que quelques secondes pour fourrer toutes ses affaires dans un sac, quitter sa chambre et dévaler l'escalier.

Brian vient de s'installer dans la voiture et Philip de démarrer quand ils entendent la porte claquer. Brian se retourne et voit Nick avec un sac en bandoulière qui court vers eux en faisant de grands signes.

C'est difficile de croire que Philip a négligé de regarder sous le capot du pickup. Il lui aurait suffi de trois minutes pour vérifier si tout était en ordre et il aurait repéré le tuyau percé. Mais Philip Blake n'est pas à cent pour cent de ses capacités, ces jours-ci. Il a l'esprit occupé par tout un tas de choses différentes. Et c'est au bout de moins de dix kilomètres que le moteur commence à fumer et crachoter.

À quelque quatre-vingts kilomètres au sud d'Atlanta, dans ce que la plupart des gens qualifient de Milieu de Nulle Part, le pickup vient s'échouer sur le bas-côté de la route et s'arrête. Tous les voyants du tableau de bord clignotent. De la vapeur s'échappe de sous le capot et le moteur refuse de redémarrer. Philip lâche une bordée de jurons et de fureur, passe presque le pied au travers du plancher. Ses compagnons baissent la tête en attendant sans mot dire que l'orage passe. Au bout d'un moment, Philip se calme, descend et soulève le capot.

— Alors, c'est quoi ? demande Brian en le rejoignant.

— C'est foutu.

— Pas moyen de réparer ?

— Tu as un tuyau de radiateur sur toi ?

Brian jette un coup d'œil par-dessus son épaule. Le bas-côté de la route descend vers un ravin rempli de vieux pneus, de taillis et de déchets. De l'autre côté, quelques Bouffeurs en quête de viande rôdent autour des détritus comme des cochons truffiers. Ils n'ont pas encore remarqué le véhicule en panne qui fume au bord de la route à trois cents mètres de là.

À l'arrière, Penny tire sur sa chaîne attachée à un anneau de la benne. La proximité d'autres morts-vivants semble l'exciter et la troubler.

— Qu'est-ce que tu décides ? demande Brian à son frère qui a refermé le capot silencieusement.

— C'est quoi, le plan ? ajoute Nick qui les a rejoints à son tour.

— Le plan, répond Brian, c'est qu'on est niqués.

Nick se ronge un ongle en regardant le groupe de zombies qui erre dans le ravin et se rapproche lentement.

— Philip, on peut pas rester là, dit-il. Peut-être qu'on pourra trouver une autre voiture.

— OK, les gars, soupire Philip. Vous connaissez la chanson… Prenez vos affaires, je m'occupe de Penny.

Ils se mettent en chemin, Penny en laisse, leurs bagages sur le dos, en suivant l'autoroute. Brian clopine sans se plaindre, malgré sa hanche qui le fait encore souffrir. Vers Greenville, ils doivent contourner un inexplicable amas de carcasses de véhicules qui bloque toute la chaussée et grouille de zombies. De loin, on dirait que la terre s'est ouverte et a vomi des centaines de morts-vivants.

Ils décident de prendre une deux voies, la route rurale 100, qui contourne l'obstacle et traverse Greenville en direction du sud. Ils font encore deux ou trois kilomètres quand Philip lève la main.

— Attendez un peu, dit-il en fronçant les sourcils. C'est quoi, ça ?

— Quoi ?

— Ce bruit.

— Quel bruit ?

Philip écoute. Tout le monde tend l'oreille en essayant de déterminer d'où provient le bruit.

— C'est un moteur ? demande-t-il.

— On dirait un foutu tank, dit Brian, qui a fini par entendre.

— Ou un bulldozer, hasarde Nick.

— Putain, dit Philip. Ça peut pas être bien loin.

Ils poursuivent leur route et moins de deux kilomètres plus loin, ils aperçoivent un panneau cabossé qui indique : WOODBURY – 1,5 KM.

Ils continuent, les yeux fixés sur la fumée qui monte dans le ciel à l'ouest.

— En tout cas, ils ont du carburant, dit Nick.

— Tu crois qu'ils seront amicaux ? demande Brian, qui aperçoit un nuage de poussière à l'horizon.

— Je prends aucun risque, prévient Philip. Allez, on va passer par l'arrière et on verra ensuite.

Il quitte la chaussée et les entraîne le long d'un talus. Ils gagnent discrètement un vaste champ labouré où ils s'enfoncent à chaque pas dans la terre meuble. Le vent glacé les fouette et il leur faut un temps interminable pour faire le tour et voir apparaître devant eux les vestiges d'une ville abandonnée. L'enseigne d'un supermarché Wal-Mart se dresse au-dessus d'un bosquet de vieux chênes de Virginie. Le M jaune d'un McDonald's se dessine non loin derrière. Des déchets voltigent dans les rues désertes, le long de bâtiments en brique et d'immeubles passe-partout. Mais sur le côté nord de la ville, derrière un labyrinthe de clôtures, un grondement de moteurs, des coups de marteau et des voix révèlent la présence d'êtres humains.

— On dirait qu'ils construisent un genre de mur, dit Nick alors qu'ils s'arrêtent sous le couvert des arbres.

À environ deux cents mètres, quelques silhouettes travaillent à la construction d'une haute palissade de bois fermant le nord de la ville. Elle s'étend déjà sur la longueur de deux pâtés de maisons.

— Le reste du coin a l'air mort, commente Philip. Il doit pas y avoir beaucoup de survivants.

— Qu'est-ce que c'est que ça ? demande Brian en désignant un demi-cercle de hauts pylônes à faible distance de la palissade.

Des grappes de projecteurs à arc sont braqués sur un vaste espace ouvert que leur dissimulent les bâtiments et les clôtures.

— Le terrain de football d'un lycée, peut-être ? dit Philip en dégainant son Glock.

Il vérifie le chargeur. Il lui reste huit balles.

— Qu'est-ce que tu as en tête, Philip ? interroge Nick avec anxiété.

Brian se demande si Nick redoute qu'ils se jettent dans un nouveau piège. Ou bien si c'est juste Philip qui le rend nerveux. D'ailleurs, Brian n'est pas très chaud à l'idée de débarquer à l'improviste dans cette petite communauté disparate, surtout qu'ils trimballent une zombie avec eux et que le père de ladite zombie est tellement sur les nerfs qu'il est totalement imprévisible. Mais quel choix ont-ils ? De sombres nuages s'amoncellent à nouveau sur l'horizon et la température chute.

— Tu as quoi sur toi, vieux ? demande Philip en désignant du menton la ceinture de Brian. Le .38 ?

— Oui.

— Et toi, le .357 ? demande-t-il à Nick, qui confirme. OK… Alors voilà ce qu'on va faire.

Ils entrent par le nord-est dans la ville, en sortant des arbres le long de la voie ferrée. Ils avancent lentement, les mains levées pour montrer qu'ils n'ont pas de mauvaises intentions. Ils sont surpris d'arriver aussi loin en passant devant une bonne douzaine d'autres êtres humains avant qu'on remarque l'arrivée d'inconnus.

— Hé ! s'exclame un gros type d'âge mûr en col roulé noir qui saute d'un bulldozer en désignant les nouveaux venus. Bruce ! Regarde, on a de la visite !

L'autre – un grand Noir en caban au crâne chauve luisant – pose son marteau et lève la tête en ouvrant de grands yeux. Il s'apprête à saisir un fusil posé contre une glacière.

— Relax, les gars, dit Philip qui approche lentement, les mains en l'air, en s'efforçant d'apparaître aussi calme et amical que possible. On fait que passer… On cherche pas d'histoires.

Brian et Nick sont sur ses talons, les mains en l'air également. Les deux hommes s'approchent avec leurs fusils.

— Tu es armé ? interroge le Noir.

— Le cran de sûreté est mis, répond Philip en portant lentement la main au pistolet de sa ceinture. Je vais vous le montrer, doucement et gentiment, ajoute-t-il en joignant le geste à la parole.

— Et eux ? demande l'homme au col roulé.

Brian et Nick lui montrent leurs armes.

— Vous êtes juste tous les trois ?

L'homme au col roulé a un accent du Nord. Ses cheveux blonds en brosse grisonnent, il a un cou de lutteur assorti à une carrure et un ventre de docker.

— Oui, confirme Philip.

C'est assez proche de la vérité. Il a laissé Penny à un arbre dans un bosquet à une centaine de mètres de la palissade, attachée et bâillonnée. Cela l'a anéanti de lui faire subir cela, mais tant qu'il ne sait pas à qui il a affaire ici, mieux vaut la cacher.

— Qu'est-ce qui t'est arrivé ? demande le col roulé à Brian en désignant ses blessures.

— Il a dû se battre avec des zombies, explique Philip.

— Vous êtes d'Atlanta ? demande l'homme en baissant son fusil.

— Non. D'un trou perdu qui s'appelle Waynesboro.

— Vous avez croisé la Garde nationale, en route ?

— Non.

— Et vous voyagez seuls ?

— À peu près, répond Philip en glissant le Glock dans sa ceinture. On a juste besoin de se reposer et on repart.

— Vous avez à manger ?

— Non.

— Des cigarettes ?

— Non. Si on pouvait juste avoir un toit pendant un moment, on n'embêtera personne. Ça vous paraît faisable ?

Les deux hommes échangent un regard comme s'ils partageaient une blague entre eux. Puis le Noir éclate de rire.

— Les mecs, c'est le Far West, ici... Tout le monde s'en fout, de ce que vous faites.

Il s'avère que le Noir minimise largement la situation à Woodbury. Au cours des heures qui suivent, Philip et ses compagnons ont le temps de se faire une idée des lieux, et ce n'est pas vraiment *La Petite Maison dans la prairie.* Une soixantaine d'habitants s'accrochent dans le secteur nord de la ville, qui est relativement sûr, isolés les uns des autres, survivant comme ils peuvent, tellement paranoïaques et méfiants les uns des autres qu'ils sortent rarement de leurs repaires respectifs. Ils vivent dans des appartements abandonnés et des magasins vides et il n'y a aucune structure de gouvernement. C'est stupéfiant que quelques-uns aient pris l'initiative de construire une palissade. À Woodbury, c'est chacun pour soi. Ce qui convient très bien à Philip et ses compagnons. Après avoir fait une reconnaissance aux abords de la ville, ils décident de s'installer dans un immeuble de deux appartements au sud de la zone sécurisée, près du quartier commerçant désert. Quelqu'un a placé des bus scolaires et des semi-remorques en cercle autour de la ville, pour former un rempart contre les Bouffeurs. Pour l'instant, l'endroit paraît relativement sûr.

Cette nuit-là, n'arrivant pas à dormir, Brian décide de sortir en douce et d'explorer la ville. Il a du mal à marcher – ses côtes le font encore souffrir et il respire difficilement – mais cela lui fait du bien de sortir et de s'éclaircir les idées.

Sous le clair de lune s'étendent les trottoirs désolés et nus de ce qui a été une petite ville ouvrière typique. Des déchets voltigent dans les jardins et les squares déserts. Les devantures des magasins sont toutes éteintes et barricadées. Partout, il y a des indices de transformations d'habitants en zombies – dans les fosses d'une déchetterie où des corps ont été récemment déposés et brûlés, et dans le kiosque d'un jardin public où des taches de sang maculent les planches comme du goudron.

Brian n'est pas surpris de constater que l'espace ouvert au centre de la ville qu'ils ont aperçu en arrivant est un ancien champ de courses. Apparemment, les habitants ont assez de carburant pour faire fonctionner des générateurs en permanence. Et comme le découvre Brian, de temps en temps, au cœur de la nuit, les immenses projecteurs à arc s'allument sans raison apparente. De l'autre côté, il passe devant un semi-remorque qui pulse comme un cœur géant et d'où s'échappent des câbles reliés aux bâtiments voisins.

Lorsque l'aube commence à poindre à l'horizon, Brian décide de retourner à leur immeuble. Il traverse un parking désert, puis coupe par une ruelle jonchée d'ordures. Il débouche dans une rue et marche devant trois vieillards qui se réchauffent autour d'un feu dans un baril en se passant une bouteille d'alcool bon marché.

— Fais gaffe à toi, mon gars, dit l'un d'eux.

Les deux autres ricanent sans joie. Les trois loqueteux ont l'air d'avoir élu domicile auprès de ce baril depuis une éternité. Brian s'arrête. Le .38 est glissé dans sa ceinture sous son blouson, mais il n'éprouve pas la nécessité de le brandir.

— Il y a des Bouffeurs dans le coin ?

— Des Bouffeurs ? répète sans comprendre celui qui a une longue barbe blanche.

— Il parle des morts-vivants, dit le troisième, le plus gros.

— Ouais, Charlie, répond le premier. Tu sais bien... Ces sacs à pus qui ont bouffé Mike... C'est à cause de ça qu'on se retrouve coincés dans ce trou du cul du monde.

— Je sais de quoi il parle ! coupe le barbu. C'est juste que j'ai encore jamais entendu ce mot-là.

— Tu es nouveau en ville, mon gars ? demande le gros en toisant Brian.

— Il se trouve que oui.

— Alors bienvenue dans la salle d'attente de l'enfer, répond le gros en découvrant une rangée de chicots.

— L'écoute pas, mon gars, dit le premier en passant un bras décharné sur l'épaule de Brian. C'est pas des machins morts qu'il faut se méfier, ici, ajoute-t-il en baissant la voix. C'est des vivants.

Le lendemain, Philip donne comme consigne à ses compagnons de se taire pendant qu'ils sont à Woodbury, de rester discrets, d'éviter tout contact avec les autres habitants et même de taire leurs noms. Heureusement, l'appartement est un excellent refuge provisoire. Construit dans les années 1950, avec un mobilier qui date de la même époque – une mosaïque de miroirs ébréchés sur un mur, un canapé-lit mangé aux mites dans le salon, un énorme aquarium près de la télé, rempli d'une eau verdâtre où flottent des cadavres de poissons –, l'appartement comporte trois chambres et a l'eau courante. Il empeste la pisse de chat et le poisson pourri mais, comme disait le père de Brian, « on va pas faire les difficiles ». Ils trouvent des conserves dans les placards des deux appartements et décident de rester un certain temps.

À la grande surprise de Brian, les autres habitants les laissent tranquilles. Brian se rend compte que la nouvelle de leur arrivée s'est répandue, mais c'est comme s'ils étaient des fantômes qui hantent l'appartement délabré. Ce qui n'est pas loin de la vérité. Nick reste dans son coin à lire sa Bible et ne parle guère. Philip et Brian, toujours un peu mal à l'aise l'un avec l'autre, vaquent aussi à leurs affaires sans trop échanger. Il ne leur vient même pas à l'esprit de chercher un nouveau véhicule pour poursuivre leur route vers le sud. Brian a l'impression qu'ils ont renoncé… à atteindre la côte, se reconstruire un avenir, voire renoncé les uns aux autres. Il continue de se remettre et Philip est toujours obsédé par Penny.

En pleine nuit, Brian entend la porte de l'appartement s'ouvrir et se refermer discrètement. Il reste allongé, l'oreille aux aguets, pendant presque une heure, jusqu'au moment où il perçoit un bruit de pas et des gargouillements. C'est la troisième nuit de suite que Philip sort ainsi – sans doute pour aller voir Penny pendant que la ville est endormie – mais jusqu'à ce soir, il est toujours sorti et rentré sans le moindre bruit. Là, Brian entend Philip murmurer dans le salon, puis sa voix est rapidement couverte par les mêmes gargouillements et un cliquetis de chaînes.

Brian se lève et va dans le salon. Il se fige en voyant Philip qui tient Penny en laisse et la traîne dans le salon comme un chien. Brian reste sans voix. Il ne peut que fixer la petite morte-vivante avec ses couettes et sa robe à fleurs qui laisse des traînées de boue sur le sol, et espérer que ce n'est qu'une visiteuse temporaire et pas – Dieu les en garde – une nouvelle colocataire.

21

— Qu'est-ce que tu fiches ? demande Brian.

La petite agite les bras et griffe le vide avec avidité. Elle pose son regard laiteux sur Brian.

— C'est bon, dit Philip en tirant sur la laisse de sa fille défunte.

— Tu ne…

— Occupe-toi de tes affaires.

— Mais si quelqu'un…

— Personne m'a vu, répond Philip en ouvrant d'un coup de pied la porte de la buanderie.

C'est une petite pièce misérable au sol en lino et aux murs recouverts de liège avec un lave-linge cassé et un vieux bac pour chat. Philip traîne la créature qui bave et gronde dans un coin et fixe la laisse aux canalisations, avec la main ferme, mais douce, d'un dresseur d'animaux. Brian est consterné par ce qu'il voit. Philip a étalé des couvertures sur le sol et protégé les coins pointus du lave-linge avec du scotch pour empêcher la créature de faire du bruit ou de se blesser. Il est évident qu'il prépare cela depuis un moment, qu'il y a beaucoup réfléchi. Il lui passe un harnais en cuir bricolé avec une ceinture et des morceaux de la laisse et le fixe aux tuyaux. Il s'acquitte de cette tâche avec la délicate rigueur d'un aide-soignant qui harnache un enfant handicapé dans son fauteuil roulant. Avec le tuyau, il tient le petit monstre à distance et fixe ses entraves au mur. Pendant tout ce temps, l'enfant se débat en grondant, la bave aux lèvres.

Brian est pétrifié. Il hésite entre se détourner, fondre en larmes ou protester. Il a la sensation d'être tombé sur une scène d'une intimité dérangeante et, pendant un bref instant, il repense à l'époque où, âgé de dix-huit ans, il était allé à la maison de retraite de Waynesboro faire ses adieux à sa grand-mère mourante. Quasiment toutes les heures, l'infirmier devait nettoyer la vieille dame qui s'était souillée et l'expression de son visage, en présence de la famille, était horrible à voir : un mélange de dégoût, de professionnalisme stoïque, de pitié et de mépris.

C'est la même expression qu'arbore maintenant Philip en bouclant des courroies autour de la tête du monstre en prenant bien garde d'éviter ses mâchoires qui claquent. Et pendant tout ce temps, il chantonne à mi-voix une sorte de berceuse. S'estimant enfin satisfait du résultat, il caresse la tête de la petite, puis l'embrasse sur le front. La créature tente de le mordre et manque sa gorge d'un cheveu.

— Je laisse la lumière, ma puce, lui dit-il en haussant la voix, comme s'il s'adressait à quelqu'un qui ne comprend pas bien sa langue, avant de tourner les talons, sortir de la buanderie et refermer la porte.

— On peut discuter un peu de ça ? demande Brian, dont le sang se fige dans les veines.

— C'est bon, répète Philip en évitant son regard et en regagnant sa chambre.

Le pire, dans tout cela, c'est que la chambre de Brian est juste à côté de la buanderie et qu'à partir de ce moment, il entend toutes les nuits la créature claquer des mâchoires, gémir et tirer sur ses entraves. Elle lui rappelle constamment... Comment dire ? L'Armageddon ? La démence ? Il n'a même pas de mot pour qualifier ce qu'elle représente. L'odeur est mille fois pire que la pisse de chat. Et Philip passe beaucoup de temps enfermé dans la pièce avec la morte-vivante, à faire Dieu sait quoi, ce qui creuse de plus en plus le fossé entre les trois hommes. Toujours en proie au chagrin, Brian est déchiré entre pitié et répugnance. Il aime toujours son frère, mais là, c'en est trop. Nick n'a rien à dire sur la question, pourtant Brian voit bien qu'il est abattu. Les silences sont de plus en plus longs entre les trois hommes et Brian et Nick passent de plus en plus de temps dehors, à errer dans la zone sécurisée, histoire de se familiariser avec les habitants.

En restant discret mais en rôdant à la périphérie de la petite enclave, Brian apprend que la ville est grosso modo divisée en deux castes. Le premier groupe – celui qui a le plus de pouvoir – se compose de tous ceux qui ont un métier ou une vocation utiles. Brian découvre qu'il comprend deux maçons, un conducteur d'engins, un médecin, un armurier, un vétérinaire, un plombier, un barbier, un mécanicien, un fermier, un cuisinier et un électricien. Le deuxième, que Brian qualifie de « dépendants », comprend les malades, les jeunes et les professions non manuelles. Ce sont des cadres, des employés de bureau ou des dirigeants d'entreprise qui gagnaient naguère des salaires princiers à la tête de multinationales et qui aujourd'hui prennent juste de la place et sont aussi obsolètes que des musicassettes. Se remémorant d'anciens cours de sociologie, Brian se demande si cet assortiment ténu et branlant de désespérés pourra jamais former une communauté.

Le grain de sable dans l'engrenage, ce sont apparemment trois membres de la Garde nationale qui ont quitté leur caserne il y a quelques semaines pour faire une incursion à Woodbury et ont commencé à maltraiter les gens. Ce petit groupe que Brian appelle pour lui-même les tyrans, est mené par Gavin, un ancien Marine braillard avec les cheveux en brosse et des yeux bleu glacier, que ses sous-fifres surnomment « le Major ». Il ne faut que quelques jours à Brian pour estimer que Gavin est un psychopathe qui n'a soif que de pillages et de pouvoir. Peut-être qu'il a pété un plomb à cause de la peste, mais au cours de leur première semaine à Woodbury, Brian note que Gavin et ses guerriers du dimanche volent les biens de familles sans défense et profitent de plusieurs femmes sous la menace de leurs revolvers, la nuit, derrière le champ de courses.

Brian garde ses distances et évite de se faire remarquer mais tandis qu'il formule pour lui-même ces conclusions sur la hiérarchie de Woodbury, il ne cesse d'entendre le nom « Stevens ».

D'après ce qu'il a pu glaner dans quelques conversations avec les gens de la ville, ce Stevens était naguère un ORL qui avait un cabinet dans la banlieue d'Atlanta. Après l'apparition de la peste, Stevens était parti pour des pâturages plus sûrs – apparemment seul, certains le disant divorcé. Le bon docteur était rapidement tombé sur ce petit groupe de survivants à Woodbury. Voyant ces gens déguenillés, victimes de maladies et de malnutrition, et pour bon nombre, blessés, Stevens avait décidé de leur offrir ses services. Depuis, il est très occupé et exerce dans l'ancien centre médical du comté de Meriwether, trois rues derrière le champ de courses.

L'après-midi du septième jour à Woodbury, la respiration toujours sifflante et douloureuse, Brian rassemble finalement son courage et se rend dans le petit bâtiment gris au sud de la zone sécurisée.

— Vous avez de la chance, dit Stevens en glissant la radio sur le panneau lumineux et en désignant l'image laiteuse. Pas de fracture grave… juste trois fêlures légères sur les deuxième, quatrième et cinquième côtes.

— De la chance ? murmure Brian, assis torse nu sur le lit d'examen.

La pièce qui sert de salle d'examen à Stevens est une déprimante crypte carrelée au sous-sol du centre médical – l'ancien laboratoire de pathologie. L'air empeste la moisissure et le désinfectant.

— Ce n'est pas un mot que j'utilise souvent ces derniers temps, j'avoue, dit le médecin en se tournant vers un meuble métallique.

C'est un homme grand, mince et soigné, la quarantaine, avec d'élégantes lunettes à montures d'acier qu'il porte au bout du nez. Une blouse blanche recouvre sa chemise en oxford froissée et son regard exprime une intelligence docte et lasse.

— Et les sifflements ? demande Brian.

— Début de pleurésie due aux fractures des côtes, explique le médecin en fouillant sur une étagère de flacons de plastique. Je vous encourage à tousser autant que possible. Cela vous fera mal, mais cela empêchera les sécrétions de s'accumuler dans les bronches.

— Et mon œil ?

La douleur qu'éprouve Brian, suite au coup dans la mâchoire, a empiré ces derniers jours. Chaque fois qu'il se regarde dans un miroir, son œil lui paraît encore plus injecté de sang

— Il me paraît très bien, dit le médecin en prenant un flacon de cachets sur l'étagère. La mâchoire a une sacrée contusion, mais elle guérira. Je vais vous donner quelque chose pour la douleur.

Il lui tend le flacon et reste à le regarder, les bras croisés. Brian cherche involontairement son portefeuille.

— Je ne suis pas sûr d'avoir…

— Je ne facture pas les services que je rends ici, dit le médecin, un peu surpris par le geste de Brian. Je n'ai ni personnel ni loyer à payer et je n'ai même pas de café ou de magazines à offrir dans la salle d'attente.

— Ah… oui, bien sûr, répond Brian en empochant le flacon. Et pour la hanche ?

— Rien de plus qu'une grosse ecchymose, dit Stevens en éteignant le panneau et en fermant le placard. Ne vous inquiétez pas. Et vous pouvez vous rhabiller.

— Bon… Merci.

— Vous n'êtes pas très causant, vous, dit le médecin en se lavant les mains.

— Pas trop, non.

— Ça vaut probablement mieux, poursuit Stevens en s'essuyant les mains et en jetant la serviette dans le lavabo. Vous ne voulez sans doute pas me dire votre nom.

— Eh bien…

— Ça ne fait rien. Laissez tomber. Votre dossier sera au nom du Type bohème aux côtes fêlées. Vous voulez me dire comment ça vous est arrivé ?

— Je suis tombé, dit Brian en se boutonnant.

— En vous battant contre des spécimens ?

— Des spécimens ?

— Pardon. Jargon médical. Des zombies, des morts-vivants, des sacs à pus, Dieu sait comment on les appelle dernièrement. C'est comme ça que vous vous êtes blessé ?

— Oui… à peu près.

— Vous voulez une opinion professionnelle ? Un pronostic ?

— Bien sûr.

— Fichez le camp d'ici pendant que vous le pouvez encore.

— Pourquoi donc ?

— Théorie du chaos.

— Pardon ?

— Entropie… Chute de l'empire, extinction des étoiles… Les glaçons fondent dans votre verre.

— Pardon, mais je ne vous suis pas.

— Il y a un crématorium au niveau inférieur, continue le médecin en rajustant ses lunettes. Nous avons brûlé deux autres hommes aujourd'hui, l'un d'eux avait deux enfants. Ils ont été attaqués au nord hier matin. Ils se sont transformés dans la nuit. Il y a de plus en plus de zombies qui entrent… La palissade est une passoire. La théorie du chaos, c'est l'impossibilité pour un système clos de rester stable. Cette ville est condamnée. Il n'y a personne aux commandes… Gavin et ses sbires s'enhardissent de plus en plus… Et vous, mon ami, vous n'êtes qu'un aliment supplémentaire.

Brian reste longtemps silencieux, le regard dans le vague. Puis il finit par se lever et tend la main.

— Je prends note.

Dans la nuit, assommé par les antidouleurs, Brian entend frapper à la porte de sa chambre. Avant même qu'il ait le temps de se ressaisir et d'allumer, la porte s'ouvre discrètement et Nick passe la tête à l'intérieur.

— Brian ? Tu es réveillé ?

— Toujours, grommelle Brian en s'asseyant sur le bord du lit.

Seules quelques prises murales de l'appartement fonctionnent sur le réseau du générateur. Aucune dans la chambre de Brian. Il allume sa lanterne sur batterie et voit Nick entièrement habillé, l'air alarmé.

— Faut que tu voies un truc, dit Nick en allant à la fenêtre et en regardant dehors. Je l'ai vu hier soir, pareil, ça m'a pas trop inquiété sur le moment.

— Qu'est-ce que je suis censé regarder ? demande Brian en le rejoignant.

Par la fente des volets, dans l'obscurité d'un terrain vague, il voit Philip sortir de sous les arbres. Depuis la mort de Penny, il a beaucoup maigri, dort peu et mange à peine. Il a l'air brisé et malade, comme si son jean délavé était la seule chose qui fasse tenir debout sa grande carcasse. Un seau à la main, il avance d'une démarche mécanique et décidée, comme un somnambule ou un automate.

— Qu'est-ce qu'il fait avec ce seau ? demande Brian à mi-voix.

— C'est comme je te disais, répond Nick. Il l'avait hier soir aussi.

— Calme-toi, Nick, dit Brian en éteignant la lanterne. Bouge pas. On va juste vérifier ce qu'il trafique.

Peu après, ils entendent la porte d'entrée s'ouvrir et se refermer, puis Philip traverser le salon et descendre le couloir. Le déclic de la porte de la buanderie est suivi du raclement de chaînes et des geignements de Penny qui s'agite – tous bruits auxquels Brian et Nick ont fini par s'habituer. Puis ils entendent quelque chose de nouveau : le bruit humide et mou d'un objet gluant qui tombe sur les dalles… suivi des étranges grognements bestiaux d'un zombie qui mange.

— Qu'est-ce qu'il fout ? demande Nick, le visage blême de terreur dans la pénombre.

— Mon Dieu, murmure Brian. Il est quand même pas… (Il n'a pas le temps d'achever que Nick s'est déjà précipité à la porte. Brian s'élance derrière lui.) Nick, ne…

— Pas question qu'il fasse ça, s'exclame Nick en fonçant vers la buanderie et en tambourinant à la porte. Philip, qu'est-ce que tu fiches ?

— Dégage !

— Nick…

Brian tente de s'interposer, mais il est trop tard. Nick a ouvert la porte, qui n'est pas fermée à clé. Il entre dans la buanderie.

— Oh, mon Dieu.

Brian l'entend une fraction de seconde avant de voir à son tour ce qui se passe dans la pièce. La petite morte-vivante est en train de dévorer une main humaine.

Sur le moment, contrairement à Nick, Brian n'est ni dégoûté ni indigné. Il est plutôt submergé par la tristesse. Il reste coi en voyant son frère accroupi devant la petite zombie.

Sans se préoccuper de leur présence, calmement, Philip sort une oreille coupée de son seau et attend patiemment que Penny ait terminé de manger la main d'un homme entre deux âges. Elle gobe les doigts velus avec avidité et les mastique comme des friandises, un filet de bave rosâtre au coin des lèvres. Elle a à peine avalé que Philip dépose l'oreille à portée de ses dents noircies, avec la délicatesse d'un prêtre donnant l'hostie au communiant. La créature dévore l'oreille avec entrain.

— Je me casse, finit par bégayer Nick, qui tourne les talons et s'en va.

Brian va s'accroupir auprès de son frère. Sans élever la voix ni l'accuser, il est tellement accablé par le chagrin qu'il ne trouve que cela à dire :

— Qu'est-ce qui se passe, mec ?

— Il était déjà mort, répond Philip. Ils allaient l'enterrer… J'ai trouvé son cadavre dans un sac devant la clinique. Il est mort d'autre chose. J'ai juste pris quelques bouts. Personne va remarquer.

La créature a fini l'oreille et réclame en grognant. Philip lui donne un pied coupé à la cheville d'où dépasse encore l'os comme un morceau d'ivoire.

— Tu crois que c'est… une bonne idée ? demande Brian.

Philip contemple le sol tandis que la créature s'attaque bruyamment à sa nourriture.

— Faut le considérer comme un donneur d'organes, dit Philip d'une voix étranglée.

— Philip…

— Je peux pas renoncer à elle, Brian… Elle est tout ce qui me reste.

— Le problème, insiste son frère en retenant ses larmes, c'est que… ce n'est plus Penny.

— Je sais.

— Alors pourquoi…

— Je la vois et j'essaie de me rappeler… mais je peux pas… je peux pas me rappeler… autre chose que cette merde dans laquelle on vit… et ces enfoirés qui l'ont tuée… et elle est tout ce qui me reste… (Sa voix se durcit. La peine et le chagrin laissent la place à quelque chose de plus sombre.) Ils me l'ont prise… tout mon univers… des nouvelles règles, maintenant…

Brian a le souffle coupé. Il regarde la créature ronger le pied et est obligé de se détourner. C'est insoutenable. Il réprime une nausée et se lève péniblement.

— Il faut que… Je peux pas rester ici, Philip. Faut que je m'en aille.

Il tourne les talons, sort en titubant et il n'a pas fait trois pas dans le couloir qu'il tombe à genoux et vomit. Il n'a pas grand-chose dans l'estomac, mais il reste plié en deux pendant de longues minutes, secoué de spasmes douloureux, puis d'une quinte de toux, avant de s'effondrer.

Non loin de là, à la lueur d'une lanterne, Nick fait ses bagages. Il fourre dans son sac à dos des vêtements de rechange, quelques conserves, des couvertures, une torche, de l'eau minérale. Il cherche quelque chose sur la table basse. Brian parvient à se relever et s'essuie la bouche d'un revers de manche.

— Tu peux pas partir, mec… pas en ce moment.

— Sûrement que si, rétorque Nick en récupérant sa Bible sous des emballages et en la rangeant dans son sac.

— Je t'en supplie, Nick.

Les grognements et les bruits de mastication ne font qu'angoisser Nick plus encore. Il ferme son sac.

— Tu as pas besoin de moi, répond-il sans le regarder.

— C'est pas vrai. J'ai plus besoin de toi que jamais… J'ai besoin de ton aide… pour que tout s'écroule pas.

— Que tout *s'écroule pas* ? répète Nick en hissant le sac sur ses épaules et en s'approchant de Brian, toujours affalé par terre. Ça fait belle lurette que tout s'est *écroulé*.

— Nick, écoute-moi…

— Il est trop barré dans sa tête, Brian…

— Écoute. Je comprends bien ce que tu dis. Laisse-lui une dernière chance. Peut-être qu'il recommencera plus. Peut-être que… j'en sais rien, moi… c'est du chagrin. Une dernière chance, Nick. On s'en sortira mieux si on reste ensemble.

Pendant un long et douloureux moment, Nick réfléchit. Puis, avec un soupir exaspéré, il repose son sac.

Le lendemain, Philip disparaît. Brian et Nick ne font même pas l'effort de le chercher. Ils restent dans l'appartement presque toute la journée, s'adressant à peine la parole, se sentant eux-mêmes comme des zombies, passant sans un bruit de la cuisine à la salle de bains puis au salon, où ils fixent longuement le ciel balayé par le vent, essayant de trouver une réponse, une solution pour sortir de cette spirale. Vers 17 heures, ils entendent dehors un étrange bourdonnement, entre tronçonneuse et moteur de bateau. Craignant que cela ait un rapport avec Philip, Brian va coller son oreille à la porte, puis sort et fait quelques pas à l'extérieur. Le bruit est plus fort, à présent. Au loin, du côté nord de la ville, un nuage de poussière s'élève dans le ciel plombé. Le bruit de moteur monte et descend et, avec soulagement, Brian se rend compte que c'est seulement une voiture de sport qui fait des tours de piste sur le champ de courses. De temps à autre, des hourras résonnent dans le vent. Puis brusquement, Brian panique. Ces crétins ne comprennent-ils pas que le bruit va attirer tous les

Bouffeurs dans un rayon de cinquante kilomètres ? Mais en même temps, il est hypnotisé par ce bruit. Comme un signal radio intermittent, il touche une fibre douloureuse en lui, une nostalgie de l'époque d'avant la peste, des souvenirs de paresseux dimanches après-midi, quand on dormait bien la nuit et qu'on pouvait aller dans une foutue épicerie acheter une foutue bouteille de lait. Il rentre, enfile un blouson et annonce à Nick qu'il va faire un tour.

L'entrée du champ de courses, sur la rue principale, est un portail grillagé entre deux piliers de briques. Des tas de pneus et de déchets s'entassent devant le guichet barricadé de planches couvertes de graffitis. Dans l'air chargé d'odeurs d'essence et de caoutchouc brûlé, le bruit des moteurs et les cris de la foule sont assourdissants. Le ciel est envahi de poussière et de fumées. Brian s'apprête à passer par une brèche de la clôture quand il entend quelqu'un le héler. Il se retourne et voit trois hommes en treillis de camouflage déchirés qui s'avancent vers lui. Deux ont entre vingt et trente ans, de longs cheveux gras et noirs et des fusils d'assaut sur l'épaule. Le plus âgé et manifestement le chef, un dur aux cheveux coupés en brosse, sa veste kaki boutonnée jusqu'en haut et une cartouchière en bandoulière, marche devant.

— L'entrée, c'est quarante billets ou l'équivalent en marchandises, dit-il.

— L'entrée ? répète Brian, abasourdi.

Il voit sur la poche de poitrine de l'homme le nom brodé : MAJOR GAVIN. Jusque-là, Brian a seulement entraperçu de loin le garde national voyou, mais de près, il distingue la lueur démente dans ses yeux bleus et froids et il sent son haleine alcoolisée.

— Quarante billets pour un adulte, mon gars. Tu es un adulte ? (Les autres ricanent.) Pour les gosses, c'est gratuit évidemment, mais tu as l'air d'avoir plus de dix-huit ans. Tout juste.

— Vous demandez de l'argent aux gens ? s'étonne Brian. Par les temps qui courent ?

— Tu as le droit de faire du troc, l'ami. Un poulet ? Des numéros de *Penthouse* ?

Ricanements.

— J'ai pas quarante billets, s'irrite Brian.

Le Major cesse aussitôt de sourire.

— Alors passe une bonne journée.

— Qui récupère l'argent ?

La question attire l'attention des deux autres qui s'approchent. Gavin vient coller son visage à celui de Brian et répond dans un grognement menaçant.

— La Commune.

— La quoi ?

— La Commune… La collectivité… pour améliorer l'équipement collectif et tout.

— Vous êtes sûrs que c'est pas plutôt pour votre collectivité à vous trois ? s'insurge Brian.

— Désolé, réplique le Major d'un ton glacial. On n'a pas dû m'informer que tu étais le nouvel employé municipal. Les gars, vous avez été informés, vous ?

— Non, chef, répond l'un de ses sbires. On nous a rien dit.

Gavin sort un semi-automatique .45 de sa ceinture, ôte le cran de sûreté et pose le canon contre la tempe de Brian.

— Faut que tu étudies la dynamique des groupes, mon gars. Tu as séché les cours d'instruction civique au lycée ? (Brian ne répond pas.) Dis « Ah », fait le Major.

— Quoi ?

— Ouvre ta gueule, je te dis ! beugle Gavin.

Les deux autres braquent leurs fusils sur lui. Brian ouvre la bouche et Gavin glisse le canon de son calibre .45 entre les dents de Brian comme un dentiste qui recherche des caries.

Quelque chose se brise en Brian. L'arme a un goût de vieille monnaie et d'huile. Un voile rouge lui tombe sur les yeux.

— Retourne d'où tu viens avant de te faire mal, conclut le Major.

Brian réussit à hocher la tête. Le canon du pistolet sort de sa bouche. Comme dans un rêve, Brian recule lentement, tourne les talons et repart vers l'appartement.

Vers 19 heures, Brian est seul dans l'appartement, toujours vêtu de son blouson, à la fenêtre munie de barreaux à l'arrière du salon. Il regarde le jour qui baisse, en proie à des pensées contradictoires. Il se couvre les oreilles. Le tapage étouffé de la mini-zombie dans la pièce voisine, incessant comme un disque rayé, l'accable de plus en plus. Il entend à peine Nick qui rentre de Dieu sait où, les pas traînants, le déclic d'une porte de placard. Mais quand il perçoit des murmures étouffés dans le couloir, il sort en sursaut de sa torpeur et va voir de quoi il retourne. Nick est en train de fouiner dans un placard. Son blouson en nylon déchiré est trempé, ses baskets boueuses.

— « Je lève mes yeux vers les montagnes… marmonne-t-il à mi-voix. D'où me viendra le secours ?… Le secours me vient de l'Éternel… Qui a fait les cieux et la terre. »

Brian le voit sortir le fusil à canon scié du placard.

— Nick, qu'est-ce que tu fais ?

Nick ne répond pas. Il vérifie la chambre. Elle est vide. Il cherche en bas du placard, trouve l'unique boîte de cartouches qu'ils ont réussi à conserver jusqu'à leur arrivée à Woodbury.

— « L'Éternel te gardera de tout mal… Il gardera ton âme… » continue-t-il de psalmodier.

— Nick, mais qu'est-ce qui te prend ?

Toujours pas de réponse. Nick essaie de charger une cartouche d'une main tremblante et la fait tomber. Elle roule sur le sol. Il en glisse péniblement une autre dans la chambre et arme le fusil.

— « Vois, il ne sommeille ni ne dort, Celui qui garde Israël… »

— Nick ! s'écrie Brian en le saisissant par l'épaule et en le retournant. Mais qu'est-ce que tu as, merde ?

Un instant, on dirait que Nick va lui faire sauter le crâne tant son visage est déformé par la fureur. Puis il se ressaisit, déglutit et regarde Brian droit dans les yeux.

— Ça peut plus durer, dit-il.

Et sans plus de détails, il tourne les talons et sort.

Brian empoigne son .38, le glisse dans sa ceinture et s'élance derrière Nick.

22

Un crépuscule violacé descend sur la ville. Le vent glacial agite les arbres le long des bois qui bordent Woodbury. L'air, où flotte une odeur de fumée de cheminée et de pots d'échappement, résonne des grondements des moteurs dans le champ de courses. Les rues sont relativement désertes, la plupart des habitants étant là-bas… mais cependant, c'est un miracle que personne ne voie Brian et Nick traverser le terrain vague en bordure de la zone sécurisée.

Alors qu'ils approchent de la forêt, Nick continue de prier, le fusil sur l'épaule comme une massue sacrée. Brian ne cesse de l'agripper pour qu'il ralentisse l'allure, qu'il cesse ses foutues prières et parle normalement, mais Nick est animé par une obsession. Lorsqu'ils arrivent à la lisière de la forêt, Brian tire si violemment sur le blouson de Nick qu'il manque de le faire tomber.

— Putain, mais qu'est-ce que tu fous ? lui demande-t-il.

Nick fait volte-face et le toise.

— Je l'ai vu traîner une fille par là, dit-il d'une voix étranglée.

— Philip ?

— Ça peut plus durer, Brian…

— Quelle fille ?

— Quelqu'un de la ville. Il l'entraînait de force. Je sais pas ce qu'il fout, mais il faut que ça s'arrête.

Les lèvres de Nick tremblent et ses yeux sont embués de larmes.

— OK. Calme-toi une seconde, dit Brian.

— Il a les ténèbres en lui, Brian. Lâche-moi. Faut que ça cesse.

— Tu l'as vu emmener une fille, mais tu as pas…

— Lâche-moi, Brian.

La main toujours sur la manche de Nick, Brian sent un frisson glacé lui nouer le ventre. Il refuse d'accepter cela. Il doit y avoir un moyen de redresser la situation. Puis finalement, il le regarde droit dans les yeux et dit :

— Montre-moi.

Nick entraîne Brian par un étroit sentier envahi de ciguës et de vernonias qui serpente entre des pacaniers. La nuit tombe et la température commence à baisser. Les ronces se prennent dans leurs vêtements alors qu'ils atteignent une brèche dans les taillis. Sur la droite, entre les feuilles, ils aperçoivent le sud du chantier où une nouvelle portion de la palissade est en train d'être érigée. Des tas de bois attendent non loin, près du bulldozer. Nick lui indique une clairière.

— C'est là-bas qu'il est, chuchote-t-il alors qu'ils approchent d'un arbre tombé à la lisière de la clairière.

Il se baisse derrière l'arbre comme un gamin qui joue à la guerre. Brian l'imite et jette un coup d'œil par-dessus le tronc.

À une vingtaine de mètres de là, dans une cuvette naturelle couverte de mousse, sous les frondaisons de chênes de Virginie et d'un pin des marais, il aperçoit Philip. Le sol est tapissé d'aiguilles, de champignons et d'herbes. Des feux follets éclairent fugitivement la scène d'une lueur rosâtre et presque mystique. Nick lève le fusil.

— « Seigneur, lave-moi complètement de mon iniquité… »

— Nick, tais-toi, chuchote Brian.

— « Je renonce à tous mes péchés, continue Nick en contemplant la clairière avec horreur. Seigneur, ils T'ont offensé… »

— Tais-toi, mais tais-toi donc !

Brian essaie de comprendre la situation, mais dans la pénombre, il a du mal. Au premier abord, on dirait que Philip est agenouillé, en train de ligoter un cochon. Son blouson en jean trempé de sueur, il enroule une corde autour des poignets et des chevilles d'une forme au-dessous de lui. Un frisson glacé s'empare de Brian quand il se rend compte que c'est *effectivement* une jeune femme qui gît sur le sol, son chemisier déchiré, bâillonnée avec une corde en nylon.

— Mon Dieu, mais qu'est-ce que…

— Pardonne-moi, Seigneur, pour ce que je m'apprête à faire, et avec l'aide de Ta grâce je servirai Ta volonté…

— Ta gueule !

Brian, saisi de panique, ne sait plus quoi penser : Philip a-t-il l'intention de violer cette pauvre femme ou de la tuer pour la livrer en pâture à Penny ? Il faut faire quelque chose, et vite. Nick a raison. Il avait vu juste depuis le début. Il faut absolument arrêter cela avant que…

Soudain, Nick saute par-dessus le tronc, se fraie un chemin entre les ronces et court vers la clairière.

— Nick, attends ! s'écrie Brian en s'élançant à son tour dans les ronces.

Nick débouche en titubant dans la clairière en braquant son fusil sur Philip. Celui-ci, brusquement alerté par le cri de Brian, bondit sur ses pieds. Sans arme, avec un regard gêné sur la femme qui se tortille à ses pieds et le sac posé au milieu des champignons, il lève les mains.

— Écarte ce putain de fusil, Nicky.

Au lieu d'obéir, celui-ci braque son arme sur Philip.

— Le Diable s'est emparé de toi, Philip. Tu as péché contre Dieu... profané Son nom. C'est le Seigneur qui décide, à présent.

Le cœur battant, Brian cherche à tâtons son .38.

— Nick ! Non ! Ne fais pas ça ! crie-t-il en s'immobilisant quelques mètres derrière Nick.

Entre-temps, la fille, qui a réussi à se retourner, toujours ligotée et bâillonnée, pleure, le visage dans la terre, comme si elle voulait qu'elle s'ouvre et l'engloutisse. Nick et Philip, à deux mètres l'un de l'autre, ne se quittent pas du regard.

— Tu te prends pour quoi ? Un ange vengeur ? demande Philip à son copain d'enfance.

— Peut-être bien.

— Ça te regarde pas, Nicky.

— Il y a un meilleur endroit pour toi et ta fille, Philly, répond Nick d'une voix tremblante, les yeux remplis de larmes.

Philip est immobile, son visage étroit et taillé à la serpe souligné par la faible clarté.

— Et c'est peut-être toi qui comptes nous y envoyer, moi et Penny ?

— Faut que quelqu'un mette fin à ça, Philly. Autant que ça soit moi. (Nick le met en joue et murmure :) Seigneur, pardonne-moi...

— Nick ! Attends, je t'en prie ! Écoute-moi ! s'écrie Brian en s'interposant et en brandissant en l'air son .38 comme un arbitre. Toutes les années où vous avez traîné ensemble à Waynesboro, toutes les fois où vous vous êtes éclatés, tout ce qu'on a vécu ensemble, ça compte pour rien ? Philip nous a sauvé la vie ! Oui, ça a dérapé. Mais on peut rattraper le coup. Baisse ton arme, Nick, je t'en supplie.

Nick tremble, mais il garde toujours Philip en joue. La sueur perle sur son front.

Philip s'avance.

— T'inquiète pas, Brian. Nicky a toujours été une grande gueule, mais il a pas les tripes pour tirer sur quelqu'un qui est debout.

Nick tremble de plus belle. Brian regarde la scène, pétrifié, sans savoir quoi faire. Philip se baisse, attrape la fille par le collet et la relève sans ménagements, puis il l'entraîne de l'autre côté de la clairière.

— Aie pitié de nous, murmure Nick.

Le coup de feu résonne entre les arbres.

Un fusil est une arme brutale. Les plombs mortels peuvent s'éparpiller sur un mètre et percuter leur cible avec assez de force pour percer un moellon. Le coup que reçoit Philip dans le dos l'atteint aux omoplates et dans la nuque, arrachant la moitié du bulbe rachidien et ressortant par la gorge. Les plombs font également sauter le crâne de la fille dans un nuage de gouttelettes rouges.

Tous les deux trébuchent et tombent côte à côte sur le sol. La fille est morte sur le coup ; Philip s'agite encore spasmodiquement pendant quelques horribles secondes. Il tente de respirer, mais ce qui reste de son cerveau est en train de s'éteindre. Bouleversé par son geste, Nick tombe à genoux, le doigt figé sur la détente, son fusil encore fumant.

Hébété, il contemple ce qu'il vient de faire. Il laisse tomber le fusil dans l'herbe et ses lèvres tremblent muettement. Qu'a-t-il fait ? Le vacarme d'Armageddon retentit dans ses oreilles et les larmes brûlantes de la honte ruissellent sur ses joues. Qu'a-t-il fait ?

Brian est pétrifié, les yeux écarquillés. Le spectacle de son frère ensanglanté qui gît sur le sol à côté de la fille morte restera gravé dans sa mémoire alors que son cerveau se vide de tout le reste. Frappé de stupeur, c'est tout juste s'il entend Nick, secoué de sanglots, à genoux à côté de lui. Perdant toute raison devant ce carnage, Nick hurle sa douleur, entre supplications et prières, la tête tournée vers le ciel. Sans réfléchir, pris d'une fureur soudaine, Brian lève son .38 et tire à bout portant dans le crâne de Nick. La balle lui fait exploser le cerveau dans une gerbe de sang et va se loger dans un arbre. Les yeux révulsés, Nick s'affale sur le sol comme un enfant qui s'endort.

Brian n'a plus aucune notion du temps. Il ne voit pas les silhouettes sombres qui approchent entre les arbres, attirées par le bruit. Pas plus qu'il ne se rend compte qu'il traverse la clairière et s'approche des deux corps. Mais, sans même en avoir conscience, Brian finit assis par terre à côté de son frère cadet dont il serre dans ses bras le corps ensanglanté. Il baisse les yeux sur le visage désormais blanc comme l'albâtre et souillé de sang. Une lueur de vie brille encore faiblement dans ses yeux et les regards des deux frères se croisent. Un bref instant, Brian tressaille, accablé de chagrin. Le poids de leur histoire commune – les mornes années d'école, les merveilleuses vacances d'été, les chuchotements d'un lit à l'autre, leurs premières bières lors de cette tragique expédition en camping dans les Appalaches, leurs secrets, leurs bagarres, leurs rêves de provinciaux broyés par la cruauté de la vie, tout cela lui déchire le cœur.

Brian fond en larmes.

Ses gémissements, comme l'agonie d'un animal pris au piège, s'élèvent dans le ciel noir et se mêlent aux grondements des moteurs de voitures. Il sanglote tant qu'il ne voit pas Philip rendre son dernier soupir. Et quand il regarde de nouveau son frère, le visage de Philip s'est figé comme une sculpture de marbre blanc.

À quelques mètres, le feuillage tremble. Une bonne douzaine de Bouffeurs s'avancent dans les buissons. Le premier, un homme en tenue de travail déchirée, surgit entre les branches en tendant les bras devant lui, balayant la clairière de ses yeux vides. La créature les pose sur le premier repas venu : le cadavre encore chaud de Philip. Brian se lève et se détourne. Il ne peut pas voir cela. Il sait que c'est la meilleure solution. La *seule*. Laisser les zombies faire le ménage. Il glisse le .38 dans sa ceinture et repart en direction du chantier.

Brian trouve refuge sur le toit d'un camion en attendant la fin du carnage. Son cerveau est comme une télévision réglée sur plusieurs chaînes en même temps. Il dégaine son pistolet et le serre contre lui comme un talisman. La cacophonie des voix, les images qui défilent, tout cela grésille et clignote sous son crâne. Le crépuscule a laissé la place à la nuit et le lampadaire le plus proche est à des centaines de mètres. Mais Brian voit le monde autour de lui comme un négatif scintillant et sa peur est tranchante comme un couteau. Il est seul, désormais… seul comme il ne l'a jamais été… et cela le ronge plus que ne pourrait le faire un zombie.

Les bruits de succion et de mastication en provenance de la clairière sont à peine audibles avec le grondement de la course de voitures. Dans son désarroi, Brian songe que Philip avait prévu de profiter de ce vacarme pour que l'enlèvement de la fille passe inaperçu. À travers la dentelle des ronces et des feuillages, il voit les monstres déchiqueter les restes humains. Les zombies sont agglutinés et penchés sur leurs proies, comme des singes, ils se goinfrent de lambeaux de chair, arrachent des os et des organes ruisselants qui fument dans l'air froid de la nuit. D'autres accourent encore et poussent les premiers pour avoir leur part du festin. Brian ferme les yeux. Pendant un moment, il se demande s'il ne devrait pas prier. S'il faudrait qu'il prononce silencieusement une oraison funèbre pour son frère, pour Nick et la fille, pour Penny, Bobby Marsh, David Chalmers… Pour les morts, pour les vivants, pour ce monde entier brisé, foutu et abandonné de Dieu. Mais il ne fait rien. Il attend simplement pendant que les zombies se gavent.

Un peu plus tard – Dieu sait au bout de combien de temps –, les Bouffeurs abandonnent les dépouilles nettoyées qui gisent dans la clairière. Brian se laisse glisser du toit du camion et retourne dans la nuit jusqu'à l'appartement.

Cette nuit-là, il veille dans le salon désert. C'est la fin des émissions dans le cerveau de Brian. Il y a eu le générique de fin, puis la mire, et maintenant seul un brouillard de neige sifflante tombe sur ses pensées.

Toujours vêtu de son blouson sale, il contemple l'aquarium aux parois maculées d'algues vertes et d'écume comme s'il regardait un interlude monotone diffusé depuis l'enfer. Comme en transe, il fixe ce vide. Les minutes laissent la place à des heures. Il se rend à peine compte que le jour se lève. Pas plus qu'il n'entend le bruit dehors, les voix inquiètes, le grondement de moteurs.

La journée passe, le temps n'a plus de sens, jusqu'à ce que la nuit enveloppe de nouveau l'appartement. Dans le noir, Brian continue de fixer l'aquarium vide. Le matin suivant arrive. Puis soudain, dans la journée, Brian cille. Un message clignote sur l'écran vierge de son esprit. D'abord, faiblement, comme un signal brouillé, mais devenant plus clair et plus fort à chaque seconde : ADIEU.

Comme une décharge au fond de lui, le mot explose dans un éclair blanc qui le force à se dresser d'un bond et à ouvrir les yeux.

ADIEU.

Il est déshydraté et ankylosé, l'estomac vide, le pantalon souillé d'urine. Pendant presque trente-six heures, il est resté assis dans ce fauteuil, dans le coma, immobile. Bouger est un peu difficile au début, mais il se sent lavé, nettoyé, la tête plus claire que jamais. Il clopine jusqu'à la cuisine et ne trouve pas grand-chose dans le placard en dehors d'une ou deux conserves de pêches. Il en ouvre une et engloutit tout le contenu, le jus ruisselant sur son menton. Jamais les pêches ne lui ont paru aussi savoureuses. D'ailleurs, il se dit qu'il n'avait peut-être jamais encore goûté de pêches jusqu'à ce jour. Il va dans la chambre ôter ses vêtements sales et mettre les seules choses qui lui restent : un jean et un t-shirt AC/DC. Puis il enfile ses Doc Martens.

Derrière la porte se trouve un grand miroir. Un type décharné, anguleux et hirsute le regarde. Le verre fendu coupe en deux son visage étroit et ses longs cheveux noirs. Sa bouche est encadrée de minces moustaches et des cernes noirs marquent ses yeux enfoncés dans leurs orbites. Il se reconnaît à peine.

— Rien à foutre, dit-il au miroir avant de quitter la pièce.

Il reprend son .38 dans le salon avec le dernier chargeur – les six ultimes balles en sa possession – et le glisse dans sa ceinture.

Puis il va voir Penny.

— Salut, lapin, dit-il avec tendresse en entrant dans la buanderie.

La petite pièce empeste la mort. Brian remarque à peine l'odeur. Il s'approche de la petite créature, qui grogne et crachote en tirant sur ses chaînes. Elle a le teint couleur de ciment et ses yeux sont comme des pierres polies.

Brian s'accroupit devant elle et regarde dans son seau. Il est vide.

— Tu sais que je t'adore, hein ? lui dit-il. (La créature gronde. Brian caresse sa petite cheville délicate.) Je vais aller faire quelques courses, ma chérie. Je reviens tout de suite, t'inquiète pas.

La petite créature penche la tête sur le côté et laisse échapper un gémissement de tuyau rouillé. Brian lui tapote la jambe, hors de portée de ses dents pourries, et se relève.

— À tout à l'heure, ma chérie.

Dès qu'il sort discrètement de l'immeuble, tête baissée et les mains dans les poches, et se dirige vers le nord, dans le vent coupant qui siffle, Brian se rend compte qu'il se passe quelque chose. Le champ de courses est silencieux. Deux personnes le croisent, l'air alarmé. Sur la gauche, derrière la barricade de bus et de remorques, des dizaines de morts-vivants déambulent en cherchant à entrer. Au loin, une fumée noire s'élève de l'incinérateur de la clinique. Brian presse le pas.

En arrivant au square municipal, il voit, au loin, au nord de la zone sécurisée, dans le chantier, des hommes juchés sur des parapets en bois avec des fusils et des jumelles. Ils n'ont pas l'air heureux. Brian accélère encore. Toutes ses douleurs – la raideur dans ses articulations, ses côtes fêlées –, tout a disparu, emporté par une décharge d'adrénaline.

Woodbury conserve ses rations de nourriture dans un hangar de briques en face de l'ancien tribunal. Brian s'arrête devant et aperçoit les vieux poivrots qui traînent de l'autre côté de la rue en face des colonnes antiques du bâtiment administratif. D'autres gens assis sur les marches fument nerveusement et d'autres encore sont massés devant l'entrée.

— Qu'est-ce qui se passe ? demande-t-il au gros.

— Ça barde, mon gars, répond le vieux clochard en désignant le tribunal. La moitié de la ville est là-dedans en grandes palabres.

— Qu'est-ce qui est arrivé ?

— On a trouvé trois autres habitants hier dans les bois, nettoyés jusqu'à l'os… Ça grouille de morts-vivants attirés par les bruits de moteurs, sûrement. Ces cons qui font tout ce vacarme.

Brian réfléchit brièvement. Il pourrait très bien éviter tout cela, faire ses bagages et partir. Prendre l'un des 4 × 4, coller Penny à l'arrière et filer en un rien de temps.

Il ne doit rien à ces gens. Le plus prudent est de ne pas s'en mêler et de foutre le camp. Mais quelque chose en lui le force à envisager autre chose. Qu'aurait fait Philip à sa place ?

23

— Est-ce que quelqu'un connaît leurs noms ? demande une sexagénaire frisottée au fond de la grande salle.

La trentaine d'assiégés de Woodbury est réunie autour d'elle. Notables, chefs de famille, anciens commerçants et voyageurs qui ont atterri là presque par hasard se tortillent sur les chaises pliantes, avec leurs vêtements en loques et leurs chaussures boueuses. Il règne une atmosphère de fin du monde, avec les plâtres écaillés, les câbles arrachés et les déchets qui jonchent le sol.

— Qu'est-ce que ça peut foutre ? aboie le Major Gavin, flanqué de ses sbires, fusils à la hanche comme des guérilleros.

Le Major estime normal et légitime de diriger cette petite réunion, et de trôner sous les drapeaux des États-Unis et de la Géorgie. Comme MacArthur s'emparant du Japon ou Stonewall Jackson à Bull Run, le Major savoure cette occasion de se présenter enfin comme le chef naturel de cette misérable ville remplie de trouillards et de loquedus. Avec ses airs de dur, son treillis vert et sa coupe en brosse, le Major attend ce moment depuis des semaines.

Habitué à cravacher son monde, Gavin sait qu'il a besoin de respect pour diriger et que pour être respecté, il doit être craint. C'était exactement ainsi qu'il se comportait avec les guerriers du dimanche qu'il avait sous ses ordres à Camp Ellenwood. Gavin était instructeur de survie au 221e bataillon militaire et il avait l'habitude de s'en prendre à ces mauviettes durant les bivouacs en chiant dans leurs sacs de couchage et en leur flanquant des coups de tuyau à la moindre infraction. Mais c'est du passé, maintenant. Là, la situation est catastrophique et Gavin va en profiter pour tout diriger.

— C'était juste deux des nouveaux, ajoute-t-il. Et une salope d'Atlanta.

Un vieux monsieur au premier rang se lève en tremblant.

— Sauf votre respect, c'était la fille de Jim Bridges et ce n'était pas une salope. Maintenant, je pense que j'exprime le point de vue de tout le monde si je dis que nous avons besoin de protection, peut-être d'un couvre-feu… que les gens restent chez eux après la tombée de la nuit. On pourrait peut-être voter.

— Assieds-toi, le vieux… tu vas te faire du mal, rétorque Gavin avec un regard menaçant. On a des problèmes plus graves dans l'immédiat. Un régiment de Bouffeurs qui nous encercle.

— C'est tout ce bruit à ce foutu champ de courses… voilà pourquoi ces zombies nous assiègent, grommelle le vieil homme en se rasseyant.

Gavin ouvre d'un coup de pouce l'étui de revolver à sa ceinture, laissant voir la crosse de son .45, et avance d'un air patibulaire vers le vieillard.

— Excuse-moi, mais je crois pas que j'ai autorisé les commentaires des pensionnaires de la maison de retraite, dit-il en brandissant un index menaçant. Je te conseille de fermer ta gueule avant d'avoir des ennuis.

Un jeune homme bondit sur ses pieds.

— Du calme, Gavin, intervient-il. (Grand, la peau mate, un bandana sur la tête, il porte un t-shirt sans manches qui laisse voir ses gros biceps. Dans ses yeux noirs brille la ruse de celui qui a l'habitude de la rue.) On est pas dans un western, baisse d'un ton.

Gavin se retourne vers lui en dégainant son .45.

— Ferme-la, Martinez, et repose ton sale cul de Mexicain sur ta chaise.

Derrière Gavin, les deux gardes se raidissent et brandissent leurs M4 en balayant la salle du regard.

Le nommé Martinez se contente de hocher la tête et se rassoit. Gavin pousse un soupir exaspéré.

— Vous avez pas l'air de piger la gravité de la situation, reprend-il en rangeant son .45 et en revenant devant l'auditoire. On est des cibles faciles, là, continue-t-il sur un ton de sergent instructeur. Faut s'occuper des barricades. On a des profiteurs qui foutent rien et qui laissent les autres se coltiner tout le boulot. Aucune discipline ! Et je vais vous en annoncer une bien bonne : les vacances sont finies. Va falloir des nouvelles règles et tout le monde va y mettre du sien, tout le monde fera ce qu'on lui dira et en fermant sa gueule. C'est bien clair ?

Il marque une pause, défiant quiconque de répondre.

L'assistance reste assise sans rien dire, comme des gosses dans le bureau du proviseur. Dans un coin, Stevens, le médecin, est assis en compagnie d'une jeune femme en blouse tachée, un stéthoscope autour du cou. Stevens a l'air de celui qui voyait le coup venir depuis longtemps. Il lève la main.

— Quoi encore, Stevens ? soupire avec exaspération le Major en levant les yeux au ciel.

— Corrigez-moi si je me trompe, mais on est déjà pas très nombreux. On fait de notre mieux.

— Et ?

— Qu'est-ce que vous nous demandez de plus ?

— De m'obéir ! beugle Gavin.

Stevens n'est apparemment pas impressionné. Gavin prend le temps de se calmer, tandis que Stevens rajuste ses lunettes et détourne la tête. Gavin fait un signe à ses hommes. Ceux-ci acquiescent, le doigt sur la détente.

Cela ne va pas être aussi facile que l'imagine Gavin.

Au fond de la salle, près d'un distributeur fracassé, les mains dans les poches, Brian Blake écoute avec attention. Son cœur bat la chamade. Et il s'en veut. Il a l'impression d'être comme un rat de laboratoire dans un labyrinthe. Son vieil ennemi, la peur qui l'a souvent paralysé, s'est de nouveau emparée de lui. Il sent dans sa poche le chargeur comme une tumeur contre sa cuisse. Il a la gorge nouée et desséchée. Mais qu'est-ce qui lui arrive ?

À l'autre bout de la salle, Gavin continue de faire les cent pas devant les portraits encadrés des fondateurs de la ville.

— Bon, je me fous de ce que vous pensez du merdier dans lequel on est, moi j'appelle ça une guerre… Et pour le moment, cette petite ville de merde est officiellement sous la loi martiale !

Des murmures tendus s'élèvent dans l'assistance. Le vieux monsieur est le seul qui a assez d'audace pour prendre la parole.

— Qu'est-ce que ça veut dire exactement ?

— Ça veut dire, répond Gavin en s'avançant vers lui, que vous allez tous suivre mes ordres bien gentiment. (Il tapote le haut de son crâne chauve comme on caresse un lapin.) Vous allez tous vous tenir à carreau, faire ce qu'on vous dit, et peut-être qu'on se sortira de ce foutu merdier.

Le vieil homme déglutit péniblement. Les autres baissent la tête. Brian comprend clairement que les habitants de Woodbury sont pris au piège, et pas qu'un peu. La haine qui plane dans cette salle est palpable. Mais la peur l'est plus encore. Elle exsude des pores de tout le monde, y compris de Brian, qui s'efforce de la maîtriser et la ravaler.

Devant, quelqu'un murmure quelque chose. Brian est trop loin pour l'entendre, et il se hausse un peu pour voir par-dessus les têtes de qui il s'agit.

— Tu as quelque chose à dire, Detroit ?

Près de la fenêtre, un Noir entre deux âges, en salopette, avec une barbe grisonnante, se détourne en faisant la moue. Il a du cambouis plein les mains. Le mécanicien de la ville, originaire du Nord, marmonne sans regarder le Major.

— Parle, insiste Gavin en venant se planter devant lui. C'est quoi, ton problème ? Tu aimes pas le programme ?

— Je me casse, répond l'homme d'une voix presque inaudible.

Il se lève et s'apprête à sortir quand soudain, le Major porte la main à son arme. Instinctivement, presque involontairement, le Noir porte la main à la sienne. Mais avant qu'il ait eu le temps de dégainer ou de se raviser, Gavin braque son pistolet sur lui.

— Te gêne pas pour moi, Detroit, gronde-t-il. Comme ça, je vais pouvoir te faire sauter le caisson.

Ses acolytes le rejoignent en levant leurs fusils, l'œil sur le Noir. La main toujours sur la crosse de son pistolet, sans quitter Gavin des yeux, le nommé Detroit murmure :

— C'est déjà pas suffisant qu'on doive se battre contre ces saloperies de zombies… maintenant, faut qu'on supporte que tu nous donnes des ordres ?

— Pose ton cul sur ta chaise, ordonne Gavin en lui posant son pistolet sur le front. Sinon, je te descends. Et je blague pas.

Avec un soupir exaspéré, Detroit obéit.

— Ça vaut pour tous les autres ! dit le Major en considérant l'assistance. Vous croyez que je fais ça pour moi ? Que je me présente à une élection ? On n'est pas en démocratie. C'est une situation de vie ou de mort ! (Il se met à arpenter le devant de la salle.) Si vous voulez pas finir en pâtée pour chiens, vous allez faire ce que je vous dis. Laissez les pros s'occuper de la boutique et fermez vos clapets !

Le silence s'abat sur la salle comme un gaz toxique. Au fond, Brian a les poils qui se hérissent. Son cœur bat à lui rompre la poitrine, si fort qu'il en a le souffle coupé. Il a envie d'arracher les yeux de ce bouffon, mais il est comme paralysé et pris entre deux feux. Dans son cerveau grésillent des fragments de souvenirs d'une vie passée dans la peur à échapper aux petits tyrans de cour de récré à l'école primaire du comté de Burke, à éviter la bande qui hantait le parking du supermarché, à fuir des gangs durant les concerts en se demandant où était Philip… Philip toujours introuvable quand on avait besoin de lui…

Un bruit le tire de ses pensées. Le nommé Detroit se lève. Il en a assez. Sa chaise grince quand il déplie son mètre quatre-vingt-trois.

— Où tu crois que tu vas, toi ? s'écrie Gavin en le voyant prendre la travée centrale pour sortir. Hé ! Je t'ai posé une question, Detroit ! Où tu crois que tu vas comme ça ?

Detroit ne prend même pas la peine de se retourner.

— Je me casse d'ici… Bonne chance à tous… Va vous en falloir, avec ces enfoirés, marmonne-t-il avec un geste désinvolte.

— Tu vas venir rasseoir ton cul de Noir tout de suite sinon je te descends !

Detroit continue. Gavin dégaine son pistolet. L'assemblée étouffe un cri lorsque Gavin appuie sur la détente.

Le coup de feu qui déchire l'air se répercute sur les murs, accompagné des hurlements de l'une des vieilles dames. La balle atteint le Noir à l'arrière du crâne. Detroit est projeté en avant sur le distributeur à côté de Brian, qui sursaute. L'homme rebondit sur la paroi en acier et s'effondre en éclaboussant de sang le mur et un peu le plafond.

Beaucoup de choses se produisent alors, avant même que les derniers échos des hurlements se soient tus. Presque aussitôt, trois personnes – deux hommes d'âge mûr et une femme dans la trentaine – filent vers la sortie tandis que Brian les regarde faire comme dans un rêve. Il entend à peine la voix étrangement calme de Gavin – dénuée de tout regret et de toute émotion – ordonner à ses deux acolytes, Barker et Manning, de s'occuper des fuyards, et pendant qu'ils y sont, de lui ramener tous ceux qui « continuent de se terrer comme des foutus cafards ». Car Gavin veut que tout le monde entende ce qu'il a à dire. Les deux gardes sortent en courant, laissant dans la salle le Major, quelque vingt-cinq habitants… et Brian.

Celui-ci a l'impression que tout tourne autour de lui, alors que Gavin rengaine son arme en regardant le cadavre étalé comme s'il s'agissait d'un trophée de chasse. Puis il se retourne et revient d'un pas guilleret devant son auditoire. À présent, il a l'attention de tout le monde et il en savoure chaque instant. Brian l'entend à peine radoter qu'il compte faire un exemple de tous les connards qui croient pouvoir mettre en danger la vie des habitants de Woodbury en jouant les loups solitaires, en se soustrayant au système et en faisant les petits malins. Nous vivons une époque particulière, explique-t-il. Prévue par les prophéties de la Bible. D'ailleurs, c'est peut-être la fin des temps. Et à partir de maintenant, que tout le monde dans cette foutue ville pige bien que c'est sans doute la dernière bataille entre l'homme et Satan, et qu'en ce qui concerne les habitants de Woodbury, c'est Gavin qui tient le rôle du foutu Messie.

Ce sermon dément dure peut-être une ou deux minutes – mais cela suffit à Brian pour subir une métamorphose. Figé contre la paroi du distributeur, les pieds dans le sang du Noir, Brian se rend compte qu'il n'a aucune chance dans ce monde s'il suit ses penchants naturels. Son comportement instinctif qui consiste à éviter la violence, le danger et l'affrontement, le remplit de honte, et il se rappelle brusquement la première fois qu'il a vu un zombie, à Deering, chez ses parents, il y a une éternité. Ils sont sortis de la cabane à outils au fond du jardin et Brian a essayé de leur parler, de les raisonner, leur a ordonné de garder leurs distances, leur a jeté des pierres, puis a couru dans la maison et barricadé les fenêtres en faisant sur lui, se comportant comme la mauviette qu'il a toujours été et sera toujours. Et dans ce bref et terrible instant – alors que Gavin discourt sentencieusement devant l'assistance –, Brian revoit défiler tous ses moments de lâcheté et d'hésitation sur la route de la Géorgie, comme s'il n'avait rien appris : se terrer dans un placard des Wiltshire Estates, dégommer son premier zombie presque par accident chez les Chalmers, bassiner son frère à propos de ci et de ça, toujours faible, terrorisé et inutile. Brian se rend brusquement et douloureusement compte qu'il est absolument impossible qu'il survive seul. Et là, tandis que le Major aboie ses ordres aux habitants traumatisés, énumérant ses consignes et ses corvées, Brian sent sa conscience se détacher de son corps comme un papillon qui sort de son cocon. Il commence à regretter que Philip ne soit pas là pour le protéger comme il l'a toujours fait depuis le début de cette épreuve. Comment Philip aurait-il agi avec Gavin ? Très vite, ce simple regret devient un chagrin insoutenable, l'absence de Philip une torture, une blessure béante. Brian se redresse tandis que son esprit s'envole de son corps comme un morceau de la terre primitive arraché pour donner naissance à la lune. Étourdi, il vacille, mais il se retient, et avant qu'il ait pu s'en rendre compte, Brian est sorti de son corps. Sa conscience flotte désormais au-dessus de lui, comme un spectre qui le regarde depuis le plafond de cette salle infecte et suffocante du vieux tribunal de Woodbury.

Brian se voit se figer.

Brian voit la cible à l'avant de la salle, à huit mètres de lui.

Brian se voit s'écarter du distributeur, porter la main à sa ceinture, la refermer sur la crosse striée du calibre .38, pendant que Gavin continue de beugler ses ordres et de parader.

Brian se voit avancer encore de trois pas dans la travée centrale tout en tirant le pistolet de sa ceinture d'un geste souple et instinctif. L'arme est posée contre sa cuisse quand il fait le quatrième pas. Il n'est plus qu'à cinq mètres de Gavin, qui le remarque enfin, s'interrompt et lève les yeux – et c'est alors que Brian braque son arme et vide son chargeur sur Gavin.

Cette fois, tout le monde sursaute mais, curieusement, personne ne crie.

Personne n'est plus choqué par le geste de Brian que Brian lui-même, qui demeure figé pendant un insupportable moment dans la travée centrale, son arme toujours levée, chargeur vide, bras tendu, le Major plaqué contre le mur, ruisselant de sang.

L'enchantement se brise dans le bruit des chaises qui raclent le sol et des gens qui se lèvent. Brian baisse le bras et regarde autour de lui. Quelques personnes s'approchent du devant de la salle. D'autres fixent Brian. L'un d'eux s'agenouille auprès du cadavre de Gavin, mais ne se donne pas la peine de lui tâter le pouls. Martinez vient rejoindre Brian.

— Prends pas ça personnellement, dit-il d'une voix grave. Mais tu ferais mieux de filer d'ici.

— Non.

Brian a la sensation d'avoir retrouvé son centre de gravité, que son âme même renaît, comme un ordinateur qu'on relance.

— Tu vas le payer cher quand ses potes vont revenir.

— Pas de problème, répond Brian en prenant le chargeur dans sa poche. (Il le glisse dans son arme. Il n'a pas l'habitude de ce geste, mais sa main reste ferme. Il a cessé de trembler.) On est à dix contre un.

D'autres personnes se sont rassemblées près du distributeur autour du corps de Detroit. Le Dr Stevens lui prend le pouls tandis que quelqu'un commence à pleurer. Brian se tourne vers le groupe.

— Qui est armé ? demande-t-il.

Quelques mains se lèvent.

— Restez où vous êtes, ordonne Brian en se frayant un chemin vers la sortie.

Sur le seuil, il jette un coup d'œil par les vitres blindées sur le ciel gris d'automne. Même à travers la porte, on peut entendre la clameur caractéristique des zombies au loin, sous le vent. À présent, ce bruit paraît différent à Brian. Séparés de la petite enclave obstinée de survivants par des barricades de fortune et de minces parois de métal et de bois, la symphonie omniprésente des gémissements, aussi odieuse et dissonante qu'un carillon d'ossements humains, ne chante plus un destin funeste. Il semble à Brian que ces voix l'invitent à saisir le nouveau mode de vie qui se forme en lui comme une nouvelle religion.

Une voix le ramène à la réalité. Il se tourne et voit Martinez l'interroger du regard.

— Pardon, dit Brian. Tu disais quoi ?

— Ton nom… J'ai pas bien saisi.

— Mon nom ?

— Moi c'est Martinez… Et toi ?

Brian marque un infime temps d'arrêt avant de répondre :

— Philip… Philip Blake.

— Ravi de faire ta connaissance, Philip, dit Martinez.

Les deux hommes se serrent la main, et dans ce simple geste, un ordre nouveau commence à prendre forme.

Table

Le Livre de Poche s'engage pour l'environnement en réduisant l'empreinte carbone de ses livres. Celle de cet exemplaire est de :
500 g éq. CO_2
Rendez-vous sur www.livredepoche-durable.fr

Composition réalisée par DATAGRAFIX

Achevé d'imprimer en mai 2012 en Espagne par
BLACK PRINT CPI IBERICA
Sant Andreu de la Barca (Barcelona)
Dépôt légal 1re publication : mars 2012
Édition 03: mai 2012
LIBRAIRIE GÉNÉRALE FRANÇAISE
31, rue de Fleurus – 75278 Paris Cedex 06

31/3482/2